discurso

Revista do Departamento de Filosofia da USP

n. 36 2006

FFLCH
Programa de Pós-Graduação
Área de Filosofia

CAPES
PROEX

discurso
Revista do Departamento de Filosofia da USP

n. 36 - 2006
ISSN 0103-328X
publicação anual/*annual publication*

Endereço para correspondência (Address for correspondence):

discurso
Departamento de Filosofia – FFLCH – USP
Av. Prof. Luciano Gualberto, 315.
CEP: 05508-900
São Paulo – SP – Brasil
Tel./Fax: (11) 3091-3761/3709/3765
E-mail: discurso@org.usp.br
Bibliotecária Assessora: Sônia Marisa Luchetti
Secretária: Marie Marcia Pedroso
Tiragem: 1.000 exemplares

discurso

Revista do Departamento de Filosofia da USP

n. 36 2006

Os artigos publicados na **discurso** são indexados por *The Philosopher's Index, Clase* e *Répertoire Bibliographique de la Philosophie*

Alameda

Índice

Às voltas com Bento Prado

Roberto Schwarz

Homenagem a Bento Prado Jr. (1937 – 2007)
Professor Emérito da Faculdade de Filosofia, Letras e Ciências Humanas da Universidade de São Paulo[1]

[1] Este número já estava em fase de produção quando se teve a triste notícia do falecimento do Professor Bento Prado Jr. A comissão editorial agradece a Roberto Schwarz pela generosidade com que permitiu a reprodução aqui de seu artigo, publicado na *Folha de S. Paulo* do dia 28 de janeiro de 2007.

Nos anos 60 e 70, a resistência à ditadura deu projeção extra-universitária a alguns professores de esquerda, permitindo que mais adiante, na hora da abertura política, eles se candidatassem a cargos eletivos. O exemplo inicial em São Paulo foi Fernando Henrique Cardoso, que se elegeu suplente de senador. O salto da Faculdade de Filosofia ao parlamento, sem a passagem prévia pelo liquidificador da política profissional, criava expectativas altas e agitava os espíritos. O hábito dos estudos e da discussão, a intimidade com as ciências sociais e com o marxismo fariam diferença no governo?

Bento Prado na ocasião inventou um slogan para divertir os amigos: "Quem sabe escrever, sabe governar; Bento Prado para senador". A alegria foi geral na faculdade. A fórmula peremptória fazia rir por muitos lados. A sua inverdade clamorosa era uma piada, na verdade uma aula pela via paródica, oswaldiana ou brechtiana, sobre as presunções da oligarquia num país de alfabetização precária. Havia também o tempero biográfico. A inteligência incomum de Bento era uma unanimidade, assim como a sua inapetência para lidar com as complicações da vida prática. Além disso, ele era o descendente filósofo de uma família de fazendeiros quebrados pela crise de 29, aos quais o tom autoritário – tão bem imitado – pareceria natural. Enfim, se havia alguém que não aspirava ao mando nem queria ser mandado era ele.

A malícia das malícias entretanto não estava aí. Se o slogan fazia troça com as pretensões políticas das classes que redigem bem, ele não obstante afirmava que dentre os muitos candidatos quem sabia escrever deveras era Bento Prado ele mesmo. Sob a auto-propaganda humorística havia a estocada nos colegas menos sonhadores e estetas, ou mais afeitos à política real. Atrás de tudo, a equiparação cômico-polêmica entre as Letras e a Política: se as primeiras não levam ao senado, não cedem à segunda em valor, nem se deixam abafar. Um duelo nas nuvens, mas carregado de convicção.

O fato é que Bento escrevia admiravelmente e que a sua prosa se impunha – e se impõe – à primeira vista, por razões que aliás não são fáceis de explicar. A sua frase, de caimento sempre perfeito, é ampla, muito organizada e clara, ligeiramente retórica e fora de moda, com miolo filosófico moderno. O modelo com certeza é o Drummond do período classicizante, agilizado talvez pela multiplicação malabarística de aspectos, à la Sartre e Merleau-Ponty, além de acompanhado pelo culto parnasiano da visibilidade completa, que não deixa nada na sombra. O amor da clareza – uma forma de decoro, mas sobretudo de racionalidade e universalismo – era a feição dominante da elegância buscada por Bento. Aparecia igualmente na sua maneira muito correta e atenciosa de conversar, na pronúncia de professor que não engolia sílabas nem cedia a modismos e regionalismos, e também na bela caligrafia e nos envelopes bem sobrescritados. Do ponto de vista literário, remava na contracorrente do Modernismo, que pesquisava as irregularidades brasileiras, a gramática popular, a informalidade, a forma elíptica e fragmentária, o sujeito socialmente e nacionalmente marcado.

Entretanto, o universalismo de Bento não deixava de ter a sua fisionomia social. O refinamento sintático, a visão abrangente e concatenada, o vocabulário justo, a pitada de eloqüência etc. tinham a nota senhorial – é claro que modificada pelo naufrágio histórico do senhor enquanto classe, e por um ajuste de contas filosófico com a sua figura. A seu tempo, a linguagem escoimada de brasileirismos, segura da gramática portuguesa e do Latim, terá sido um padrão de autoridade, e não só um esforço cultural. A prosa de Bento lhe conservou o arcabouço, com suas possibilidades formais e sua altura, mas obedecendo a outro sujeito.

Entre os belos traços de Bento estavam o igualitarismo radical e a ira juvenil contra o privilégio, que faziam dele um homem indiscutivelmente de esquerda. Suponho que o objeto inicial de sua revolta tenha sido a prerrogativa oligárquica, à qual o secundarista convertido ao comunismo opunha a igualdade e a justiça. Contudo, como ele logo notou, o autoritarismo e o conchavo que o indignavam na oligarquia eram a norma também no Partido Comunista, o que o colocou para sempre à margem da política prática.

A conversação com Bento era algo especial. Ele era brincalhão e farsante, mas sobretudo sério. Na discussão gostava de um pouco de esgrima, mas não se tratava de jogo apenas. Havia o desejo real de esclarecer as questões, e não lhe ocorria levar a melhor de qualquer jeito. A lealdade e o fair play eram parte absoluta do processo, que ultrapassava a dimensão pessoal e, meio metaforicamente, representava o interesse coletivo. O espírito democrático, que na política tinha pouca chance, aqui dava fruto e criava padrão. Assim, na segunda edição de seus ensaios ele publicou como posfácio uma discussão muito crítica – embora notavelmente compreensiva – de Paulo Arantes a respeito. Na mesma linha, quando saiu o meu primeiro livro Bento publicou um excelente artigo que o questionava no essencial. São procedimentos que vale a pena mencionar por não serem habituais em nosso meio.

Quando tínhamos vinte anos, Bento me fez a comunicação formal de sua repulsa pelo anti-semitismo. Era parte da consolidação de nossa amizade, e uma afirmação de suas convicções universalistas, para as quais o preconceito contra os judeus era o arquétipo de todos os preconceitos. Como eu não corria o risco de ser anti-semita, mas nem por isso tinha grande opinião de meus patrícios, a conversa tomou rumo engraçado, com o gói advogando a causa do opositor. Outra vertente de seu universalismo era o absoluto respeito pela desgraça. Tendo bastante de príncipe, ele não se achava melhor do que ninguém. Num fim de noite, quando os bares decentes já haviam fechado, ele me arrastou para um boteco atrás da Praça da República, onde a sua atenção se fixou na munheca fechada e nas unhas sujas de um pobre homem adormecido, que por um bom momento resumiram para ele a angústia da existência.

Como combinar o cultor da clareza superlativa, o farsante e o notívago atormentado, que preferia que a noite não terminasse e que temia a luz do dia seguinte? Lutavam, um derrubando o outro, mas não se misturavam, e naturalmente compunham um enigma para os amigos e para ele mesmo. A poesia de Bento, que não está reunida, dá testemunho do impasse reinante no seu Laboratório de Metafísica Geral – expressão dele. Ele gostava de recitar o "Relógio do Rosário" de Drummond, especialmente os versos seguintes: "(...) E nada basta, / nada é de natureza assim tão casta // que não macule ou perca sua essência / ao contacto furioso da existência. // Nem existir é mais que um exercício / de pesquisar de vida um vago indício, // a provar a nós mesmos que, vivendo, / estamos para doer, estamos doendo."

Que falta o Bento faz!

Monique David-Ménard:
Deleuze ou Freud/Lacan?

Bento Prado Júnior

Professor titular de filosofia da

Universidade Federal de São Carlos (UFSCar)

Monique David-Ménard: Deleuze ou Freud/Lacan?

Este texto foi escrito tendo em vista a apresentação de *Repetir e inventar segundo Deleuze e segundo Freud*, de Monique David-Ménard, à ocasião do I Encontro Nacional de Pesquisadores de Filosofia e Psicanálise.

Palavras-chave: repetição, infinito, Deleuze, David-Ménard

Deleuze or Freud/Lacan?

This paper is a commentary of David-Ménard's *Répétition et invention en Deleuze et Freud.*

Key words: repetition, infinite, Deleuze, David-Ménard

Gostaria de dizer, inicialmente, como fiquei feliz ao saber que a tarefa de comentar a conferência de Monique David-Ménard me fora atribuída. É verdade que minha descoberta da obra de Monique foi tardia, através da bela tradução brasileira de seu livro *La folie dans la raison pure* (cujo título, que parece contrariar o senso comum, recebeu em nossa língua um suplemento de sentido na rima interna *A loucura na razão pura*). Mas rapidamente pude encontrá-la e discutir um pouco questões que são as nossas hoje. Tal felicidade estava um pouco comprometida por uma certa inquietação. Como eu, que não sou analista e nunca fui analisando, em minha condição de simples filósofo ou neurótico (ou ainda *melancólico,* como sugere a antiga tradição filosófica retomada por Kant em seu pequeno livro *Die Kopfkrankenheiten*), como eu poderia estar à altura exigida pelo comentário dos escritos de alguém que é, ao mesmo tempo, filósofo e psicanalista, e que é capaz de circular pelos dois domínios sem prejuízo? Mas a leitura antecipada de *Repetir e inventar segundo Deleuze e segundo Freud* me tranqüilizou. Pois, com ele, estamos do lado da filosofia, mesmo que a clínica aí também se encontre. Além do mais, recebi esta semana o último número da revista *Rue Descartes* onde encontrei uma outra conferência de Monique David-Ménard(1) que escutara em Paris no ano passado e cujo sentido eu não havia apreendido completamente. Ao relê-la, as coisas se esclareceram e me ajudaram a compreender melhor a conferência de hoje, pois estes dois textos se entrecruzam e se iluminam.

Meu comentário das duas conferências será necessariamente breve, tendo em vista os limites de tempo, assim como os limites de minha competência. *Grosso modo,* digamos que os dois textos colocam em cena uma mesma e dupla operação. Trata-se de descrever as relações entre Deleuze e a psicanálise, levando em conta duas fases de seu pensamento: a primeira, na qual o pensamento de Deleuze se alimenta também da psicanálise, e uma segunda, na qual fica evidente o distanciamento crítico em relação a Freud e Lacan. No fundo, apenas uma questão: quais são as razões propriamente *filosóficas* que obrigaram Deleuze a tal distanciamento?

Seria possível, creio eu, pensar na dimensão *biográfica* de tal corte. Não estariam, na origem deste desvio, a associação com Guattari e a prática clínica de Laborde? Ele não começaria, se não estou enganado, com a publicação de *O anti-édipo*?

Mas voltemos ao essencial. O que descobri de novo nestes dois textos, o que escapara a mim, que escrevo sobre Deleuze há quase trinta anos? Parece-me que o essencial do encaminhamento de Monique David-Ménard é o seguinte: em sua segunda fase, Deleuze perdeu a possibilidade de diálogo com a psicanálise devido a um retorno (talvez *não pensado*) à filosofia pré-crítica. Em uma palavra, retorno à filosofia do infinito: Leibniz, certamente, a quem Deleuze direcionou explicitamente sua atenção, mas (surpresa!) a Hegel. Ou ainda à Dialética do Absoluto, que sempre foi o adversário principal da filosofia da *diferença* e da *repetição* (por sinal, a tradição que consiste a opor a idéia de repetição à idéia de síntese dialética é antiga: basta lembrar de Kierkegaard e de Nietzsche, assim como o bergsoniano Charles Péguy de *Clio,* que se situa no ponto de partida de *Diferença e repetição*).

É verdade que em um texto de mais ou menos dez anos eu dizia que a idéia de imersão no caos não estava distante da idéia exprimida no prefácio da *Fenomenologia do Espírito* onde Hegel afirma que, para se advir Razão, o simples Entendimento deveria imergir no delírio dionisíaco da Substância! Para mim, tratava-se de um cruzamento puramente local e sem muita importância.

O que me faltava, para bem ver as coisas, era o momento da filosofia crítica. Tanto é verdade que, em um texto mais antigo (do final dos anos 1970), procedi à análise de um parágrafo de *Diferença e repetição*, lido em uma direção que ia de Hume a Bergson, isto a fim de situar a diferença entre Freud e Skinner. O título do artigo era "Hume, Freud, Skinner (em torno de um parágrafo de Gilles Deleuze)"(3).

Trata-se do parágrafo que vai da página 129 à 130, consagrado à tentativa de corrigir a versão corrente da idéia de *hábito*, com suas consequências para a idéia de *princípio do prazer*. É um parágrafo do capítulo "A repetição por ela mesma" muito próximo dos parágrafos do mesmo capítulo comentados por Monique David-Ménard na conferência de hoje. Como se trata de um parágrafo muito longo, não posso me permitir citá-lo na íntegra. No entanto, posso resumi-lo. O hábito não pode ser reduzido à reprodução de um prazer obtido. A *idéia* de um prazer obtido ou a obter só pode agir a partir de um *princípio*:

> Mas o hábito, como síntese passiva das ligações, ao contrário, precede o princípio de prazer e o possibilita". Ao final, lemos: "Mais uma vez, não devemos confundir a atividade de reprodução e a paixão de repetição que ela recobre. A repetição da excitação tem, por objeto verdadeiro, elevar a síntese passiva a uma potência da qual derivam o princípio de prazer e suas aplicações, futuras ou passadas.(Deleuze 2, pp. 129-30)

Ao lado da luz lançada sobre o princípio de prazer, eu insistia, em meu texto, que a idéia de reforço nada tinha a ver com um reflexo (uma síntese, digamos, passiva), pois ela implicava, na idéia de repetição a que está vinculada, uma forma de temporalidade invertida – como se apenas os efeitos posteriores de um gesto pudessem defini-lo como um gesto propriamente dito. É como se (mais uma surpresa) encontrássemos, no muito norte-americano, pragmatista e naturalista Skinner, o ponto de partida de Clio, de Charles Péguy, que inicia com a tese de que a repetição nunca implica em um acontecimento primeiro.

Assim, sem passar por Kant, eu me aproximava do que nos diz Monique David-Ménard, mesmo privilegiando os textos da primeira fase, sugerindo que, com Guattari, e sobre o fundo da mesma tradição empirista, Deleuze se aproximava mais de Skinner do que de Freud – como se a concepção "maquínica" do inconsciente nos aproximasse mais da prática do reforço e da extinção do *behavior* do que da prática da interpretação. Com efeito, a explicar o funcionamento da prática, Deleuze faz em algum lugar um belo trocadilho ao elogiar o nome de um estado norte-americano: *Connecticut* – literalmente, *ligar* e *cortar*, ou talvez, *reforçar* e *extinguir*.

Era uma maneira menos rica, do que esta de Monique David-Ménard, de descrever o desvio de Deleuze em relação à psicanálise. Mas que é convergente com a dela. O fato é que eu não havia lido *A loucura na razão pura*. Não poderia fazê-lo nos anos 1970, *et pour cause*. Mesmo após ter lido e comentado *O que é a filosofia?*, em particular o misterioso parágrafo sobre os movimento de velocidade infinita que atravessam o caos, eu não tinha adivinhado o retorno subterrâneo à filosofia do infinito. Após esta conferência e os outros textos de nossa colega Monique, precisarei reler toda a obra de Deleuze. Mas esta é talvez a felicidade da prática da filosofia: *poder sempre recomeçar*.

São Carlos, 27 de outubro de 2004

Referências Bibliográficas

1. DAVID-MÉNARD, Monique *Créer des concepts, dessiner l'impensé* in *Rue Descartes*, nº 45-46, Paris: PUF, 2004.
2. DELEUZE, Gilles. *Différence et répétition*. Paris: PUF, 1999.
3. PRADO JR., "Hume, Freud, Skinner (em torno de um parágrafo de Gilles Deleuze)" in *Alguns Ensaios*, São Paulo: Paz e Terra, 2000.

Repetir e inventar segundo Deleuze e segundo Freud

Monique David-Ménard

Professora da Universidade de Paris VII Denis Diderot

Tradução: Luciano Laface de Almeida

Repetir e inventar segundo Deleuze e segundo Freud

Neste artigo, trata-se, por um lado, de compreender até que ponto a existência humana e o pensamento, naquilo que eles têm de inventivo, são feitos de sínteses disjuntivas. E qual tipo de repetição entre os elementos, ligados de maneira não-casual, mas não sistemática, supõe esta síntese tão importante no pensamento de Gilles Deleuze. Por outro lado, trata-se de saber se esse conceito de repetição converge com aquele que reclama a psicanálise.

Palavras-chave: repetição, síntese disjuntiva, criação, Deleuze, psicanálise

To repeat and to invent according to Deleuze and according to Freud

This paper investigates the Deleuzean conception according to which the inventive aspect of human thought and existence is the result of a disjunctive synthesis of diverse elements interconnected in a non-casual, non-systematic way, so as to show the compatibility of his philosophy with psychoanalysis.

Key words: repetition, disjunctive synthesis, creation, Deleuze, psychoanalysis

Se há uma expressão que pode resumir, na filosofia de Gilles Deleuse, o que permite à vida e ao pensamento se inventarem, esta expressão é "síntese disjuntiva". Síntese disjuntiva é uma ligação de elementos que são aproximados e colocados juntos de uma maneira que inaugura um pensamento ou uma forma nova de existência, pois esses elementos não são homogêneos: eles não podem ser levados à identidade de uma medida comum. Um dos elementos mais simples dessas dessemelhanças inventivas pertence à criação pictórica: quando Van Gogh pinta seu auto-retrato, seu rosto é um girassol que não se parece com ele, um pavor antes nunca visto se inventa por esse "tornar-se girassol" do rosto.

Tal aproximação, que não tem modelo e nem esquema *a priori*, não é puramente momentânea: essa ligação produz efeitos relativamente duráveis, pois aí um espaço de vida ou um trajeto de pensamento se desenha de maneira inédita. Nem toda disjunção é uma síntese disjuntiva: em certas experiências delirantes, as imagens e os significantes colocados juntos fracassam ao produzir uma síntese, ou seja, um território de ligação que não existia antes de sua presença e relação.

Mas para que uma síntese seja inventiva, para que ela produza um território novo de existência ou de pensamento, é preciso que os termos ligados sejam heterogêneos – eis o sentido da palavra *síntese* desde Hume e Kant – e que a fórmula de sua ligação seja contemporânea da própria ligação. Tal é o plano de imanência ou de consistência que caracteriza a invenção conceitual na obra de Deleuze. Os conceitos não são *a priori* como as categorias e os esquemas kantianos – eles inauguram problemáticas. A idéia de Deleuze é que os pensamentos inventivos, como o são as grandes filosofias, juntam os elementos heterogêneos que são ligados por aquilo que ele chama, em *Qu'est-ce que la philosophie*, de uma "razão contingente": Kant "junta" uma crítica do Cogito cartesiano; uma teoria do tempo e do espaço; a personagem conceitual, ou seja, o juiz em função indispensável para que a filosofia seja redefinida como crítica; e uma concepção do conhecimento como julgamentos capazes de formular o que faz a experimentação nas ciências. Uma problemática filosófica liga esses componentes que em nada se destinam a serem reagrupados. Eis o motivo pelo qual a razão é aqui contingente; mas trata-se ainda assim de uma razão, ou seja, de componentes cuja ligação se organiza pelo viés de repetições de relações discursivas que a obra produz. O pensamento conceitual se forma por "variações inseparáveis".

Entendamos o seguinte: os elementos se tornam inseparáveis por variações que a filosofia efetua, e que caracterizam sua problemática. Para variar as relações entre os elementos do pensamento, é preciso repetir, repetir ligações sem modelo definido *a priori*, tal é a razão contingente.

Esse termo se opõe, segundo Deleuze, àquilo que define a ciência: ligar variáveis independentes por meio de uma razão necessária, ou seja, por funções que determinam a homogeneidade de elementos escolhidos como variáveis. As funções determinam, então, estados-de-coisas; a ciência preocupa-se com a referência desses enunciados, enquanto as problemáticas da filosofia visam à consistência, ligando eventos que são incorpóreos.

No entanto, meu propósito não é o de retomar essa confrontação entre a filosofia e a ciência. Procuro, de um lado, compreender até que ponto a existência humana e o pensamento, naquilo que eles têm de inventivo, são feitos de sínteses disjuntivas. E qual tipo de repetição entre os elementos, ligados de maneira não casual, mas não sistemática, supõe essa síntese: até que ponto a ligação de termos heterogêneos, e que permanecem em uma disjunção, produz um pensamento novo quando se trata de conceitos, e uma nova forma de existência, mais intensa, quando se trata de desejos ou ainda de "devires", segundo a expressão de *Mille-Plateaux*?

De outro lado, trata-se de saber se esse conceito de repetição converge com aquele que reclama a psicanálise. Poderíamos descrever o processo de uma análise como a produção, tanto na palavra do analisando quanto nos destinos e transformações de suas pulsões, de sínteses disjuntivas? Poderíamos sustentar que a regressão, em psicanálise, é uma repetição que produz uma ligação típica entre experiências de sofrimento e de gozo que formaram tal sujeito de desejo.

O objetivo de uma cura, com efeito, não é nunca o de simplesmente encontrar a fórmula dessas repetições, mas o de encontrar arranjos inéditos, menos custosos em sintomas, entre os componentes pulsionais e significantes que desenharam o plano de imanência sobre o qual se desenrola uma existência. A vertente positiva da repetição em psicanálise é uma síntese disjuntiva?

As repetições em Deleuze

No estado acabado de seu pensamento – tomemos como referência 1995, o ano de *Qu'est-ce que la philosophie?* –, Deleuze faz menos referência à psicanálise do que quando ele formava seus conceitos: em 1963, *Présentation de Sacher Masoch* desvendava os elos arbitrários que unem duas formações de desejo distintos. E em 1968, *Différence et répétition* dava as grandes linhas de uma filosofia do tempo e do pensamento como potência diferenciante.

No entanto, como uma síntese é uma ligação, e como uma síntese disjuntiva é uma ligação que valoriza em vez de anular a disparidade dos termos que ela junta, há uma notável continuidade, em Deleuze, entre o período de seu debate com Freud, Lacan, Mélaine Klein e o seguimento de sua obra, francamente polêmica, contra a psicanálise, ou a ela fazendo referência de maneira mais discreta.

Descrevamos esse encontro em forma de debate freqüentemente violento com Freud: toda vida, todo desejo, todo pensamento, segundo Deleuze, abre seu caminho – ele dirá mais tarde 'traça seu plano de imanência" – graças a três repetições que são modos de ligações de nosso corpo, de nossos afetos, de nossos pensamentos: a primeira ligação é a do hábito. Viver, desejar, pensar, é tornar presentes ao mesmo tempo elementos que formam o que o filósofo chama de "presente vivo". O hábito é uma síntese passiva que efetua junções para um "sujeito larvário":

> Todo organismo está em seus elementos receptivos e perceptivos, mas também em suas vísceras, uma soma de contradições, de retenções e de esperas. No âmbito desta sensibilidade vital primária o presente vivido já constitui no tempo um passado e um futuro. Esse futuro aparece na necessidade como forma orgânica da espera, o passado da retenção aparece na hereditariedade celular. (Deleuze 1, p.100)

O encontro com Freud já se marca aqui pela dimensão de prazer alucinatório que acompanha necessariamente essa primeira repetição do hábito:

> Nós não nos contemplamos a nós mesmos, mas nós não existimos senão contemplando, ou seja, contraindo aquilo de que procedemos. A questão de saber se o prazer é ele mesmo uma contração, uma tensão, ou se ele está sempre ligado a um processo de relaxamento, não está bem colocada[...] O prazer é um princípio, enquanto excitação de uma contemplação preenchedora, que contrai nela mesma os casos de relaxamento e de contração. Há uma beatitude da síntese passiva e somos todos Narciso pelo prazer que nós experimentamos contemplando, ainda que contemplemos outra coisa que não nós mesmos. Nós somos sempre *Actéon* pelo que nós contemplamos, ainda que nós sejamos Narciso pelo prazer que nós daí tiramos. Contemplar é subtrair. (Deleuze 1, p.102)

O presente vivo extorque uma diferença da repetição de casos, que, sem esse sujeito larvário do hábito, continuariam somente exteriores uns aos outros. O encontro com Freud consiste em inscrever o prazer no hábito. A crítica de Freud, em compensação, consiste em mostrar que não se compreende, em psicanálise, até que ponto o prazer é um princípio para a individuação biopsíquica. Desde a *Présentation de Sacher Masoch*, Deleuze mostra que a importância desse romancista para a nossa cultura está no fato de que ele manifesta que o importante, no desejo, não é a procura do prazer. Definir o desejo pela procura do prazer é, por um lado, ter uma concepção muito pobre do prazer como descarga e, por outro, subjugar o desejo a um termo transcendente, o objeto, que é aquilo pelo qual, segundo Freud, o objetivo do prazer se realiza; é, enfim, não compreender que o prazer, ao em vez de ser um puro fato, é um princípio para a vida da alma, como sustenta Freud. E para captar essa função do "princípio" de prazer, é preciso pensar o tempo repetitivo do hábito, primeira síntese disjuntiva.

Mas a linha do tempo assim constituída acorrenta apenas presentes. Ora, nós somos memória: a segunda síntese do tempo, que é também um segundo encontro com Freud, consiste em explorar os elos de *Mnémosyne*, deusa da memória, e de *Eros*. Bergson mostrou filosoficamente, em *Matéria e memória*, de 1900, que a lembrança pura, aquela que constitui nossa singularidade, não é um passado que embranqueceu. Tudo o que nós vivemos comporta, já à primeira vista, uma dimensão de passado sem atualidade, mas que colore nossos presentes a vir quando nossa memória se contrai e investe certos presentes. O que Bergson não disse, mas que Proust, de um lado, e Freud, de outro, destacaram, é que a memória é erótica. A série dos objetos que forma nossos desejos se imagina por repetições que projetam em um tempo mítico, ancestral e edipiano – Freud dizia filogenético e ontogenético, Lacan dirá mítico e estrutural – as figuras dos personagens e dos enredos dos quais somos tributários. Mas aqui ainda, Deleuze está muito próximo de Freud e ao mesmo tempo opera uma crítica da psicanálise. Poderíamos dizer que ele é mais estruturalista que o próprio Lacan, pois coloca que é somente por uma ilusão necessária, um certo efeito de ótica, que o passado da infância é primeiro. Na síntese da memória

> Não há termo último, nossos amores não remetem à mãe; simplesmente a mãe ocupa, na série constitutiva de nosso presente, um certo lugar com relação ao objeto virtual, que é necessariamente preenchido por uma outra personagem na série que constitui o presente de uma outra subjetividade, considerando-se sempre deslocamentos deste objeto = x. Um pouco como o herói da *Recherche*, que, amando sua mãe, já repete o amor de Swann por Odette.(Deleuze 1, p.140)

É então uma ilusão colocar como um princípio que a estrutura de nossos desejos se forma no passado. No entanto, essa síntese erótica da memória tem uma função decisiva na vida de nossos desejos e de nosso pensamento. Nessa procura ilusória de uma origem de nossos amores, desenha-se a estrutura de nossos pensamentos: pensamentos banais, pensamentos de nossos sonhos ou de nossas experiências, mas também estrutura das problemáticas pelas quais se agenciam nossos conceitos. A memória é a arte das questões como o hábito era a arte das esperas:

> As questões e os problemas não são atos especulativos que, a este título, permaneceriam totalmente provisórios e marcariam a ignorância momentânea de um sujeito empírico. São atos vivos, investindo as objetividades especiais do inconsciente, destinados a sobreviver ao estado provisório e parcial que afeta, ao contrário, as respostas e as soluções[...]. Mesmo os conflitos de Édipo dependem antes da questão do *Sphinx*. O nascimento e a morte, a diferença dos sexos, são os temas complexos de problemas antes de ser os termos simples de oposição. Antes da oposição dos sexos, determinada pela posse e pela privação do pênis, há a "questão" do *phalus* que determina em cada série a posição diferencial das personagens sexuadas· (Deleuze 1, p.141)

Nossa segunda questão será a de nos perguntarmos se a prática da psicanálise pode fazer do passado da sexualidade infantil um mito, como sugere Deleuze desde 1968. Que a pulsão do saber forma em nós a arte das questões, e que toda cura analítica se desenvolve nesse elemento, é incontestável. Seria preciso avançar e dizer que a idéia de separar o passado do presente pela repetição transferencial é um puro mito? E a noção de virtualidade dos objetos de desejo substitui a exigência do trabalho de historiador que um analisando faz? Eis o ponto do debate. Mas antes de colocar os termos de confronto entre a clínica e as teses deleuzianas, convém falar da terceira síntese do tempo segundo Deleuze, que faz também o terceiro encontro com Freud, sem duvida o mais fundamental, e que concerne à pulsão de morte (que Deleuze prefere chamar de Instinto de morte).

Não se compreende bem a relação do amor sexuado com a memória senão quando se atenta para a maneira com que uma potência de morte obriga a vida a se ultrapassar, abandonando a busca das origens: o Instinto de morte, lido na perspectiva do eterno retorno de Nietzsche, é essa capacidade de renunciar, por uma criação, à busca erótica de nossas origens. Deleuze que, aí ainda, lê Freud à sua maneira, está atento a um tema decisivo de *Além do princípio de prazer*: nas neuroses traumáticas, mas também nas formações do inconsciente nas quais a violência de um evento fez voar pelos ares a organização prévia da psique, há, diz Freud, uma tarefa prévia à procura do prazer. Trata-se de um trabalho de ligação dos elementos de uma experiência quando ela não é mais adquirida. A ameaça do caos, segundo o termo de Deleuze, ou do desligamento, segundo a expressão de Freud, é, por uma de suas faces, um questionamento do princípio de prazer, se este último consiste em encontrar circuitos pulsionais relativamente estáveis que tornem possíveis satisfações parciais. Mas o próprio Freud diz que ao mesmo tempo há, paradoxalmente, uma atração pela destruição de toda organização na própria pulsão. Essa atração é, para Freud, também a condição de toda renovação da vida da alma. Porém, se compararmos as formulações de Freud com as de Deleuze, chocamo-nos pelo fato de que Deleuze é mais unilateral na atenção dada à aproximação do caos. O fato de a síntese ser disjuntiva, o fato de os termos ligados a uma obra ou a uma existência serem heterogêneos e o permanecerem, garantiria o fato de a repetição ser inventiva, em vez de ser prisioneira das potências do idêntico. Freud insiste mais na ambigüidade da repetição, tanto em suas formulações mais especulativas quanto em seus textos clínicos. Trata-se de compreender por que a prática da psicanálise não pode se reclamar unicamente uma concepção criadora da repetição. Poderia-se dizer também: o que produz uma cura é uma sublimação?

Ambiguidade da repetição em psicanálise

Antes de voltar à confrontação dos textos, precisemos com um exemplo como se apresenta na clínica a repetição, segundo sua vertente destruidora e segundo sua vertente inventiva.

A prática da psicanálise consiste em dar, de diversas maneiras, um espaço de transformação aos circuitos de desejos diferentes uns dos outros, mas que um devir ligou e que se cristalizaram em sintomas. Esse rearranjo não é uma unificação, é antes invenção de uma outra relação entre estas séries: séries de representações, ou séries de significantes, na linguagem de Lacan.

Tomemos o exemplo: uma garota jovem, bonita, elegante, muito inteligente e saturada dela mesma, fala muito de sua recente anorexia; sua análise lhe serve para poder voltar ao que se passou com ela nessa experiência extrema, suficientemente grave para que ela seja hospitalizada um certo tempo, e que acompanhou o início de sua análise. No momento em que eu escolho expor, ela passa por estados de angústia ligados ao seu trabalho de pesquisa, estados de angústia análogos àqueles que ela havia atravessado logo antes de parar de comer.

Ela veio dizer que se ela não conseguisse mais trabalhar ela não teria mais existência, e o desafio que a fazia trabalhar até o momento como uma pessoa jovem, da qual seus próximos poderiam se orgulhar, havia se transformado em um outro desafio: o de não ceder à fome que a importunava, e de mostrar aos seus próximos que ela era capaz de transformar seu corpo.

Seu corpo havia então se transformado no teatro de uma louca transformação, é verdade, mas da qual ela não pôde dizer seu excesso senão depois do ocorrido. Ela havia parado de comer depois da morte de uma avó importante na sua vida, pois somente a existência de Mathilde – chamaremos aqui esta garota de Mathilde – havia sido capaz de reunir sua mãe e sua avó, que não se viam havia muitos anos. Ela trabalhava para reuni-las, e sua súbita incapacidade de trabalhar a fazia cair numa experiência de inexistência que ela retomava pegando para si um outro desafio, desta vez alimentar. Ela havia, no momento em que eu relato, declinado sua atração pela doçura dos casacos de pele de sua avó, nos quais ela se roçava freqüentemente depois da morte desta última. Se sua mãe e sua avó esperavam dela que ela fosse o que se chama de "uma boa aluna", é também porque elas comungavam um rigor extremo que havia marcado todos os anos da existência de Mathilde.

Mathilde, em seu nascimento, adoecia com freqüência, o que exasperava sua mãe, decepcionava seu narcisismo e requisitava repetidas intervenções médicas e cirúrgicas.

No presente momento ela estava bem, mas guardava ainda a exigência de não renegar essa experiência extrema que ela espantava-se de ter completado. O que a angustiava ainda em sua vida era, por um lado, ter dificuldades em superar o desgosto pelo sexo do homem com o qual ela vivia e, de outro lado, o fato de que ela se interrogava sobre a saída, desta vez, das angústias em seu trabalho.

Ela sonhou com esta situação: "Eu estava no hospital, e uma enfermeira, que era também relojoeira, me dava um medicamento, doliprane". No hospital, comenta ela, "durante a anorexia, não tínhamos direito a medicamentos. Curiosamente, o meu relógio havia parado durante minha estadia no hospital. Quem havia me dado o relógio era o meu avô, logo após a morte de minha avó, que havia acontecido praticamente no dia de meu aniversário. Eu havia retornado recentemente com meu avô à relojoaria onde ele comprara o relógio, pois desta vez ele estava funcionando, mas um dos ponteiros estava quebrado. Eu tive esse sonho após a última sessão, na qual eu falei sobre a maneira pela qual as minhas angústias pelos meus estudos entravam no lugar da angústia de estar doente e de estar nas mãos de médicos, pois em minha casa, tínhamos o direito de nos angustiarmos pelos estudos, mas não pelo resto. Minha mãe estava muito decepcionada por ter uma filha doente. Ora, o que era importante para mim era o medo de estar nas mãos de médicos. Eu me lembro da angústia da anestesia, de quando me colocavam uma máscara de clorofórmio e eu desmaiava. Era este momento que me aterrorizava: a perda da consciência". Ela acrescenta, sem transição: "é como quando o esperma escorre entre minhas pernas e eu nada posso fazer para impedir. Um desmaio".

A significante série doença–estudos–julgamento da mãe e da avó, que foi por muito tempo a única maneira de existir sob o modo de um desafio, se colocava subitamente em relação com a sua vida de mulher: gozar do sexo de um outro que lhe deixa escorrer esperma é impossível. A experiência da doença se colocava em relação inédita com o sexo por essa criação que aproxima o que não é semelhante: estar adormecida para uma operação e passear com o esperma escorrendo entre as pernas. O mesmo "nada posso fazer" insuportável. O mesmo e contudo não-mesmo, logo, ligação de experiências heterogêneas e que a permanecerão, forjando a cor da vida sexual de Mathilde. O fato de ter podido sentir o que, para ela, era o mesmo receio – o de ser anestesiada e o de gozar pelo sexo de um outro – libertava-a de repente da angústia de não poder trabalhar, criando uma ligação inédita de experiências dessemelhantes – ligação impossível de inventar enquanto o trabalho remetia à doença e a doença ao trabalho. Ora, se isso lhe permitia rir ao invés de levá-la ao desafio de parar de comer, era porque ela jogava com esse non-sense, com essa disjunção do sentido, que aproximava para ela o desmaio da anestesia e o abandono do orgasmo. Ao escutar um analisando, não unificamos nunca o que está ligado, e é o caráter disjuntivo das séries ligadas que faz toda a surpresa e a utilidade dessas metamorfoses ou desses devires do sintoma. Ela liberava sua relação com um homem de sua relação com os médicos, e isso modificava a sua angústia ao mesmo tempo em que a libertava da empresa de sua história: não se tratava mais nem de sua avó nem de sua mãe nesses devires do sintoma, mas de sua maneira de viver as peripécias do sexo sem modelo exterior e prévio.

Acontece que, nessa análise, a síntese disjuntiva que inventa a maneira pela qual se determina a sexuação para um sujeito não é suficiente para dar conta do processo mesmo da cura. Há um duplo aspecto da repetição, e a invenção não é evidente. A potência da invenção pode se destacar das forças destrutivas que se intensificavam nesse período da cura de Mathilde. A partir da junção de uma feminilidade até aí inviável e impensável, ela voltou, com efeito, ao que a havia prendido aos ideais da linhagem maternal. Isso somente é possível graças à transferência, no que ela tem de radical e de arriscado: depois de ter se aproveitado de seu sonho e de associações que lhe permitiam abordar sua vida sexual, ela retornou ao que a impedia até então de ir nessa direção. Ela tinha a impressão de que eu exigia dela na análise aquilo que exigiam na escola, ou seja, que ela viesse a ter sempre um bom desempenho, e que todo momento de fraqueza ou de depressão iria me decepcionar. Ela tinha uma obrigação de resultados e se sentia eternamente abaixo dos ideais exigidos. Aliás, se ela tinha parado de comer no período que seguiu o início de sua análise, era tão somente porque ela repetia a experiência de falhar para com a sua mãe. Quando da morte de sua avó, sua mãe havia deixado o hospital por algumas horas para levar Mathilde até sua casa.

Parar de comer era oferecer uma reparação à sua mãe. Ela a tinha impedido de assistir aos últimos momentos de sua própria mãe, e agora ela acabava de lhe dar um cadáver no lugar daquilo do qual ela a havia privado. Pronunciando essas frases, que lhe faziam reviver o período de sua anorexia, não se pode dizer que ela simplesmente inventava sua existência. O momento da invenção, quando ela começava a fazer junções inéditas entre sua história e sua vida de mulher, não tinha por si só o poder de colocar um termo a essa tentação da mortificação como único meio de existir. E, sobretudo, os momentos de invenção são decisivos somente pelo fato de destacarem-se tendo como pano de fundo o risco da repetição no que ela tem de mortífera. Mathilde tinha parado de freqüentar suas sessões de análise durante o período de seu espantoso emagrecimento. Ela retomou contato ao vir me mostrar seu corpo esquelético. Não que ela tenha simplesmente me tomado como sua mãe em uma repetição que Lacan chamaria de imaginária, e que ela teria simplesmente substituído uma figura por outra como duas cópias da mesma imago. Ela tinha antes, nesse desafio que colocava em jogo um risco de destruição dela mesma, um agravante na transferência da destrutividade de seu desejo. Eis a face obscura da repetição, aquela que Freud chamava de pulsão de morte – não para dizer que ela coloca forçosamente em jogo a morte biológica, mas antes porque ela desencadeia esse tipo de ato no qual um sujeito somente consegue manifestar alguma coisa de si mesmo por seus atos paradoxais e marcados pelo excesso, e que arriscam tornar vão seu objetivo de se reconhecer por um ou pelos outros.

O interesse – mas também o perigo – de uma análise é colocar em obra esse aspecto da repetição, circunscrevendo-o no espaço da cura, ou seja, dando a possibilidade, como nos espetáculos de tragédia, de transformar em jogo o reconhecimento da lógica, normalmente não percebida, dos eventos humanos. A cura provoca e contém ao mesmo tempo essa face obscura da repetição, e é nessa condição que as invenções significantes podem se destacar da destrutividade, emprestando desta última certos materiais significantes. As sínteses disjuntivas não se efetuam em quaisquer condições; a repetição transferencial as torna impossíveis, mas elas não são uma propriedade do conceito.

Captamos aqui por que a psicanálise não pode fazer "simplesmente" uma filosofia das sínteses disjuntivas e criadoras, como Deleuze: Freud, em *Au delá du principe de plaïsir*, constrói seu conceito de repetição aproximando quatro fenômenos que são ambíguos, e não puramente criadores. O primeiro são as neuroses de guerra, nas quais os soldados da guerra de 1914-1918 haviam perdido a inventividade de sua vida de vigília e tinham todas as noites o mesmo pesadelo, que repetia, sem modificação imaginária, a catástrofe real que havia cristalizado sua capacidade em desconhecer suas fragilidades internas. O segundo fenômeno é o jogo bem conhecido das crianças que repetem, brincando, por exemplo, de médico, o que as horroriza, tirando daí um prazer paradoxal. (Poderíamos dizer que a minha analisanda Mathilde foi impedida, pelo seu lugar na genealogia, de brincar de médico.) O terceiro exemplo é o prazer que os adultos têm nos espetáculos trágicos, graças aos quais os seres humanos são capazes, como dizia Aristóteles na *Poética,* de reconhecer a lógica dos eventos humanos que eles desconheciam em sua vida habitual. Por fim, o fenômeno que permite aproximar os três primeiros é a "reação terapêutica negativa", ou seja, a maneira pela qual a destrutividade se radicaliza na transferência, sem que estejamos previamente seguros que ela termine em uma recriação da existência. Poderíamos dizer que o dispositivo da cura seleciona essa ambigüidade da repetição. E quando Freud se lança em seguida, em seu texto, sobre o que ele chama de especulação biológica, afirmando que as pulsões, em um período antigo da evolução, caminhavam para a morte pelo caminho mais curto, ele projeta de fato a ambigüidade da repetição em uma suposta unidade dos processos de desejos sexuais e das leis da vida biológica. Mas essa síntese, que não é seguramente disjuntiva, mas antes metafórica, permite conceber que as pulsões ditas "de morte" – efetuando um trabalho de ligação que ainda não é sexual, como vemos no pesadelo das neuroses de guerra – são, no entanto, pulsões: as sínteses são disjuntivas porque os materiais da sexualidade são emprestados das cenas traumáticas. O sexual empresta do traumático e mascara o desligamento.

Se me parece importante sublinhar a vizinhança entre a destrutividade do desejo na repetição e as reorganizações inventivas que a transferência permite em uma cura, não é simplesmente para defender a especificidade da prática clínica na sua diferença para com o exercício conceitual da filosofia, que decidiria rápido demais, de algum modo, que passamos para o lado da criação. É também para introduzir um elemento de crítica conceitual no pensamento de Deleuze, que está, aliás, apesar da violência dos ataques, tão próximo da psicanálise. Critico o seguinte ponto: Deleuze qualifica de infinita a maneira pela qual os conceitos da filosofia ou os objetos da percepção da arte circulam no caos de partida do qual eles se destacam. Donde a importância de variações inseparáveis que o exercício do conceito coloca e que se desenham, na proximidade do caos, à determinação de uma problemática

> Define-se o caos menos pela sua desordem do que pela rapidez infinita pela qual se dissipa toda forma que aí se esboça. É um vazio, que não é um nada, mas um virtual contendo todas as partículas possíveis, e tirando todas as partículas possíveis, que surgem para tão logo desaparecerem, sem consistência nem referência.. O caos é uma rapidez infinita de nascimento e desaparecimento. (Deleuze 2, pp. 111-2)

Encontramos nesse curto texto a alusão à diferença entre ciência e filosofia, já que a primeira se afasta do caos: construindo uma referência para seus enunciados e a segunda o faz desdenhando planos de consistência do pensamento. Duas maneiras diferentes de se reportar ao caos, a ciência desacelera a velocidade pela qual o pensamento aí circula, graças à escolha engenhosa de variáveis independentes ligadas por funções, enquanto a filosofia permanece mais próxima do caos graças a essa rapidez infinita que assinala a disjunção nas sínteses disjuntivas.

Contudo essa noção de infinito, em Deleuze, não considera somente a ciência e a filosofia. Cabe também à arte colocar em jogo esse infinito pelas aproximações inéditas que ela inventa. Trabalhar a dessemelhança é, com efeito, mostrar em pintura como as formas produzem devires com a condição de se aproximar do vazio do caos:

> A casa de Manet se encontra ininterruptamente tragada pelas forças vegetais de um impetuoso jardim operado por um infinito monocromo, e a porta-janela, em Matisse, não se abre senão sobre um fundo negro... a figura não mais é o habitante do lugar, da casa, mas o habitante de um universo que sustenta a casa. É como uma passagem do finito ao infinito, mas também do território à desterritorialização.(Deleuze 2, p.171)

Em uma criação da arte, não se trata mais de um sujeito, mas de blocos de objetos da percepção, justamente porque o que é colocado junto na síntese é extraído da disjunção do caos. Mas por que chamar de infinito aquilo para o qual a disjunção remete?

Poderíamos responder que Deleuze é leibniziano, que seu infinito é aquele do cálculo infinitesimal, e das diferenças de percepção. Haveria passagem do finito ao infinito, pois a distinção das formas, dos volumes das cores, em uma tela de Matisse, coloca em jogo o fundo, a abolição das formas, das cores, dos volumes. Mas trata-se sempre do mesmo infinito nos três casos considerados (a arte, a filosofia e a ciência).

Se nos referimos ao campo da transferência em psicanálise, não diremos que as sínteses disjuntivas que reorganizam os destinos pulsionais e a organização significante de uma história passam pelo infinito. Insistir sobre a face negativa da repetição, em vez de tomar partido da invenção que circularia "em uma rapidez infinita" no caos, é abordar a destruição interna dos desejos por um dispositivo que confere ao negativo do desejo um caráter lúdico e não metafísico.

A polêmica de Deleuze contra a idéia freudiana e lacaniana do desejo como falta de seu objeto desconhece que o importante, no papel do objeto, é permitir o aparecimento das pulsões de morte: o masoquismo, segundo Freud, consiste menos em ignorar o objeto e a satisfação pelo prazer do que em inventar um exterior no qual as pulsões podem atribuir a própria violência. É porque o dispositivo da transferência é assim limitado que a repetição pode convocar as forças de desligamento sem aí se estragar. A disjunção em uma síntese disjuntiva não faz necessariamente referência a um infinito que unificaria, sob a potência metafísica do Mesmo, a arte, a ciência e a filosofia. Inventar sua existência, mas talvez também pensar conceitualmente, é uma maneira de se desfazer da ilusão do infinito.

Referências bibliográficas

1. DELEUZE, Gilles. *Différence e répétition*. Paris, PUF, 1968.

2. ———. *Qu'est-ce que la philosophie?*. Paris. Minuit. 1995.

3. ———. *Présentation de Sacher-Masoch*. Paris. Minuit.1963.

4. FREUD, Sigmund. *Au delá du principe de plaisir*. Paris. Payot, 1996.

Sobre saúde mental:
a natureza proteiforme das pulsões

Osvaldo Giacoia Júnior

Professor do Departamento de Filosofia da
Universidade Estadual de Campinas (Unicamp)

Sobre saúde mental: a natureza proteiforme das pulsões

Ao analisar as relações entre Nietzsche e Freud, o presente trabalho pretende seguir um caminho diverso do do descentramento da moderna subjetividade. O que se sugere aqui é como o problema das pulsões e da sublimação, que constitui em Nietzsche um dos mais importantes vetores de compreensão de sua crítica da cultura e da modernidade política, poderia servir de ocasião para uma discussão produtiva com a psicanálise.

Palavras-chave: Nietzsche, Freud, instinto, sublimação

On mental sanity: the proteiform nature of instinct or drive

Focusing on the relation between Freud and Nietzsche, the paper aims at pointing to an alternative path to the displacement of subjectivity among the moderns. Nietzschean notions of instinct and sublimation, which are among the central tenets of his critique of culture and modernity, could be the starting point for a productive discussion with psychoanalysis.

Key words: Nietzsche, Freud, instinct or Drive, sublimation

Numa reflexão sobre a herança da psicanálise, Paul-Laurent Assoun lembra que, como um saber dos processos inconscientes, ela "pode ser inscrita na posteridade daquele [Fr. Nietzsche, OGJ.] que se apresentava como o primeiro psicólogo da moralidade"(Assoun 1, p.99).

Opinião tanto mais plausível quanto se considera a insistência com que um certo "nietzscheo-freudismo"(Assoun 1, p.99) se apresentou desde muito cedo, praticamente em seguida à morte de Nietzsche. A esse respeito, cabe fazer menção à recepção de Nietzsche por psicanalistas como Otto Gross e Otto Rank, por exemplo, bem como às sessões da Sociedade Psicanalítica de Viena em que o "caso Nietzsche" foi convenientemente debatido e submetido a exame (1º de abril e 28 de outubro de 1908, por exemplo). Mas não se pode deixar de mencionar também, do lado dos filósofos, o empenho com que a pesquisa sobre Nietzsche, tanto mais antiga como a mais recente, tem se ocupado em estabelecer as relações pertinentes entre os empreendimentos teóricos desses dois "mestres da suspeita".

Como lembra o mesmo Assoun, muitos são os temas e problemas que aproximam Freud de Nietzsche, podendo-se mesmo reconhecer que, entre um e outro, é a mesma "revolução copernicana" às avessas que se desenrola: de um lado, o homem, como sujeito, é removido da antiga posição central no grande palco do mundo; por outro lado, a unidade simples da consciência deixa de ser o núcleo de centramento do eu e da subjetividade. Este, aliás, tanto pra Nietzsche quanto para Freud, não é senhor sequer da própria casa.

No presente trabalho, todavia, pretendo seguir um caminho diverso de problematização, que não o descentramento da moderna subjetividade. O que sugiro aqui é como o problema das pulsões e da sublimação, que constitui em Nietzsche um dos mais importantes vetores de compreensão de sua crítica da cultura e da modernidade política, poderia servir de ocasião para uma discussão produtiva com a psicanálise.

Inicio com duas passagens que me serviram de fonte de inspiração: uma delas de Freud, outra de Laplanche e Pontalis:

> Não é fácil entender como se torna possível subtrair uma pulsão à satisfação. De modo algum isso é isento de perigo; se isso não é compensado economicamente, pode-se contar com sérios distúrbios. Porém, se queremos saber que valor pode pretender nossa concepção do desenvolvimento da cultura, manifestamente temos que tomar em mãos um outro problema, o de colocar a questão: a que influências deve sua origem o desenvolvimento da cultura, como ele surgiu e por que meio se determina seu curso.(Freud 2, vol. IX, p.228)[2]

Como sabemos, o próprio *Mal-estar na civilização* se encarregará de responder que esse desenvolvimento é devido, em grande medida, à renúncia à satisfação da pulsão em sua meta original e à sublimação.

Não há como não reconhecer, portanto, a importância da sublimação para o estudo das origens e do desenvolvimento da cultura. Por isso, Laplanche e Pontalis observam o seguinte: "na literatura psicanalítica recorre-se freqüentemente ao conceito de sublimação; ele é efetivamente o índice de uma exigência da doutrina, e dificilmente se vê como poderia dispensar-se". Todavia, prosseguem os autores, a despeito dessa importância "a ausência de uma teoria coerente da sublimação mantêm-se como uma das lacunas do pensa-

---

[1] Não havendo indicação em contrário as traduções são de minha autoria.

[2] Os algarismos romanos remetem à dissertação, os arábicos à paginação. Salvo indicação em contrário, todas as citações de Nietzsche são referentes a essa edição, sendo as traduções de minha autoria.

mento psicanalítico". (Laplanche 4, p. 640) Talvez uma comparação com Nietzsche possa contribuir para uma reflexão a esse respeito.

Inicio com uma das teses mais fortes e polêmicas de *Para a genealogia da moral*: o homem civilizado é o animal doente, ele é "mais enfermo, mais inseguro, mais alterável, menos fixado do que qualquer outro animal, disso não há dúvida, ele é o animal doente", até mesmo "o mais duradoura e profundamente enfermo entre todos os animais doentes" (Nietzsche 5, vol. V, pp. 125 e ss); A essa constatação seria necessário acrescentar: é tanto mais doente quanto mais civilizado. É sobretudo a *psique humana*, ou, para dizê-lo teologicamente, a alma, que tem uma origem tortuosa; ela se desenvolve a partir da debilitação animal e instintiva, como resultado de um repressivo processo de autoviolentação, cuja dinâmica é determinada pela inibição e pela renúncia à satisfação pulsional. Desse modo, uma economia das energias pulsionais e uma certa dinâmica repressiva pertencem inevitavelmente à "pré-história da alma".

> Todos os instintos que não se descarregam para fora *voltam-se para dentro* – é isto que eu denomino a *interiorização* do homem; é com isso que cresce primeiramente no homem aquilo que mais tarde se denomina sua "alma". O completo mundo interior, originariamente fino como algo retesado entre duas peles, separou-se e aumentou, ganhou profundidade, largura, altura, na medida em que a descarga do homem para fora foi *inibida*. Aqueles terríveis baluartes com os quais a organização estatal se protegia contra os velhos instintos de liberdade – as penas fazem parte, antes de tudo, desses baluartes – acarretaram que todos aqueles instintos do homem selvagem, livre, errante, se voltassem para trás, *contra o homem mesmo*. [3](Nietzsche 5, vol. V, pp. 321 e ss.)

[3] Idem, II, 16.

Como se pode perceber, na base desse prodigioso esforço de autocriação, encontra-se o patrimônio biopsíquico das pulsões. Com efeito, a passagem do bicho-homem ao animal político se faz sobretudo pela "organização do caos pulsional". É nesse sentido que a genealogia nietzscheana pode ser entendida como tentativa de reconstituição da pré-história da alma humana – arena de combate e aliança entre as potências telúricas da fome, sexualidade, agressividade, crueldade, desejo de posse, sede de vingança e seus derivados – contidos e moldados por meio de instituições, de modo a se transformarem em um conjunto de sistemas psíquicos estruturados e organizados em aparelhos e funções.

Essa repressão do telúrico caldeirão pulsional faz do bicho-homem o "animal não fixado" (Nietzsche 5, vol XII, pp. 71 e ss)[4], o único na natureza a dar a si mesmo a série de suas configurações. Estas, por sua vez, representam outras tantas tentativas de fixação de tipos humanos, resultados de sucessivos e dolorosos experimentos do homem consigo mesmo.

Se tomarmos o termo *economia* em seu sentido etimológico de ordenação, divisão, administração de recursos, energias e valores, então poderemos decifrar a lógica do processo civilizatório, tal como o considera a genealogia nietzscheana, como uma *economia das pulsões*. É nesse terreno, a meu ver, que se desenvolve o essencial da reflexão nietzscheana, tanto a respeito das figuras em que o humano se deu na história, quanto sobre as permanentes possibilidades de sua (auto-)superação.

Essa economia permite diferenciar entre uma condição enfermiça e uma condição saudável – pelo menos tomadas em relação de mútua dependência – para indivíduos e povos, assim como para períodos inteiros de uma cultura. Sob tal prisma, podemos discernir, na genealogia de Nietzsche, um específico indicador de saúde – especialmente de saúde psíquica –, a saber, no modo como uma cultura

[4] Nietzsche, F. *Fragmento póstumo*. Nr. 2 [13]. Outono de 1885-Outono de 1886.

(ou um indivíduo) lida (ou pode lidar) com suas energias pulsionais (Triebe), com seus afetos e com os sentimentos que deles derivam.

A esse respeito, pode-se dizer que, para Nietzsche, a história da civilização ocidental é marcada por um radical antagonismo entre duas modalidades básicas de economia pulsional, oposição que desempenha uma função determinante na configuração e no destino dos tipos humanos que por meio dela foram gerados.

Esse antagonismo, Nietzsche o formula distinguindo tipos opostos de práxis moral: de um lado, a moral da castração; de outro lado, o tipo antitético, que poderíamos denominar imoralismo das paixões ou práxis sintetizadora.

O "castratismo", em sua versão clássica, é identificado por Nietzsche com a pedagogia moral eclesiástica, de cunho socrático-platônico-cristão.

> O afeto, o grande desejo, as paixões do poder, do amor, da vingança, da posse: os moralistas quiseram extingui-las, extirpá-las, "purificar" delas a alma.
>
> A lógica é: esses desejos freqüentemente produzem grande desgraça – conseqüentemente, eles são malvados, condenáveis. O homem tem que se desvencilhar deles: antes disso, não pode ser um homem bom...
>
> Essa é a mesma lógica que: "se um membro te escandaliza, então arranca-o". No caso particular, como o aconselhou a seus discípulos aquela perigosa "inocência da terra", o fundador do Cristianismo, no caso da irritabilidade sexual, infelizmente não se segue apenas que falta um membro, mas que o caráter do homem foi castrado... E o mesmo vale para o delírio dos moralistas que, em lugar da continência, exigem a extirpação das paixões. A conclusão deles é sempre: só o homem castrado é o homem bom.
>
> As grandes fontes de força, aquelas tão freqüentemente perigosas águas selvagens da alma, a jorrar avassaladoramente – em lugar de economizá-las e tomar em serviço seu poder, aquela mais míope e per-

> niciosa maneira de pensar, a maneira moral de pensar, quer fazê-las secar.(Nietzsche 5, vol. XIII, p. 347)[5]

Em *Crepúsculo dos idolos* – mais uma vez analisando a maneira tipicamente moral-eclesiástica de lidar com os impulsos e as paixões –, Nietzsche escreve:

> Aniquilar as paixões e os desejos, apenas para prevenir sua estupidez e as conseqüências desagradáveis dessa estupidez – isso parece-nos hoje apenas uma forma aguda de estupidez. Já não admiramos mais os dentistas que arrancam dentes, para que eles não doam mais... A Igreja combate a paixão com a extirpação, em todos os sentidos: sua prática, sua "cura" é o castratismo. Ela jamais pergunta: "como espiritualizar, embelezar, divinizar um desejo?"- Em todos os tempos ela colocou o peso da disciplina no extermínio (da sensualidade, do orgulho, da ânsia de domínio, da ânsia de posse, da ânsia de vingança). Porém atacar as paixões em sua raiz significa atacar a vida em sua raiz: a práxis da igreja é hostil à vida ..(Nietzsche 5, vol.VI, pp. 82 e ss)[6]

À práxis moral da castração, Nietzsche contrapõe outra economia dos impulsos e das paixões. Suas principais características estão indicadas no texto que acaba de ser citado. Trata-se do avesso da proscrição; em vez dela, pode-se manter uma postura fundamentalmente acolhedora e positiva: a transfiguração da energia dos impulsos, sua sublimação, divinização, embelezamento, espiritualização.

Nesse sentido, para Nietzsche,

> todas as paixões têm uma época em que são apenas nefastas, em que, com o peso da estupidez, arrastam suas vítimas para baixo – e uma época posterior, muito mais tardia, em que se consorciam com o espírito,

---

[5] Nietzsche, F. *Fragmento póstumo*. Nr. 14 [163]. Primavera de 1888.

[6] Nietzsche, F. *Crespúsculo dos ídolos. A moral como contra-natureza* 1.

> em que se "espiritualizam". Outrora, por causa da estupidez na paixão, fazia-se guerra à própria paixão: a gente se conjurava para aniquilá-la – todos os velhos monstros da moral são unânimes sobre que "il faut tuer les passions".[7]

Essa unanimidade, porém, é a idiossincrasia psicológica da penúria – típico credo ideológico dos "cultivadores seletivos para o pequeno"–, cuja mentalidade extirpadora é avessa ao conceito de espiritualização. O castratismo é uma economia negativa da amputação e da falta; sendo impotente para conviver com o excesso, não pode também vivenciar a possibilidade da conversão de um extremo em seu contrário – justamente aquilo que Nietzsche vislumbra como gravidez de futuro.

A práxis das paixões, recomendada pela dietética nietzscheana, consiste antes na reapropriação do excesso, daquela imensa gama de impulsos e afetos renegados, proscritos, reprimidos, "caluniados", anatemizados e, quando possível, extirpados pela tradição platônico-cristã. Reapropriação, porém, não de sua "estupidez" bruta, bárbara e destrutiva, mas de sua força domada, transfigurada, sublimada, "dourada":

> Tomar a seu serviço tudo o que é terrível, um a um, a modo de tentativa, passo a passo – assim quer a tarefa da cultura. Mas até que ela seja forte o suficiente para isso, ela tem de combater, moderar, velar, em certas circunstâncias, maldizer e destruir. Por toda parte onde uma cultura coloca seu mal, ela expressa com isso uma relação de temor: sua fraqueza se denuncia. Em si, todo Bem é um Mal de outrora tomado em serviço... O domínio sobre as paixões, não seu enfraquecimento ou extirpação! Quanto maior é a força dominadora de nossa vontade, tanto mais liberdade pode ser dada às paixões. O grande homem é grande pelo espaço de liberdade de suas paixões: mas ele é suficientemente forte

[7] *Ibid.*

para fazer desses monstros seus animais domésticos...(Nietzsche 5, vol. XIII, pp. 484 e ss)[8]

É isso que Nietzsche entende como *educação* Erziehung não castradora, que conduz à saúde tanto do indivíduo quanto da cultura: uma renaturalização (*Vernatürlichung*) do homem – transvaloração dos valores a nível da economia dos impulsos. Pois o castratismo moral não é apenas uma economia da indigência, mas sobretudo uma aberração antinatural. À visada genealógica, ela se revela como uma monstruosa inversão e autocontradição, pela qual *uma* determinada forma de vida se volta contra as mais poderosas fontes de energia vital, levando a efeito uma formidável empresa cultural de rebaixamento de valor, de cultivo seletivo do humano para o pequeno.

Nietzsche tem aqui em vista uma contradição monstruosa, que culmina, para ele, numa dolorosa e inútil dissipação de forças; pois, por mais que a pedagogia moral se empenhe em aniquilar as paixões, seu inexorável destino é sucumbir ao fracasso, já que nenhuma criatura pode se subtrair à força da natureza. Numa formulação que antecipa com rara lucidez as descobertas psicanalíticas de Freud, o jovem Nietzsche observa que já a antiga sabedoria grega havia feito a experiência de que não era possível – nem sequer desejável – reprimir violentamente o arrebatador impulso orgiástico: "uma coerção direta era impossível; e, se possível, ela era, entretanto, demasiado perigosa: pois o elemento represado em seu jorro irrompia então por outros canais e inundava todas as artérias vitais."(Nietzsche 5, vol.I, p.567)[9]

Não que Nietzsche mobilize o conceito de uma "harmoniosa" natureza humana originária, pura e boa, ainda intocada por costumes e paixões viciosas, frutos degenerado de uma civilização corrupta e irracional. Ele foi um incansável adversário da edulcoração român-

---

[8] Nietzsche, F. *Fragmento póstumo*. Nr. 16 [6 e 7]. Primavera-Verão de 1888.

[9] Nietzsche, F. *Visão dionisíaca do mundo*.

tica da natureza humana, tal como ela se formula em Rousseau, por exemplo. Para Nietzsche, o resgate da natureza corrompida, o retorno à saúde, não significa um regresso à bondade originária da condição humana – esta é, para ele, apenas um sub-rogado ideológico da moral cristã laicizada.

> Progresso no sentido em que eu o entendo. – Também eu falo em um "retorno à natureza", ainda que não seja propriamente um retornar, mas um ascender – um ascender à natureza e à naturalidade elevada, livre, terrível inclusive, que brinca, que tem direito de brincar com grandes tarefas... Para dizê-lo com uma metáfora: Napoleão foi um fragmento desse "retorno à natureza" tal como o entendo (por exemplo, *in rebus tactis* e, mais ainda, como os militares o sabem, em questões estratégicas). – Mas Rousseau, para onde queria ele propriamente retornar? Rousseau, este primeiro homem moderno, idealista e *canaille* em uma só pessoa; que tinha necessidade da "dignidade" moral para suportar seu próprio aspecto; doente de uma vaidade desenfreada e de um autodesprezo desenfreado. Também esse aborto que se plantou junto ao umbral da época moderna queria o "retorno à natureza" – para onde, perguntamos outra vez, queria retornar Rousseau?(Niezsche 5, vol. I, p.150)[10]

Essa pergunta dá bem a idéia da envergadura e importância da crítica feita a Rousseau, nesse contexto. De acordo com a estratégia polêmica de Nietzsche, não se trata de visar apenas o sujeito empírico Jean-Jacques Rousseau (como também não fora o caso com Sócrates, Platão, ou com o apóstolo Paulo), mas de alvejar um *tipo*, uma expressão paradigmática do "cultivador seletivo para o pequeno" – Nietzsche discerne em Rousseau o principal artífice do projeto político da modernidade.

Constitui um caso exemplar de seletividade pespectivística como esse fino diagnóstico pode deixar de lado o quanto o próprio Rousseau ante-

---

[10] Nietzsche, F., *Excursões de um extemporâneo* 48, p. 150.

cipara a crítica nietzscheana da modernidade, inclusive – em especial no *Segundo discurso* – recorrendo a procedimentos metodológicos análogos aos empregados em *Para a genealogia da moral*. De todo modo, não se trata de psicologismo ou de argumentação *ad hominem*: "Nunca ataco pessoas – sirvo-me da pessoa como uma forte lente de aumento com que se pode tornar visível um estado de miséria geral, porém dissimulado, pouco palpável".(Nietzsche 6, p. 32)

Tendo isso em vista, compreendemos melhor o sentido da expressão enigmática empregada, apontando numa direção oposta àquela de Rousseau: um retorno que não é regresso, mas ascensão. Retornar à natureza significa, então, reverter, transvalorar a contranatureza que caracteriza o regime moral platônico-cristão, como uma decorrência inevitável da lógica dessa mesma práxis, ou melhor, de seu caráter crônicamente deficitário.

Com efeito, se sua pretensão maior consiste em aniquilar, em extirpar do homem os "maus impulsos", seu resultado principal não vai além da substituição de um mal por outro ainda maior: aqueles "maus impulsos" não desaparecem, nem se transfiguram em beleza; ao contrário, eles dão lugar a novas monstruosidades. Para Nietzsche, o tratamento recomendado por aquela dieta moral – reabrir antigas chagas, revolver-se no autodesprezo, em contrição, quebrantamento, remorso, confissão infinita em "pranto e ranger de dentes –" não é uma profilaxia da alma, mas apenas uma forma mais aguda de doença.

Nietzsche contrapõe a isso sua economia sensata dos impulsos: divinização, transfiguração da existência, é sua receita para a recuperação da integridade. Contra a concepção idílica de uma natureza humana pacífica e compassiva, à maneira de Rousseau – como um jardim adâmico de que se devem extirpar as "ervas daninhas" –, Nietzsche propõe a sublimação do caos pulsional como caminho de grandeza, para a qual devem ser cultivados o indivíduo e a própria cultura.

> Não "retorno à natureza": pois ainda não houve jamais uma humanidade natural. A escolástica de valores não naturais e antinaturais é a regra, é o princípio; o homem só chega à natureza depois de longo combate – ele jamais volta "para trás"... A natureza: isto é, ousar ser imoral como a natureza.(Nietzsche 5, vol. XII, pp. 482 e ss.)[11]

Esse imoralismo é um sintoma de saúde e um expediente que disciplina para a grandeza. Ele aponta em direção a um tipo antitético de regime dos afetos. É dele apenas que se pode esperar uma superação da perspectiva da indigência, cuja estratégia é inibição e amputação das forças, a desertificação que tem como conseqüência inevitável a mediocrização da vida humana. Esse diagnóstico desempenha um papel central em sua crítica da modernidade, pois o traço distintivo do mundo moderno é a valorização do medíocre, do pequeno. Gostaria de avançar aqui a sugestão de que também essa acepção de mediocridade pode ser integrada na caracterização do homem moderno como o *último homem* – visceralmente avesso ao trágico, porque impotente para vivenciá-lo.

> O que é medíocre no homem típico? Que ele não compreende o avesso das coisas como necessário: que ele combate os estados penosos, como se pudéssemos prescindir deles; que ele não quer admitir uma coisa com a outra – que ele quer apagar e suprimir o caráter típico de uma coisa, de uma condição, de um tempo, de uma pessoa, ao aprovar apenas uma parte de suas propriedades e desejar eliminar as outras. "Aquilo que, para os medíocres, é desejável", é o que é combatido por nós outros: o ideal compreendido como algo em que nada de pernicioso, malvado, perigoso, questionável, aniquilador, deve permanecer. Nosso discernimento é o inverso: que com todo crescimento do homem também tem que crescer seu avesso, que o homem supremo,

[11] Nietzsche, F. *Fragmento póstumo*. Nr. 12 [53]. Outono de 1887.

> suposto que tal conceito seja permitido, seria aquele homem que exibisse o mais fortemente o caráter antagonístico da existência como sua glória e única justificação... Aos homens comuns, é lícito exibir apenas um diminuto cantinho e um pequeno aceno desse caráter natural: eles perecem de imediato quando crescem a pluralidade dos elementos e a tensão dos opostos, isto é, a pré-condição para a grandeza do homem. Que o homem tem de se tornar melhor e pior, esta é minha fórmula para essa inevitabilidade.(Nietzsche 5, vol XII, pp. 519-20)[12]

Contra a indigência, há a exuberância; contra a amputação, há o cuidado e o cultivo; em outras palavras: integridade e saúde, contra aniquilação e debilitação. Dadas as coordenadas principais da genealogia nietzscheana, não pode restar qualquer dúvida: o preço da civilização é a fragmentação do animal instintivamente saudável, inteiro e feliz. Porém, os fragmentos podem ter duplo destino: ou se dissiparem, figurando, então, carência e perda; ou serem reunidos e combinados num belo e bem acabado mosaico. Nisso se diferenciam os dois regimes dos impulsos, ou as duas dietéticas culturais das paixões.

Percebe-se então que, também em direção a essa saúde e integridade psíquica, o caminho entrevisto por Nietzsche é o da autosuperação, do elevar-se acima do fragmento, pela via da cultura. Contrapondo Rousseau, como paradigma do (diminuído) homem moderno, a Goethe – que então refletiria o ideal oposto –, Nietzsche mostra como a figura do humano, assumida por Goethe, é plena, ascendente, integradora, tendo conquistado o domínio de si, não por meio da condenação moral, que leva à necessidade de extirpação e à rigidez do moralista:

> Goethe – não um acontecimento alemão, mas europeu: uma grandiosa tentativa de superar o século dezoito por meio de um retorno

---

[12] Nietzsche, F. *Fragmento póstumo*. Nr. 10 [111]. Outono de 1887.

à natureza, por meio de uma ascensão à naturalidade da Renascença, uma espécie de auto-superação por parte daquele século. – Ele carregava em si mesmo os mais fortes instintos daquele século: a sentimentalidade, a idolatria da natureza, o [elemento, OGJ.] anti-histórico, o idealístico, o irreal e revolucionário (esse último é apenas a forma do irreal). Ele tomou em seu auxílio a história, a ciência da natureza, a antiguidade, igualmente Spinoza, sobretudo a atividade prática; cercou-se de autênticos horizontes fechados; ele não se separou da vida, introduziu-se nela; não foi vacilante, e tomou a seu cargo, sobre si, tanto quanto possível. Aquilo que ele queria era totalidade; ele combateu a separação entre razão, sensibilidade, sentimento, vontade (pregada por Kant, com a mais assustadora escolástica, Kant, o antípoda de Goethe), ele se disciplinou para a integralidade, ele criou-se a si mesmo... Em meio a uma época disposta para o irreal, Goethe foi um realista convicto: quanto a isso, ele disse sim a tudo o que lhe era aparentado, ele não teve vivência maior do que aquele *ens realissimum* chamado Napoleão. Goethe concebeu um homem forte, superiormente instruído, desenvolto em toda a corporeidade, tendo-se a si mesmos nas rédeas, a quem é lícito ousar gozar a inteira extensão e riqueza da naturalidade, que é suficientemente forte para essa liberdade: o homem da tolerância, não a partir da fraqueza, mas da força; pois ele sabe empregar em seu proveito ainda aquilo a que sucumbiria uma natureza mediana; o homem para quem não há mais nada proibido, a não ser a fraqueza, chame-se ela pecado ou virtude... Um tal espírito tornado livre se põe de pé, com um alegre e confiante fatalismo, em meio a tudo, na crença de que só o singular é reprovável, que, no todo, tudo se concilia e afirma – ele não nega mais... Mas uma tal crença é a mais elevada de todas as crenças possíveis: eu a batizei com o nome de Dionysos.(Nietzsche 5, vol.VI, pp. 151 e ss.)[13]

---

[13] Nietzsche, F. *Crepúsculo dos idolos. Incursões de um extemporâneo* 49.

Aqui aparece, numa luminosidade quase crua, a que típico resultado pode conduzir a diferença entre o cultivo pela práxis moral e pelo imoralismo das paixões: o artista Goethe aparece como um exemplo bem sucedido de integridade, força e saúde um ideal de *redenção na grandeza*. Nele, a tolerância não é efeito da pusilanimidade e da impotência, ela brota da força e da plenitude: só o isolado e singular é condenável – na bela totalidade, tudo se reconcilia e afirma.

Goethe e Rousseau, duas metáforas para o destino da autocriação humana na história: de um lado, o rebaixamento definitivo do homem a animal anão, uniforme e anônimo, condenado ao bem-estar dos medíocres prazeres iguais, perseguindo um ideal mercantilista de "felicidade das verdes pastagens do rebanho, cheia de segurança, livre do perigo, repleta de bem-estar e de felicidade de vida para todo mundo;"(Nietzsche 5, vol. VI, pp. 60 e ss)[14] no outro extremo, o herói trágico que é capaz de suportar e bendizer a mais extrema tensão do arco de suas possibilidades de ser.

À sombra do niilismo extremo, Nietzsche pretende ainda discernir, no ocaso do século XIX, sinais de que o Ocidente pode encetar, mesmo que inconscientemente, um caminho ascendente, na direção inversa daquela traçada pela modernidade cultural. Seu principal indício para essa crença é o imoralismo contemporâneo:

> Há indícios de que o europeu do século 19 se envergonha menos de seus instintos: ele deu um bom passo na direção de admitir sua naturalidade, isto é, sua imoralidade, *sem amargura*: ao contrário, forte o suficiente para ainda suportar sozinho essa visão. Em certos ouvidos, isso soa como se a *corrupção* tivesse progredido: e é certo que o homem não se aproximou da "natureza", de que fala Rousseau, porém [deu um] passo à frente na civilização, que este *rejeitava horrorizado*. Nós nos

---

[14] Nietzsche, F. *Para além de bem e mal*, aforismo nr. 44.

> *fortalecemos*: aproximamo-nos novamente do século 17.(Nietzsche 5, vol. XII, pp. 482 e ss)[15]

Em seu monumental balanço sobre os empreendimentos teóricos de Nietzsche e de Freud, escreve Reinhardt Gasser:

> O consórcio entre espontaneidade e faculdades intelectuais altamente complexas, entre a temeridade do desejo e a delicada organização das paixões, remete finalmente a uma concepção muito juvenil do Além-do-Homem. Em que consistirão, pergunta Nietzsche, as *profundas transformações*, depois de que "nenhum Deus vela por nós", nenhuma "lei ética eterna" se apresenta como garantia para o homem? Significa isso que "somos animais"? Que nossa vida se esvai? Que somos irresponsáveis? Sua resposta: *O sábio e o animal se aproximarão* e um novo *tipo* se dará.(Gasser 3, p.404)

Em conclusão, gostaria apenas de sugerir uma linha de questionamento que pode nos conduzir a importantes conseqüências: talvez pudéssemos considerar Nietzsche como mais otimista que Freud em relação à sublimação e a seu papel compensatório na economia do desenvolvimento cultural. Enquanto Freud se revela algo cético a esse respeito – considerando inevitável que o desenvolvimento da civilização aprofunde e fortaleça o sentimento de culpa da humanidade, apenas deficitariamente compensado pela sublimação, Nietzsche parece divisar, no ateísmo e imoralismo modernos, uma possibilidade (ainda que remota) de segunda inocência.

É possível que isso tenha sua raiz numa distinta consideração genealógica (ou genética) do sentimento de culpa. Se, em ambos os casos, este se origina no sangrento drama criminoso ancestral, essa tragédia se configura de modo diverso no Édipo de Freud e na crueldade nietzscheana dos "fundadores do Estado". É possível que o

---

[15] Nietzsche, F. *Fragmentos póstumos*, fragmento nr. 10 [53].

conceito de vontade de poder propicie à sublimação maior alcance e fecundidade do que pode caber no triângulo edipiano de Freud. Isso, porém, seria matéria de um outro trabalho. Basta-nos aqui, como disse, a indicação nesse sentido.

Referências Bibliográficas

1. ASSOUN, Paul-Laurent. "*L'héritage de la psychanalyse*" *in Magazine Litteraire* n. 298, Avr 1992.

2. FREUD, Sigmund. *Das Unbehagen in der Kultur*. In *Werke* (ed. Alexander Mitscherlich et al). Frankfurt: Fischer Verlag, 1982.

3. GASSER, Reinhard. *Nietzsche und Freud*. Berlim/Nova York: de Gruyter, 1987.

4. LAPLANCHE, & PONTALIS. *Vocabulário da Psicanálise*. Trad. Pedro Tamen. 3ed. Lisboa: Moraes, 1976.

5. NIETZSCHE, Friedrich. *Sämtliche Werke*. Ed. G. Colli e M. Montinrari. Kritische Studienausgabe. Berlim/Nova York/Munique: de Gruyter/DTV. 1980.

6. .______. *Ecce Homo. Por que sou tão sábio 7*. Trad. Paulo César de Souza. São Paulo: Companhia das Letras, 1995.

Cérebro, percepção e linguagem:
elementos para uma metapsicologia da representação em *Sobre a concepção das afasias* (1891) de Freud

Richard Theisen Simanke

Professor do Departamento de Filosofia e Metodologia das Ciências da Universidade Federal de São Carlos (UFSCar)

Este trabalho recebeu o apoio do CNPq, sob a forma da Bolsa de Produtividade em Pesquisa concedida ao projeto *Consciência e representação em psicanálise: alcance e limites da reflexão metapsicológica*, ao qual se encontra relacionado e do qual apresenta uma parte dos resultados.

Cérebro, percepção e linguagem: elementos para uma metapsicologia da representação em *Sobre a concepção das afasias* (1891) de Freud

O objetivo deste artigo é mostrar que o ensaio crítico *Sobre a concepção das afasias*, escrito por Freud em 1891, é o primeiro passo para a formulação de uma doutrina da representação, cujas características iniciais permanecerão inalteradas ao longo de todo o desenvolvimento da obra e cuja compreensão é indispensável para a elucidação desse amplo projeto teórico de fundamentação de uma ciência naturalista da mente, que Freud denominou metapsicologia.

Palavras-chave: psicanálise, Freud, metapsicologia, representação, associacionismo, atomismo psicológico

Mind, perception and language: elements to a metapsychology of representation in the *Conception of aphasia*

The aim of this paper is to show that Freud's *Conception of aphasia* is the first step towards the framing of a doctrine of representation whose main features remain unchanged throughout the further developments of his work. The right comprehension of such a doctrine is a fundamental requirement in the study of Freud's metapsychology conceived as a naturalistic *science of the mind.*

Key words: psychoanalysis, metapsychology, representation, associacionism, psychological atomism

Introdução

O ensaio freudiano sobre a afasia (Freud 8) já foi objeto de numerosos estudos[1], e sua importância histórica para a fundação da psicanálise tem sido amplamente reconhecida. Talvez a principal evidência dessa importância seja a formulação dos conceitos de representação de palavra (*Wortvorstellung*) e representação de objeto (*Objektvorstellung*), distinção que foi largamente empregada por Freud em momentos cruciais da reflexão metapsicológica posterior (Freud 11, p. 115; Freud 12, pp. 197-200; Freud 13, p. 227, entre outros). O que se pretende no presente trabalho é retomar a formulação inicial desses conceitos, assim como outras noções propostas por Freud, para mostrar, em primeiro lugar, de que modo eles pressupõem toda uma revisão da concepção sobre a natureza do fato psicológico e de sua relação com o cérebro e o sistema nervoso, implícita nas teorias localizacionistas criticadas por Freud em seu ensaio. Em segundo lugar, trata-se de mostrar como essa revisão conduz à formulação de uma outra concepção de representação, presente em todas as elaborações metapsicológicas posteriores. Com isso, pretende-se argumentar, por um lado, que a monografia sobre as afasias é não apenas importante para a compreensão da metapsicologia freudiana, mas constitui, de fato, seu passo inaugural e decisivo; por outro lado, que o conceito de representação é crucial para o projeto metapsicológico freudiano

[1] Para citar apenas alguns, mencionemos Greenberg 19, Henderson 21, Marx 28, Miller 29 e Rizzuto 33, 34, 35. No Brasil, cabe destacar Araújo 2, Birman 4, Caropreso 6, Gabbi Jr. 16 e Garcia-Roza 18.

e pode ser considerado um *Grundbegriff* tão legítimo da teoria psicanalítica quanto aqueles via de regra reconhecidos como tais (pulsão, inconsciente, repressão etc.). Por fim, tentar-se-á mostrar que é o sentido específico desse conceito de representação aí formulado que permite romper com a identificação entre o psíquico e o consciente – ruptura não só característica, mas, no limite, constitutiva da psicanálise –, assim como ultrapassar o paralelismo psicofisiológico e, de modo mais geral, as concepções dualistas sobre a relação mente-corpo ou mente-cérebro. Nenhuma dessas posições é claramente assumida em *Sobre a concepção das afasias* e, embora o inconsciente vá tornar-se uma peça central do ideário psicanalítico, já nos anos imediatamente posteriores a 1891, a superação do paralelismo assumido inicialmente tem uma história mais complicada, tendo sido negligenciada por diversos comentadores, apesar das renovadas reivindicações materialistas de Freud. Desde esse ponto de vista, o conceito de representação esboçado por Freud nesse escrito inicial pode aparecer como a chave para a elucidação de muitos desenvolvimentos conceituais de sua metapsicologia, e estes, por sua vez, como o resultado da exploração das possibilidades abertas por essa primeira formulação de uma teoria da representação. Essa exploração certamente permaneceu incompleta no trabalho sobre as afasias, mas começou a efetuar-se em obras imediatamente posteriores, como o *Projeto de uma psicologia* (Freud 9). Mesmo assim, talvez muitas das conseqüências dessa teoria tenham deixado de ser incorporadas por Freud, pelo menos de forma explícita e inequívoca, a suas reflexões teóricas mais tardias, podendo-se sugerir, assim, que a avaliação do alcance e da eventual atualidade das teses metapsicológicas deva levar em conta esse saldo.

Crítica da localização e crítica da representação

Deixando deliberadamente de lado, então, a questão que está em primeiro plano nesse ensaio crítico freudiano – o problema específico das afasias –, concentremo-nos exclusivamente no exame da concepção de representação aí formulada quase como um produto secundário ou, pelo menos, derivado dessa crítica. De fato, Freud afirma, na abertura de seu ensaio, que, como a teoria das localizações cerebrais é a peça fundamental da concepção da afasia proposta por Wernicke, que ele se propõe a revisar, seu trabalho pode ser considerado também um exame crítico abrangente dessa teoria (Freud 8, p. 39). Ora, o *localizacionismo*, na medida em que se pode traçar um denominador comum para as diversas concepções que essa rubrica abriga, não é apenas uma teoria sobre a estrutura e o funcionamento do sistema nervoso enquanto tal: ele é, antes e acima de tudo talvez, uma teoria sobre a relação entre a anatomia e a fisiologia do sistema nervoso, por um lado, e as funções psíquicas que ele sedia ou que a ele estão de alguma forma vinculadas, por outro. Isso porque, evidentemente, são justamente essas funções psíquicas que se procura localizar em áreas anatomicamente delimitadas do cérebro, e do córtex cerebral em particular. Há, portanto, inevitavelmente, uma psicologia implícita ou explícita nas teses localizacionistas, isto é, um conjunto de hipóteses sobre a natureza daquilo que se pretende localizar. Assim, a crítica freudiana ao localizacionismo deve comportar, também uma avaliação e uma reformulação da psicologia nele contida; e uma reflexão sobre o conceito de representação que emerge dessa crítica deve perguntar-se, em primeiro lugar, que psicologia é essa, qual o sentido do conceito de representação que se pode dela deduzir e de que maneira a crítica das concepções localizacionistas da linguagem e de seus distúrbios pode levar a uma revisão significativa desse conceito, de modo a dar origem àquele que se firmará daí em diante na metapsicologia freudiana.

A psicologia implícita nas teses localizacionistas pode, de modo geral, ser identificada ao conjunto de doutrinas psicológicas comumente designadas como *associacionismo*. A teoria das localizações cerebrais e a doutrina da associação de idéias foram não somente os dois grandes debates do último terço do século 19 nessa área de conhecimento (Forrester 7, p. 37), como representam os dois lados da concepção então dominante sobre a relação entre as funções psíquicas e a neurofisiologia do cérebro, de modo que as teses principais de cada uma dessas doutrinas são claramente reconhecíveis no lado contrário[2]. Para além da teoria da afasia especificamente proposta por Wernicke e ampliada depois por Lichtheim, Freud visa, em sua crítica, uma teoria bem mais abrangente sobre a natureza da função nervosa e cerebral, e de sua relação com o mental subentendida nesses autores, cujo principal codificador foi Theodor Meynert. Wernicke reconhece, explicitamente, na abertura de seu trabalho inaugural sobre a afasia, que as idéias ali postas consistem em uma aplicação especial das concepções mais gerais de Meynert (Wernicke 40, p. 92; Freud 8, p. 86). Meynert, por sua vez, assimila claramente em sua obra a influência, então amplamente disseminada, do associacionismo britânico nos meios científicos alemães. Mais especificamente, como aponta Amacher (1, p. 28), esta reveste-se aí da formulação que recebeu no pensamento de James Mill, em cuja "mecânica mental" certos princípios filosóficos e psicológicos do empirismo adquirem sua formulação mais extrema. A caracterização esquemática da psicologia associacionista esboçada a seguir, em seu esforço de acentuar alguns de seus traços distintivos, tende a reencontrar, por isso, a forma específica que esta assume em James Mill ou, pelo menos, pode buscar nele os exemplos mais ilustrativos.

---

[2] De fato, o trabalho de Hughlings Jackson – principal referência freudiana, em seu ensaio, do lado da neurologia – visava acima de tudo deslindar a confusão epistemológica entre concepções psicológicas e neurofisiológicas por ele diagnosticada na neurologia de sua época. O ensaio freudiano dá continuidade a esse esforço, mas, num certo sentido, o ultrapassa, como se procurará demonstrar adiante.

Um desses traços distintivos, que se foi acentuando na história do empirismo britânico e do associacionismo até encontrar sua expressão mais cabal na psicologia de Mill, é o *atomismo psicológico*. À doutrina de que todo conhecimento provém da experiência, segue-se a dissolução progressiva da concepção da mente como um centro de atividade organizadora e sintética dos processos psíquicos, doravante considerados como resultantes da recepção passiva de impressões sensoriais que, assim como as sensações e idéias a que dão origem, se auto-organizam segundo diversos princípios associativos. A idéia de uma mente passiva – *tabula rasa* onde a experiência escreve o que se constituirá como o mental –, na medida em que exclui a existência de uma forma, estrutura ou organização prévias à recepção das impressões, de qualquer ordem que lhes possa ser imposta por um princípio interno, anterior e independente da experiência, tende, por si só, a colocar a ênfase nas propriedades do elemento na determinação do psíquico: o elemento, com suas características próprias, pré-existe a todo e qualquer processo complexo onde possa vir a ser incluído. Segue-se daí, mais ou menos naturalmente, que as propriedades desse complexo dependem das propriedades pré-existentes no elemento, e não o contrário. A realidade última do mental consiste, então, no átomo psicológico da sensação ou da representação elementar que lhe corresponde. Essa concepção se manifesta claramente na metodologia da pesquisa introspeccionista que nela se apóia, na busca obsessiva e artificial pelo isolamento experimental da sensação simples supostamente objetiva, metodologia que mais tarde foi tão agudamente criticada pelos teóricos da *Gestaltpsychologie* (Köhler 26, pp. 44-61, por exemplo). Geralmente expresso na fórmula "o todo não é mais do que a soma das partes", o elementarismo psicológico do associacionismo é tipicamente ilustrado pelos exemplos de Mill, quando este afirma que a idéia de casa resulta da soma das idéias das tábuas, pregos, tijolos que a compõem ou, numa hipérbole que se tornou clássica, que a idéia de Tudo (*Everything*) resulta da soma das idéias de todas as coisas (Boring 5, p. 226): ainda que condensados e fusionados, os elementos subsistem no interior do complexo e a ele conferem suas características. O fato de que Freud, em *Sobre a concepção das afasias*, tenha, num momento decisivo da elaboração de seu argumento, recorrido a Stuart Mill – cuja noção de uma "química mental" coloca restrições importantes a esse elementarismo generalizado – pode servir para indicar o quanto o atomismo psicológico implícito da teoria das localizações cerebrais é, ali, um de seus alvos.

Para um pensador como Freud que, oriundo da neurologia, se encaminha para a formulação de uma teoria psicológica, o problema das relações entre o mental e os processos neurais se coloca imediatamente. Cabe perguntarmo-nos, então, qual a concepção dessa relação, implicada pelo elementarismo associacionista e pela teoria das localizações cerebrais, que retoma suas fórmulas no plano neurológico. O que se procurará argumentar na continuidade é que a solução aí implicada é o *paralelismo psicofisiológico* – que Freud ainda endossa explicitamente em seu ensaio sobre a afasia –, o qual, contudo, resulta justamente na identificação entre o psíquico e o consciente, sobre cuja recusa Freud erigirá a psicanálise. Essa recusa implicaria, portanto, no abandono do paralelismo, o que não se dá em *Sobre a concepção das afasias*, texto que, não obstante, parece conter já os instrumentos para a revisão dessa concepção que Freud empreenderá logo a seguir.

Esquematicamente, para o empirismo associacionista, todo conhecimento – e, mais genericamente, todo ato mental – tem sua origem na sensação resultante da recepção de um estímulo sensorial. Quando se trata de pensar também o processo neurofisiológico que se interpõe entre o estímulo externo e a idéia ou representação que se forma na mente, fica clara a implicação que se estabelece entre o atomismo psicológico e o paralelismo, como ocorre, por exemplo, em David Hartley, considerado o fundador oficial do associacionismo como doutrina unificada e consolidada (Boring 5, pp. 195-7). Como se verifica essa implicação? De modo geral, o fato psicológico fundamental é a percepção consciente de uma sensação produzida por um estímulo externo. O ponto de partida do psíquico está, portanto, localizado no mundo exterior, concebido em termos de processos físicos e materiais. Os estímulos físicos que atingem a superfície sensorial do organismo dão origem aí a processos de excitação e de condução nervosa. A condução central desses processos nervosos tem como destino último o córtex cerebral – o córtex occipital para o estímulo visual, por exemplo. A excitação nervosa conduzida ao córtex produz aí as inervações que constituem o correlato imediato do processo psicológico consciente – a percepção –, ao mesmo tempo em que causam modificações morfológicas mais ou menos permanentes na substância cerebral (às vezes, designadas como *engramas*), que formarão a base hipotética da memória. Numa formulação particularmente ilustrativa dessa concepção, Henschen afirma que o estímulo deixa sua impressão no córtex "como a forma do selo é impressa sobre a cera" (*apud* Head 22, p. 84)[3].

Até este ponto, como se vê, não é ainda necessário lançar mão de nenhum fator explicativo que não seja de natureza estritamente material. A teoria da projeção de Meynert, um dos principais alvos da crítica de Freud em *Sobre a concepção das afasias* e em resposta à qual sua teoria da representação começará a tomar forma, mostra bem como todo esse processo, que vai da recepção periférica do estímulo às modificações corticais que são a base do mental é atomisticamente concebido: a cada ponto estimulado na periferia sensorial corresponderia um processo contínuo e independente de condução central e, afinal, uma modificação cortical específica, após a qual apenas os processos associativos teriam início[4]. Teríamos, assim, um processo inteiramente físico ao longo de todas as etapas de seu percurso, que,

---

[3] Este símile, como se sabe, remonta em última instância a Aristóteles 3 (*De memoria*, I, 450a, 30).

[4] A comparação do córtex com a retina do olho, onde a imagem se formaria pela estimulação composta de células isoladas, é freqüente em Meynert e ilustra bem sua concepção, como o próprio Freud não deixa de apontar em *Sobre a concepção das afasias* (Freud 8, p. 89).

ao fim e ao cabo, deve dar origem a um fato psíquico. É claro que isso não pode ocorrer sem a intervenção de um fator novo, de natureza totalmente distinta dos processos materiais até agora em questão. Esse fator é, justamente, a *consciência*, concebida ao modo de um órgão de percepção interna, um olhar interior capaz de ler e decodificar as modificações corticais que se originam dos processos excitatórios acima descritos, dando origem às representações perceptivas e, a partir dos traços que estes deixam atrás de si, àquelas que se tornam conscientes nos fenômenos de rememoração. A consciência aparece, assim, como um *a priori* absoluto de toda psicologia que parta dessas concepções, como condição de possibilidade da existência do psíquico como um domínio correlato, mas não derivado dos processos neurais a ele subjacentes. O elementarismo implícito ou explícito na definição desses processos neurais se transmite, assim, de um lado a outro do paralelo psicofisiológico: a cada modificação particular da substância nervosa corresponde uma representação elementar, um átomo de percepção ou de memória. Ora, o que define o atomismo não é tanto a idéia de que um fenômeno complexo possa ser decomposto em partes elementares constituintes: a noção de que "o todo não é mais do que a soma das partes" significa, acima de tudo, que *não se produzem alterações qualitativas, nem se engendram diferenças efetivas na passagem do simples para o complexo*, ou vice-versa. Todas as propriedades do todo devem, em princípio, encontrar-se já de alguma forma presentes em suas partes constituintes, e a passagem do simples ao complexo se dá tão somente por uma soma das partes, por um processo de justaposição mecânica que, no limite, exclui qualquer idéia de organização propriamente dita, ou seja, do surgimento de uma forma ou sistema que se caracterize, frente a seus elementos de composição, por um conjunto de propriedades distintivas.

Sob essa perspectiva, a cada impressão elementar deve corresponder uma representação simples, engendrada pela intervenção soberana e incondicionada da consciência; a um processo que é material em toda a sua extensão justapõe-se outro, que nasce já contendo em si todas as propriedades fundamentais do mental, ao que se acrescenta uma lacuna intransponível entre os dois, cuja hipótese é justamente o que caracteriza o paralelismo. Se, como requer a posição elementarista, não há alterações qualitativas na passagem do simples ao complexo – ou seja, não produzem-se aí qualidades novas, não previstas já nas propriedades dos elementos –, cada representação, mesmo na sua forma mínima, deve conter em si todas as propriedades do mental; em outras palavras, o elemento da representação deve ser inteiramente uma representação, em todos os sentidos essenciais do termo. De um lado, processos homogeneamente materiais, mesmo no seu nível mais complexo; de outro, processos homogeneamente psíquicos, mesmo no seu nível mais elementar: é nesse sentido que se pode dizer que o paralelismo psicofisiológico é a teoria sobre a relação entre mente e cérebro implicada pelo atomismo psicológico. Do compartilhamento dessas concepções associacionistas pelo localizacionismo resulta a conclusão, da qual este último não parece poder escapar, de que os elementos das representações devem estar contidos, de alguma maneira misteriosa, nas unidades anatômicas do sistema nervoso, nas células do córtex cerebral em particular.

O que a *doutrina da concomitância* de Hughlings Jackson – à qual Freud adere em *Sobre a concepção das afasias* (Jackson 23, p. 156; *ibidem*, p. 160; Freud 8, p. 98) – propõe é uma versão depurada do paralelismo que escape a essas confusões conceituais ocasionadas pela absorção acrítica do elementarismo associacionista na psicologia implícita na teoria das localizações cerebrais. O que se obtém dessa confusão é uma espécie de versão pulverizada do que Ryle chamou de "dogma do Fantasma na Máquina" – expressão utilizada para caracterizar e criticar o renitente cartesianismo da psicologia (Ryle 36, pp. 15-6) –, na qual uma infinidade de elementos psíquicos habitaria, sem que se saiba muito bem como, essas pequenas máquinas orgânicas em que consistem as células nervosas. Evidencia-se com isso, também, como o paralelismo se compromete, assumidamente ou não, com alguma forma de substancialização do mental, característica das soluções dualistas para o problema mente-cérebro das quais ele constitui uma das versões possíveis – talvez mesmo uma versão extrema, na medida em que abandona o interacionismo de Descartes, com todos os impasses metafísicos que este acarreta. Não se trata aqui, é claro, de retomar, mais uma vez, a crítica dessa psicologia, mas apenas de expô-la em seus traços mais característicos, de modo a tornar possível circunscrever a revisão que Freud propõe desses pontos de vista e acompanhar suas conseqüências para a formulação das teses metapsicológicas iniciais.

A crítica freudiana, em *Sobre a concepção das afasias*, endereça-se, mais precisamente, a três aspectos das concepções esboçadas acima: 1) a idéia de que a representação ou seus elementos podem estar contidos nas células nervosas; 2) a idéia, derivada da primeira, de que o processo neural culmina numa representação; 3) a idéia de que há uma espécie de espelhamento entre o nível neurológico e o nível psicológico, de modo que aquilo que aparece como simples no segundo corresponda a algo igualmente simples no primeiro. Examinemos em que termos essa crítica se exprime, antes de procurarmos mostrar de que modo as peças do argumento construído por Freud nesse texto permitem uma outra alternativa que não o paralelismo jacksoniano explicitamente adotado por ele naquele momento.

A recusa da idéia de que os elementos dos processos psíquicos – no caso em foco em *Sobre a concepção das afasias*, dos processos da linguagem – possam estar contidos nas células corticais é, de fato, o passo inicial da argumentação freudiana e permanece como eixo do movimento da crítica que aí se desenvolve. O primeiro alvo de Freud é a distinção proposta por Wernicke – e na qual se funda toda a sua teoria da afasia – entre os centros corticais da linguagem e os feixes associativos que os interligam. Essa distinção é em primeiro lugar anatômica: os centros sensorial e motor da fala situam-se na substância cinzenta do córtex, e os feixes associativos compõem-se de fibras de substância branca subcortical. Ela é também a chave para a distinção crucial de Wernicke, no conjunto das patologias da linguagem, entre as afasias centrais (sensorial e motora), que resultam da lesão dos centros, e a afasia de condução, que resulta da lesão dos feixes associativos. No entanto, pelo menos para o que nos interessa aqui, ela é principalmente uma distinção *psicológica*, que separa nitidamente os elementos psíquicos, que podem ser localizados nos centros, e a associação que, a partir deles, leva à constituição de processos mais complexos. Assim, a associação só pode ser um fenômeno secundário com relação à constituição dos elementos psíquicos que, segundo os princípios associacionistas revisados acima, dá-se passivamente pela via da percepção, mediante a intervenção da consciência. Freud, ao expor as concepções de Wernicke, deliberadamente enfatiza como, desde esse ponto de vista, localizar uma função psíquica implica em supor elementos psíquicos contidos ou armazenados em células nervosas:

> Sobre o modo como os sons verbais estão contidos no centro [sensorial da linguagem], Wernicke fazia uma idéia bem precisa, que é de importância capital para toda a teoria das localizações.
>
> Quanto à questão de até que ponto se poderia localizar as funções psíquicas, ele responde que apenas para as funções mais elementares isto é permitido. Uma percepção visual pode ser remetida, no córtex, à terminação central do nervo ótico, uma percepção auditiva à região de extensão do nervo acústico. Tudo que vai além disso, a combinação de diversas representações em um conceito, e assim por diante, é uma operação dos sistemas de associação, que conectam diferentes áreas corticais umas com as outras, e não pode portanto ser mais localizada em uma área única. Porém, as excitações sensoriais que alcançam o córtex deixam nele impressões duráveis que são, segundo Wernicke, armazenadas separadamente em células isoladas. (Freud 8, p. 41)

Em diversas passagens do texto, essa concepção torna a ser mencionada, não deixando dúvidas de que, aos olhos de Freud, essa é uma implicação importante da psicologia das teses localizacionistas. Por exemplo:

> Segundo Wernicke, nós devemos nos representar que há áreas determinadas no córtex, sem dúvida imprecisamente delimitadas (por exemplo, a área de Broca, a área de Wernicke), em cujas células nervosas estão contidas, de um modo ou de outro, as representações com as quais opera a função da linguagem. Essas representações são restos de impressões, que foram levadas pela via dos nervos visuais e auditivos, ou que se formaram, no curso dos movimentos da linguagem, como sensações de inervação ou como percepção do movimento efetuado. (Freud 8, p. 86)

Fica claro, nesse trecho, que, à insuficiência do conhecimento sobre a delimitação das áreas envolvidas, acrescenta-se outra, talvez mais grave, sobre o *modo* pelo qual as representações podem estar aí contidas ("de um modo ou de outro"). Freud não deixa de reconhecer a Wernicke o mérito de ter limitado a localização das funções psíquicas às suas formas mais elementares, deixando para trás os excessos dos frenologistas, que propunham a localização precisa de faculdades mentais complexas. Essa limitação e esse mérito provêm, em grande parte, da filiação de Wernicke às doutrinas mais gerais de Meynert sobre a natureza e a significação psicológica dos processos nervosos e cerebrais, onde, como vimos, o atomismo psicológico importado, direta ou indiretamente, do associacionismo de James Mill era uma peça importante. Mas era justamente esse atomismo que, ao exigir que as propriedades do todo se reencontrassem tais quais nas propriedades do elemento, reproduzia, mesmo no nível mais básico, a lacuna admitida pelo paralelismo e conduzia ao enorme erro conceitual de abrigar um fato psíquico, por elementar que fosse, no interior das unidades anatômicas e materiais do sistema nervoso. É, assim, após passar pela crítica da doutrina de Meynert subentendida em Wernicke, que Freud se encontrará em condições de recusar cabalmente essa concepção, com plena consciência do tipo de equívoco que ela contém:

> Retornemos, após essa digressão, à concepção da afasia e recordemo-nos que, com base na doutrina de Meynert, resultou a hipótese de

> que o aparelho de linguagem consistia em centros corticais distintos, em cujas células estão contidas as representações de palavra, centros que estão separados por regiões corticais desprovidas de função e ligados entre si por fibras brancas (feixes de associação). Pode-se perguntar, antes de tudo, se tal hipótese, que relega as representações às células, é de todo correta e admissível. Eu creio que não. (Freud 8, pp. 96-7)

E, a seguir, no momento mesmo em que reconhece o mérito de Wernicke em restringir a localização às funções elementares, Freud aponta como é justamente no elementarismo implicado nessa concepção que reside a razão do "erro de princípio" cometido por toda tentativa de fazer de um substrato anatômico a sede de um processo mental, por mínimo que seja:

> (...) pareceu um grande progresso quando Wernicke declarou que apenas era possível localizar os elementos psíquicos mais simples, as representações sensoriais singulares, e isso, com efeito, na terminação central do nervo periférico que tinha recebido a impressão. Mas, no fundo, não se comete o mesmo erro de princípio, quer se tente localizar um conceito complicado, toda uma atividade mental, ou tão somente um elemento psíquico? Justifica-se imergir no psíquico a terminação de uma fibra nervosa, que, ao longo de todo o seu percurso, esteve submetida apenas a uma configuração fisiológica e a modificações fisiológicas, e dotar essa terminação com uma representação ou uma imagem mnêmica? (Freud 8, p. 97)

O ponto que Freud quer enfatizar aqui é que, se o localizacionismo reconheceu, por um lado, que as grandes faculdades mentais outrora desdobradas sobre a superfície cortical eram apenas "termos técnicos da psicologia" que não correspondiam a unidades reais quando consideradas desde o ponto de vista neurofisiológico, ele falhou em constatar que a "representação sensorial simples" tampouco passa de um termo técnico como aqueles, e que corresponde, neurologicamente falando, a "relações muito complicadas" (Freud 8, p. 97). Portanto, a crítica ao associacionismo elementarista embutido na teoria das localizações cerebrais e ao erro conceitual por ele implicado de fazer residir átomos psíquicos em células nervosas conduz naturalmente ao questionamento da premissa segundo a qual aquilo que é simples do ponto de vista mental deva remeter-se a algo igualmente simples do ponto de vista neural:

> Eles [os autores criticados] consideravam apenas que a modificação da fibra nervosa pela excitação sensorial – que pertence à fisiologia – provoca na célula nervosa central uma outra modificação, que se torna então o correlato fisiológico da "representação". Como sobre a representação eles sabem dizer muito mais do que sobre as modificações fisiológicas, desconhecidas e ainda não caracterizadas, servem-se da expressão elíptica: na célula nervosa estaria localizada uma representação. Só que essa substituição leva também a uma confusão entre duas coisas que não precisam ter nenhuma semelhança uma com a outra. Em psicologia, a representação simples é, para nós, alguma coisa de elementar, que podemos distinguir nitidamente de suas conexões com outras representações. Chegamos assim à suposição de que também seu correlato fisiológico – a modificação proveniente da excitação da fibra nervosa que termina no centro – é algo simples, que pode ser localizado em um ponto. Naturalmente, tal transposição é totalmente injustificada. (Freud 8, p. 99)

Já vimos que essa correspondência elemento a elemento decorre diretamente de uma concepção paralelista da relação entre o neurológico e o psíquico, na qual os dois domínios espelham-se mutuamente, sem que, no entanto, haja alguma possibilidade de articulá-los. A solução de Freud, nesse momento, é recorrer à *doutrina da concomitância* de Hughlings Jackson, a qual, no entanto, silencia sobre esse ponto, na medida em que o objetivo de Jackson é, justamente, depurar a neurologia de suas impregnações psicológicas, deixando de fora o que se passa do outro lado do paralelo psicofisiológico. Assim, se Jackon serve a Freud em seu esforço crítico, que tem a neurologia por alvo, ele pouco pode auxiliá-lo na elaboração de suas hipóteses psicológicas. Contudo, é também de uma psicologia que Freud está em busca em *Sobre a concepção das afasias*[5] e, dessa perspectiva, as insuficiências do paralelismo começam a se fazer notar, embora Freud o subscreva nesse momento, remetendo-o explicitamente a Jackson quando se refere à doutrina da concomitância:

> A cadeia dos processos fisiológicos no sistema nervoso não se encontra, provavelmente, em uma relação de causalidade para com os processos psíquicos. Os processos fisiológicos não cessam tão logo tenham tido início os processos psíquicos; ao contrário, a cadeia fisiológica prossegue, só que, de um certo momento em diante, a cada elo da mesma (ou a alguns elos) passa a corresponder um fenômeno psíquico. O psíquico é, com isso, um processo paralelo ao fisiológico (um "*dependent concomitant*"). (Freud 8, p. 98)

A "relação de causalidade" que Freud espera suprimir com essa concepção é justamente aquele reducionismo grosseiro que requer que se suponham os elementos psíquicos como alojados nas células cerebrais e, portanto, os processos em que se incluem como determinados de antemão pela estrutura anatômica. No entanto, a solução adotada não deixa margem para a formulação de nenhuma teoria mais sofisticada sobre a determinação do mental que possa satisfazer os rígidos critérios naturalistas de que Freud nunca abriu mão. Sabe-

[5] Esse trabalho já foi considerado mais "psicológico" que outros que o sucederam, principalmente o *Projeto de uma psicologia*, que representaria um recuo de Freud a uma perspectiva neurológica, antes de encaminhar-se definitivamente para a psicologia (Monzani 30, p. 138; Garcia-Roza 18, p. 71). A leitura aqui proposta parece-nos permitir considerar o *Projeto* como o prolongamento natural e necessário do ensaio sobre a afasia, vindo a precisar algumas de suas teses e responder a alguns de seus impasses (ver Simanke 37).

mos que a hipótese de um inconsciente psíquico ativo e causalmente eficaz é que veio suprir essa necessidade, tendo sido reiteradamente apontada pelo próprio Freud como a condição sob a qual a psicologia pode tornar-se uma ciência natural em pé de igualdade com as demais (Freud 9, pp. 400-1; Freud 14, p. 156). Como foi assinalado acima, o atomismo psicológico traz consigo o paralelismo e este, por sua vez, conduz à identidade entre o mental e o consciente. A superação do atomismo pela adoção desse paralelismo depurado, representado pela doutrina da concomitância de Jackson, não permite, portanto, a superação daquela identidade, o que Freud não deixa de, muito consistentemente, reconhecer:

> Uma vez ocorrido esse processo, ele deixa atrás de si, no córtex por ele afetado, uma modificação, a possibilidade da recordação. É de todo duvidoso que a essa modificação corresponda igualmente algo de psíquico. Nossa consciência não apresenta nada desse tipo que, do lado psíquico, justificasse o nome de "imagem mnêmica latente". Contudo, sempre que o mesmo estado do córtex é outra vez estimulado, produz-se de novo o psíquico como imagem mnêmica. (Freud 8, pp. 99-100)

Dessa maneira, a formulação do conceito freudiano de inconsciente – reconhecidamente sua realização maior e traço distintivo da psicanálise como teoria psicológica – passa pela superação do paralelismo e é incompatível com ele. Essa implicação entre o paralelismo e a identidade entre mente e consciência, que a psicanálise trata de deixar para trás, é plenamente reconhecida por Freud naqueles texto posteriores em que essa recusa se explicita – por exemplo, em *O inconsciente*:

> Pode-se responder que a equiparação convencional do psíquico com o consciente é inteiramente inadequada. Dilacera as continuidades psíquicas, precipita-nos nas insolúveis dificuldades do paralelismo psicofísico, está sujeita à recriminação de que superestima, sem fun-

> damentação visível, o papel da consciência, e nos obriga a abandonar prematuramente o campo da investigação psicológica, sem poder trazer-nos compensação a partir de outros campos. (Freud 12, pp. 126-7, grifos nossos)

Antes disso, em outros contextos, Freud já se pronunciara contra a autonomia causal do psíquico com relação a sua base corporal – isso que define o paralelismo –, deixando claro, por outro lado, que a existência de uma mente inconsciente e de um determinismo psíquico não se constrói sobre esse tipo de suposição, como sustentam alguns (Solms 38, por exemplo). Assim, em *A interpretação dos sonhos*, ele afirma:

> A desconfiança do psiquiatra pôs a psique, por assim dizer, sob tutela, e exige que nenhuma de suas moções revele uma capacidade própria. Mas esse comportamento só atesta pouca confiança na validade da cadeia causal que se estende entre o corporal e o mental. Mesmo onde a investigação permite reconhecer no psíquico a ocasião primária de um fenômeno, uma penetração maior saberá descobrir, mais uma vez, a continuação do caminho até a fundamentação orgânica do psíquico. (Freud 10, pp. 66-7).

As superações do paralelismo e da identidade entre o psíquico e a consciência parecem consistir, portanto, em dois aspectos de uma mesma operação. Ela, por sua vez, requer a formulação de uma concepção sobre as relações entre o neurológico e o psíquico que satisfaça as novas exigências. O que se procurará mostrar, na continuidade, é que os elementos para essa nova concepção já estão presentes no trabalho sobre a afasia, tendo sido conscientemente aproveitados por Freud em textos posteriores, com destaque para o *Projeto*. Em outras palavras, encontram-se já formuladas, nesse texto, as bases teóricas para uma ultrapassagem muito mais completa das premissas associacionistas do que a efetivamente realizada ou assumida. Tais bases teóricas constituem os fundamentos de uma nova teoria da representação que pode ser considerada o embrião da metapsicologia freudiana.

III. Organização, hierarquia e complexidade: o ponto de vista funcional

O ponto central da crítica de Freud ao localizacionismo, assim como da alternativa que ele busca articular, consiste na introdução de uma *concepção funcional* dos distúrbios da linguagem e, por extensão, da natureza dos processos psicológicos em sua relação a sua base neural. Esse ponto de vista funcional, proposto como estratégia para abordar eficientemente os problemas em foco, está na origem de uma nova concepção sobre a natureza do fato mental – e da representação, em particular –, que será aquela com que a metapsicologia freudiana passará a operar. Ele surge nitidamente como uma alternativa para a tese, tão enfaticamente recusada por Freud em *Sobre a concepção das afasias*, que afirma a localização dos elementos das funções psíquicas nas células cerebrais. Se, desde o início do texto, Freud revisa cuidadosamente as idéias de Wernicke sobre a "localização das funções psíquicas" (Freud 8, p. 49), é, no limite, para concluir que as funções psíquicas em si não podem ser localizadas, pelo menos não pontualmente, já que dependem de processos complexos que envolvem diversas regiões do córtex, dinamicamente integradas pelo fluxo da excitação nervosa ao longo das vias que aí se constituem. Em primeiro lugar, Freud demonstra a falácia do principal argumento localizacionista para justificar a atribuição da sede de uma função psíquica a uma área cortical particular. Esse argumento infere a localização a partir da perda de função ocasionada por uma lesão material da substância cortical, o que, para Freud, resulta de uma confusão entre as significações patológica e fisiológica de um processo. Ele procura demonstrar como, do fato de que uma certa função psíquica perde-se ou tem sua eficácia diminuída pela ocorrência de uma lesão num determinado ponto do córtex, não se segue que esse local seja a sede e o responsável exclusivo pela execução dessa função (a capacidade de falar ou de compreender a linguagem ouvida, por exemplo). Freud argumenta, por exemplo, que a interrupção de todas as vias associativas que conduzem a um determinado centro equivale funcionalmente a uma lesão destrutiva total desse centro, o que invalidaria a principal inferência na qual se apóiam as localizações de função. Por trás desse argumento, encontra-se, evidentemente, o princípio defendido por Jackson de que o fato negativo da lesão não pode explicar as características positivas dos fenômenos afásicos e neuropatológicos em geral; em outras palavras, uma lesão pode explicar que um sujeito não fale corretamente, mas não explica a forma específica como ele efetivamente fala após a lesão.

Jackson propõe uma hierarquia de níveis de funcionamento evolutivamente constituídos, na qual a constituição de cada novo nível resulta na inibição dos processos característicos dos níveis mais primitivos, como se dá na relação entre movimento voluntário e ação reflexa automática ou entre a linguagem proposicional espontânea e a simples repetição de palavras ouvidas, por exemplo. Nessa concepção, a lesão material só responde diretamente pelos aspectos deficitários do distúrbio e apenas indiretamente pela forma positiva como se configura o sintoma. A lesão provoca um distúrbio dinâmico – concebido ao modo das perturbações epiléticas pelas quais Jackson começou suas investigações – que rompe a organização dos níveis mais evoluídos de funcionamento, levando a uma dissolução dos processos que os caracterizam e diminuindo ou eliminando a inibição que estes exercem sobre os níveis mais primitivos, conduzindo a uma retrogressão funcional, caracterizada pelo ressurgimento de modos já ultrapassados de operação do sistema nervoso. Dessas concepções Freud irá reter não apenas a noção do fenômeno patológico como retrogressão funcional, mas também a de uma caracterização, tanto do distúrbio como do fenômeno normal, como processos dinâmicos que envolvem uma certa distribuição organizada da excitação nervosa, assim como a idéia de uma estrutura de níveis de funcionamento progressivamente mais evoluídos, que dão ensejo ao surgimento de propriedades qualitativamente distinguíveis na passagem de um a outro. Para fazer ressaltar a dimensão da influência de Jackson sobre Freud, cabe observar que a primeira dessas noções dará origem, mais tarde, ao conceito psicanalítico de regressão; a segunda, aos pontos de vista econômico e dinâmico da explicação metapsicológica; e a terceira, finalmente, a uma parte significativa do que Freud depois desenvolverá como sua teoria do aparelho psíquico (Jackson 24; Grossman 20; Fullinwider 15). Para que isso possa ocorrer, no entanto, é necessário que essas concepções neurológicas de Hughlings Jackson sejam transpostas para o terreno da psicologia. É isso que, pelo menos em germe, começa a ocorrer em *Sobre a concepção das afasias*.

Freud, inicialmente, lança mão desse ponto de vista funcional para propor uma concepção sobre a determinação dos distúrbios da linguagem que se apresenta como uma alternativa às hipóteses estritamente localizacionistas: as lesões não causam os sintomas observáveis fazendo desaparecer os elementos com que opera a linguagem (Freud 8, p. 71), mas levando a uma diminuição geral da eficiência da área cerebral em questão[6] ou, melhor dizendo, daquilo que Freud aí denomina *aparelho de linguagem* ou *de fala* (*Sprachapparat*), noção que, ela mesma, se reveste de uma significação funcional e designa o conjunto de processos necessários para a execução das funções da linguagem, assim como o modo como eles devem estruturar-se para tanto. Com isso, a perspectiva funcional ultrapassa o campo das patologias da linguagem e da neuropatologia em geral para converter-se em uma estratégia de abordagem para o problema da natureza do psíquico e de suas relações com o sistema nervoso. É claro que tudo isso se refere, em primeira instância,

---

[6] Essa concepção funcional dos distúrbios da linguagem é reafirmada em numerosas passagens do texto. Ver Freud 8, pp 52, 68, 69, 70, 84-5, por exemplo.

apenas a esta função psíquica particular que é a linguagem, isto é, àquilo que Freud denomina representação de palavra (*Wortvorstellung*), embora suas conclusões sejam generalizáveis para o conjunto das atividades psíquicas – ou seja, nos termos de *Sobre a concepção das afasias*, são aplicáveis também àqueles processos que envolvem as representações de objeto (*Objektvorstellungen*). Em suma, Freud propõe a substituição da noção estática de *localização* pela noção dinâmica de *processo*, mesmo – e, talvez, principalmente – para a caracterização da função normal. O aparelho da linguagem é, fundamentalmente, um sistema de processos associativos, que transcorrem numa região cortical hipoteticamente homogênea – ou seja, desprovida de restrições anatômicas –, de modo que a circulação da excitação nervosa que põe em relação e integra os diversos elementos sensoriais aferentes (acústicos, visuais, cinestésicos etc.) é o único fundamento para as operações aí realizadas.

É na revisão das concepções de Meynert que essa ampliação do ponto de vista funcional da consideração dos distúrbios para caracterizar da função normal aparece mais claramente. Em primeiro lugar, pelo fato de que são estas as concepções que subjazem às idéias de Wernicke e de outros sobre a afasia, às quais Freud se contrapõe:

> Na medida em que esta última [concepção dos distúrbios da linguagem] não é independente de uma concepção mais geral da atividade cerebral, eu me sinto entretanto obrigado a tocar minimamente na questão da significação do cérebro em geral. (Freud 8, p. 87)

O essencial da posição de Meynert a esse respeito define-se, aos olhos de Freud, pelo seu conceito de *projeção*: segundo este, se o córtex cerebral é um órgão de associação, aquilo que ali se associa são os elementos autônomos que ocupam[7] as células corticais, nelas instalados por pro-

[7] O conceito meynertiano de ocupação (*Occupation*, para o córtex como um todo, e *Besetzung*, para as células individuais) das áreas corticais previamente sem função (as "lacunas funcionais" de sua doutrina) ao longo do desenvolvimento e da aprendizagem expressa, no nível mais elementar, o impasse conceitual do localizacionismo discutido acima: se

cessos de condução central igualmente independentes, de modo que aquilo que parte da periferia sensorial do organismo e do sistema nervoso projeta-se tal qual no córtex, preservando a sua identidade ao longo de todo o percurso. Daí que essa concepção se expresse na tese de "uma reprodução ponto por ponto do corpo no córtex" (Freud 8, p. 89), de "uma reprodução completa e topograficamente semelhante do corpo no córtex" (*ibidem*, p. 90). Já vimos que a manutenção da identidade do elemento ao longo de todo o processo de formação de compostos e a ausência de alterações qualitativas na passagem do simples para o complexo era uma característica definidora do atomismo manifesto das teorias localizacionistas e associacionistas. A crítica freudiana não deixa de identificar esse ponto preciso das concepções de Meynert e a ele se opor. Após observar que a própria anatomia do sistema nervoso aponta para uma reorganização constante dos processos no percurso da periferia ao córtex, na medida em que as fibras nervosas inserem-se em sucessivos núcleos de substância cinzenta onde estabelecem novas conexões, ele comenta que, no entanto,

> Para Meynert, que, no percurso das fibras, salienta sobretudo o fato das ligações corticais, *uma fibra ou massa de fibras é sempre ainda a mesma*, mesmo quando atravessou um número tão grande de substâncias cinzentas. Seu modo de expressão para isto o revela: "A fibra passa por uma substância cinzenta". (Freud 8, p. 94)

---

novas aquisições psíquicas ocupam áreas corticais até então inativas, os elementos dessas funções devem ocupar as unidades anatômicas que compõem essas áreas. Teríamos, assim, uma imagem mnêmica ou uma representação elementar ocupando uma célula cortical. O modo como Freud incorpora o conceito de *Besetzung* à sua teoria revela o esforço para ultrapassar esse impasse: a partir do *Projeto*, a única coisa que, do ponto de vista freudiano, pode, inteligivelmente, ocupar um neurônio é uma certa quantidade de excitação nervosa (Q'η), e com esse ponto de partida é necessário reconstruir toda a psicologia. O conceito, portanto, adquire aí a significação econômica – no sentido do "ponto de vista econômico" da metapsicologia freudiana – com que aparecerá em todas as elaborações posteriores.

Inicialmente Freud opõe-se a essa concepção demonstrando sua impossibilidade anatômica: estudos como o de Henle teriam revelado que o número de fibras que atingem o córtex é muito menor do que o número das que partiram da periferia sensorial. Esse é o primeiro sentido que assume a proposta de substituição do conceito de projeção pelo de representação (*Repräsentation*), claramente tomado de Jackson:

> Apenas na medula (assim como nas substâncias cinzentas a ela análogas) estão disponíveis as condições para uma projeção sem lacunas da periferia do corpo. A cada unidade de inervação periférica pode corresponder na medula um fragmento de substância cinzenta – em casos extremos, um único elemento central. Em conseqüência da redução das fibras de projeção através da substância cinzenta da medula, um elemento de substância cinzenta pertencente a um nível mais elevado não pode mais corresponder a uma unidade periférica, mas deve corresponder a muitas dessas unidades. Isso vale também para o córtex cerebral, e é portanto recomendável distinguir entre esses dois modos de reprodução central também mediante nomes diferentes. Se a reprodução na medula espinhal se denomina uma *projeção*, talvez seja apropriado chamar a reprodução no córtex de uma *representação* (*Repräsentation*), e dizer que *a periferia do corpo não está contida no córtex ponto por ponto, mas que ela está aí representada de modo menos detalhado, por fibras selecionadas.* (Freud 8, pp 92-3).

Mas não pode ser apenas isso. O conceito de representação[8], em Jackson, designa justamente o modo como os processos nervosos reorganizam-se na passagem dos centros menos evoluídos (e mais

---

[8] No sentido do que Freud designa como *Repräsentation*, e não no da *Vorstellung*, embora talvez se possa afirmar que a ultrapassagem do paralelismo se dá justamente quando Freud passa a considerar a *Vorstellung* como o nível mais elevado das sucessivas "representações", no sentido jacksoniano, abrindo, com isso, a via para a transposição de suas concepções para o campo psicológico.

periféricos) para os mais evoluídos (e mais centrais), reorganização ao longo da qual estes revestem-se de características funcionais qualitativamente distintas. Essas alterações remetem a um ganho de complexidade e de flexibilidade obtido em cada mudança de nível. Por isso, Freud não pode se contentar com esse argumento negativo que expõe a impossibilidade anatômica da tese de Meynert, mas o complementa com a defesa da alteração da significação funcional das fibras, devida às alterações impostas aos processos que elas veiculam pelas sucessivas articulações e integrações a que são submetidos em seu percurso. Em primeiro lugar, trata-se de afastar a idéia, que poderia ser sugerida pelo primeiro argumento, de que a relação entre o córtex e a periferia possa ser da ordem de uma *simplificação*, mostrando que há condições, mesmo do ponto de vista anatômico, para um ganho em complexidade nesses processos:

> Por outro lado, no entanto, a redução das fibras de projeção não é tão grande quanto o que poderia fazer crer esta última consideração. Há, assim, por exemplo, as fibras dos cordões posteriores, que certamente não chegam como tais ao córtex, já que este recebe as fibras do menisco, as quais, após numerosas interrupções nos nódulos do cordão posterior, nos nódulos cinzentos do bulbo raquidiano e do tálamo, *representam* finalmente os cordões posteriores no cérebro. Não se sabe se as fibras do menisco são iguais em número às dos cordões posteriores. (...) Além disso, o cérebro recebe fibras do cerebelo, nas quais se poderia ver um equivalente das origens cerebelares da medula espinhal, e assim, apesar de tudo, permanece incerto se o córtex não recebe finalmente tantas ou mesmo mais fibras vindas da periferia, mesmo que após tantos desvios, do que o que é requerido para uma projeção na medula espinhal. (Freud 8, pp. 93-4)

Estabelecida a possibilidade anatômica desse ganho de complexidade, trata-se então de afirmar sua conseqüência funcional: o estabelecimento de alterações qualitativas na significação dos processos, devidas às múltiplas conexões formadas ao longo do percurso aferente:

> (...) as substâncias cinzentas, e não mais os feixes de fibras, aparecem-nos como as unidades orgânicas do córtex. Se seguimos uma via sensorial (centrípeta), até onde ela nos é conhecida, e se lhe reconhecemos como característica principal as mais freqüentes interrupções nas substâncias cinzentas e novas ramificações no interior destas últimas, devemos então aceitar a idéia de que uma fibra, em seu caminho para o córtex, alterou sua significação funcional a cada vez que emergiu de uma substância cinzenta. (Freud 8, pp. 94-5)

A passagem reproduzida a seguir exprime ainda mais claramente a relação que está sendo estabelecida entre o ganho em complexidade e as alterações qualitativas supostas, ou seja, as novidades funcionais engendradas no decorrer dos processos:

> Esta alteração na significação das fibras deve ser ainda *mais complicada* para os sistemas de condução da sensibilidade da pele e dos músculos; não temos ainda nenhuma idéia de quais elementos intervêm aqui para formar *o novo conteúdo da excitação retransmitida.* (Freud 8, p. 95, grifos nossos)

Todas essas idéias encontram-se sintetizadas na metáfora com que Freud expõe o essencial da diferença entre suas concepções e as de Meynert: ele compara os dados brutos da estimulação periférica ao alfabeto e os processos corticais dos quais dependem as funções psíquicas a um poema. A idéia central desse argumento é que os processos atômicos de recepção de estímulos e de projeção ponto por ponto, só pensáveis até o nível da medula espinhal, são, em si, desprovidos de significação psicológica, a qual só adquirem após experimentarem todos os tipos de integração e reordenação que ocorrem daí até o córtex e, acima de tudo, *no* próprio córtex. Essa concepção traz consigo a ruptura da simetria assumida pelo localizacionismo entre o processo psíquico e sua base neurológica – pressuposta, por exemplo, na elaboração dos diagramas tão drasticamente criticados por Head (22, pp. 54-66) –, ruptura em que Freud insistirá enfaticamente na elaboração de seu conceito de representação, como veremos abaixo. Vale a pena citar na íntegra essa passagem, devido ao modo como ela expõe a implicação recíproca que se estabelece entre o *ponto de vista funcional* adotado por Freud e a idéia de um *ganho de complexidade* como condição para o surgimento das diferenças funcionais qualitativas que afetam progressivamente a significação dos processos de condução central e dos processos corticais a que estes dão origem:

> O que podemos perceber até aqui é que as fibras que chegam ao córtex, após terem passado pelas substâncias cinzentas, conservam ainda uma relação com a periferia do corpo, mas não mais podem dela fornecer uma imagem topograficamente semelhante. Elas contêm a periferia do corpo como um poema contém o alfabeto (...), em um rearranjo que serve a outros objetivos, numa múltipla conexão de elementos tópicos singulares, na qual um deles pode estar representado várias vezes, enquanto outro está totalmente ausente. Se se pudesse seguir em detalhe esse rearranjo que se efetua da projeção espinal até o córtex cerebral, descobrir-se-ia provavelmente que o princípio do mesmo é exclusivamente funcional e que os fatores tópicos só são conservados na medida em que convergem com as exigências da função. (...) nós podemos, assim, presumir que a periferia do corpo não está de forma alguma contida nas partes superiores do cérebro, assim como no córtex, *de modo tópico, mas que ela o está unicamente de modo* funcional. (Freud 8, pp. 95-6,)

A idéia de que o processo cortical resulta de sucessivas reordenações da informação sensorial periférica bruta e de todas as conexões que esta estabelece na passagem pelos núcleos de substância cinzenta em seu caminho para o córtex está intimamente conectada com a concepção dinâmica da atividade cortical que Freud propõe como alternativa para a noção estática de localização. A substituição desta pela noção de processo (*Vorgang*), igualmente emprestada a Jackson, resulta, mais ou menos naturalmente, numa revisão do que se entende por associação, onde novamente Freud se afasta do atomismo psicológico. Na concepção associacionista esquematizada acima, os elementos da representação constituem-se passivamente pela impressão cortical de um estímulo, transformada em um fato mental pela intervenção da consciência. Apenas secundariamente os elementos psicológicos se associam segundo certas regras para formar fenômenos mentais complexos. A associação não desempenha, assim, nenhum papel na *gênese da representação*: ela pressupõe representações já constituídas, pelo menos na sua forma elementar, que são então postas em relação pelos processos associativos. Ao recusar que o correlato neurológico da representação simples seja algo igualmente simples – e afirmar, ao contrário, que se trata de algo da ordem de um processo cortical complexo, englobando amplas áreas corticais e, no limite, a totalidade do córtex (Freud 8, p. 99) –, Freud abre caminho para apagar a distinção entre associação e representação e para atribuir à primeira um papel decisivo na gênese da segunda. Essa concepção, contudo, não chega a afirmar-se claramente, devido à manutenção do paralelismo e da conseqüente distinção entre o processo da representação e seu correlato cortical[9], como foi assinalado acima.

> Agora, é possível distinguir, no correlato fisiológico da sensação, a parte da "sensação" e a da "associação"? Claramente, não. "Sensação"e "associação" são dois nomes com os quais recobrimos aspectos diferentes de um mesmo processo. Sabemos, contudo, que ambos são abstra-

---

[9] Apenas no *Projeto de uma psicologia* Freud identifica esses processos à representação inconsciente, quando então essas concepções propostas em *Sobre a concepção das afasias* passam a poder aplicar-se, sem mais restrições, ao conceito metapsicológico de representação (ver Freud 9, p. 400).

> ídos de um processo unitário e indivisível. Não podemos ter nenhuma sensação sem associá-la de imediato; embora possamos distingui-los conceitualmente com tanta nitidez, eles dependem na realidade de um processo único que, começando em um ponto do córtex, se difunde sobre a totalidade do mesmo. A localização do correlato fisiológico é, portanto, a mesma para a representação e para a associação e, como *a localização de uma representação não significa outra coisa que a localização de seu correlato*, devemos recusar-nos a situar a representação num ponto do córtex e a associação em outro. Ao contrário, ambas partem de um ponto e não encontram-se em repouso em ponto algum.
>
> Com esta recusa de uma localização separada para a representação e para a associação das representações, cai para nós um motivo decisivo para distinguir entre centros e vias de condução da linguagem. (Freud 8, pp. 100-1)

Se se mantém em perspectiva a concepção geral da representação que emerge dessas passagens, a linguagem – que, afinal, constitui o foco principal desse trabalho de Freud – aparece como ilustração privilegiada desses princípios. No momento em que se afirma mais explicitamente o modo como é o ganho em complexidade e organização que assinala a passagem da informação periférica em estado bruto para o processo cortical e representacional que dela deriva, as representações da linguagem podem ser vistas como argumentos decisivos para a sustentação dessa tese: ao reafirmar a recusa das posições localizacionistas sobre a função lingüística, com destaque para "as hipóteses segundo as quais as representações (imagens mnêmicas) que servem à linguagem encontram-se armazenadas em lugares determinados do córtex" (Freud 8, p. 106), o autor torna a insistir em sua suposição de uma área cortical da linguagem contínua e anatomicamente homogênea, o que, por um lado, eleva os processos associativos[10] a determinantes

---

[10] A natureza essencialmente associativa da área cortical da linguagem é afirmada reiteradamente: "A região associativa da linguagem, na qual penetram elementos óticos,

soberanos de todas essas funções e, por outro, implica o considerável incremento de complexidade que sua execução requer, em oposição ao esquema comparativamente simples do localizacionismo:

> Resta-nos apenas, então, exprimir a tese de que *a região cortical da linguagem seja uma área contínua do córtex*, no interior da qual sucedem-se, com uma complexidade que desafia a compreensão, as associações e as transferências sobre as quais repousam as funções da linguagem. (Freud 8, p. 106)

A conclusão para onde converge o trabalho freudiano – suas passagens mais célebres, em que se formulam os conceitos de representação de palavra e representação de objeto, que tão larga e constante aplicação encontrarão nos desenvolvimentos posteriores da metapsicologia – reiteram essa concepção geral pela qual Freud mais decididamente se afasta do associacionismo: a recusa da relação simétrica e biunívoca estabelecida entre o simples neurológico e o simples psicológico, substituída pela suposição de uma série de níveis de processos neurais progressivamente mais complexos na passagem da periferia ao córtex, passagem onde se engendram diferenças funcionais que impedem que o mental continue a ser encarado apenas como o duplo psíquico e mais ou menos isomórfico de um processo cerebral. Quando se trata de introduzir o "esquema psicológico da representação de palavra", Freud observa que, psicologicamente fa-

---

acústicos (ou cinestésicos), se estende precisamente, por isso, *entre as áreas corticais desses nervos sensoriais e as respectivas áreas corticais motoras*. Imaginemos, agora, nessa área associativa, uma lesão que pode ser deslocada: ela terá um efeito tanto maior (para uma extensão igual) quanto mais ela se aproximar de uma dessas áreas corticais, isto é, quanto mais próxima ela estiver da periferia da área da linguagem. Se ela toca diretamente uma dessas áreas corticais, ela cortará a área associativa da linguagem de uma de suas aferências, privará o mecanismo da linguagem do elemento ótico, acústico etc., já que cada impulso associativo dessa natureza provém da área cortical correspondente" (Freud 8, pp. 107-8).

lando, "a palavra é a unidade da função da linguagem" (Freud 8, p. 117); em outras palavras, a palavra é o simples psicológico da linguagem. Porém, em vez de corresponder a um correlato neural igualmente simples – no limite, a mítica "localização" de um elemento de linguagem numa célula cortical –, essa unidade psicológica é "uma representação complexa, que se revela como composta a partir de elementos acústicos, visuais e cinestésicos" (*ibidem*, p. 117), a natureza dinâmica e associativa desse complexo já tendo sido estabelecida anteriormente. Assim, a palavra surge, do ponto de vista psicológico, como a unidade elementar da linguagem, mas corresponde, no nível neural, a um processo complexo, cujos elementos, no entanto, não são em si lingüísticos, mas apenas revestem-se dessa característica ao serem associados de uma alguma forma pelos processos excitatórios corticais que ocorrem na área da linguagem, processos em cuja complexidade Freud não deixa de insistir:

> A palavra é, assim, uma representação complexa, constituída a partir das imagens mencionadas ou, dito de outra forma, à palavra corresponde um intrincado processo associativo, no qual os elementos citados, de origem visual, acústica e cinestésica, entram em ligação uns com os outros. (Freud 8, pp. 121-2)[11]

Se for legítimo estender essa concepção para a representação em geral, seria possível sustentar que o conceito de representação que Freud começa a elaborar nessas passagens rompe decididamente com aquela premissa do atomismo associacionista que supõe uma homogeneidade qualitativa entre o elemento e o complexo: a representação

[11] Diversas formulações reiteram essa posição. Por exemplo: "Contudo, essa composição aparece *mais complicada* quando se considera em detalhe os processos associativos prováveis que têm lugar no curso de cada uma das operações da linguagem" (Freud 8, p. 117, grifos nossos). Ou ainda (referindo-se aqui especificamente à leitura): "Desta apresentação da aprendizagem da leitura constata-se que esta consiste num processo *muito complicado*, ao qual deve corresponder um repetido vai-e-vem na direção das associações" (*ibidem*, p. 119, grifos nossos).

consistiria, para Freud, num complexo associativo cortical dinâmico, cujos elementos não seriam eles mesmos de natureza representacional, apenas adquirindo essa propriedade uma vez incluídos e organizados pelo referido processo. Dessa forma, seria possível ultrapassar o paralelismo psicofisiológico, e o ponto de vista funcional de Freud se converteria numa hipótese sobre a relação entre o somático e o psíquico: este último consistiria, assim, no conjunto de propriedades distintivas que os processos corticais adquirem quando organizados de uma determinada maneira, no nível mais evoluído e de maior complexidade e flexibilidade, segundo os princípios jacksonianos; haveria, então, uma *diferença funcional* entre o neurológico e o mental, mas não mais uma diferença essencial ou de natureza, abrindo caminho para a formulação de uma psicologia materialista, como a que Freud vai empreender no *Projeto* e que não deixa de ser a meta e o horizonte de toda a metapsicologia.

Há apenas indícios dessa extensão das concepções sobre a linguagem ao conjunto do campo da representação em *Sobre a concepção das afasias*. De qualquer forma, ao considerar o modo como a linguagem adquire significação, Freud introduz sua concepção da representação de objeto que, salvo uma diferença crucial – o caráter aberto do complexo associativo do objeto, em contraste com o fechamento da representação de palavra[12] –, é descrita igualmente como um complexo associativo que envolve elementos sensoriais os mais variados:

---

[12] Essa diferença significa que, uma vez formada, a representação de palavra não admite o acréscimo de novos elementos além dos quatro mencionados – acústico, visual, glossocinestésico e quirocinestésico –, enquanto a representação de objeto permanece indefinidamente aberta ao acréscimo de novos elementos; por exemplo, cada novo perfil do objeto associa mais um elemento visual ao complexo. Uma conseqüência disso, que Freud desenvolverá no *Projeto*, é que o reconhecimento de objetos – o juízo de identidade entre o objeto rememorado e o percebido – é sempre uma inferência feita a partir de uma inspeção necessariamente parcial de seus atributos, permanecendo sempre restos que escapam ao processo judicativo, o que Freud ali designará como "coisas" (*Dinge*) (Freud 9, p. 429).

> A representação de palavra aparece como um complexo representacional fechado; a representação de objeto, ao contrário, como um complexo representacional aberto. (...) A palavra adquire, entretanto, sua significação pela ligação com a representação de objeto, ao menos se nos limitamos a considerar os substantivos. A própria representação de objeto é, pelo contrário, um complexo associativo de representações as mais heterogêneas, visuais, acústicas, táteis, cinestésicas, entre outras. (...) A representação de objeto não nos aparece, assim, como uma representação fechada e sequer passível de sê-lo, enquanto a representação de palavra nos aparece como algo fechado, ainda que capaz de ampliação. (Freud 8, pp. 121-2)

Ao contrário da representação de palavra – que, afinal, constitui o foco das preocupações psicológicas de Freud nesse ensaio –, a representação de objeto não é alvo de considerações mais detalhadas. Ela vem a ocupar, mais ou menos, o lugar do "centro dos conceitos" que o esquema localizacionista de Lichtheim acrescentou ao de Wernicke (Freud 8, p. 44; Laubstein 27, pp. 589-90), ou seja, o de um conjunto de processos cerebrais e psicológicos aos quais a linguagem se refere e por cuja referência ela adquire seu significado. De certa maneira, a representação de objeto compartilha com esse conceito localizacionista, que ela substitui, seu caráter difuso e inespecífico: pode-se dizer que Freud, pelo menos nesse texto, a define negativamente – ele designa o conjunto do campo da representação, com exceção do complexo fechado constituído pela representação de palavra. Contudo, a não ser por aquilo que faz a especificidade dessas duas grandes modalidades da representação com que a metapsicologia freudiana operará daí em diante, as características gerais atribuídas à representação de palavra podem ser estendidas à de objeto: trata-se de um complexo associativo, cujos elementos são processos corticais dinâmicos que envolvem os dados brutos da informação sensorial periférica; esses elementos de natureza neurofisiológica, mas dão ensejo ao surgimento da representação pela organização que lhes é imposta nos sucessivos níveis de integração central dos processos excitatórios, que culmina em sua organização cortical. As propriedades da representação – tanto a de palavra quanto a de objeto – são assim inerentes ao complexo associativo dinâmico em que ambas consistem, não pertencendo aos elementos aí integrados, quando se os considera isoladamente. A diferença funcional que se institui, nesse nível, entre as propriedades do elemento e as propriedades do complexo é a base da distinção entre o psicológico e o neurológico ou, pelo menos, poderá passar a sê-lo a partir do momento em que Freud renunciar ao paralelismo e à identificação entre o mental e o consciente em que este implica. O conceito freudiano de inconsciente psíquico aparece, nessa perspectiva, como o resultado ou, melhor dizendo, como o instrumento para a superação de uma concepção dualista das relações mente-cérebro.

Conclusão

Tratamos de aproximar a teoria freudiana da representação, que se esboça em sua monografia sobre a afasia, das soluções emergentistas para o problema mente-cérebro. Procurou-se, no entanto, deixar que essa orientação se insinuasse a partir do comentário do texto, sem propô-la de antemão como uma hipótese de leitura. De resto, essa interpretação não é nova, tendo sido, por exemplo, dada por Pribram e Gill (32, p. 14), entre outros, embora apenas com relação ao *Projeto*. Uma primeira evidência a seu favor talvez possa ser encontrada na influência que a filosofia de Stuart Mill parece ter exercido sobre o pensamento inicial de Freud (Gabbi Jr. 17) e no fato de que certos autores localizam em algumas de suas fórmulas o nascimento da noção de *emergência* (Nagel 31, p. 341)[13]. É claro que apenas essa aproximação

[13] Mais precisamente, no capítulo 6 do Livro III do *Sistema de lógica*, "Da composição das causas", onde Mill considera duas maneiras da ação conjunta das causas na determinação

não tem nenhuma pretensão de resolver os numerosos impasses da metapsicologia, mas apenas apontar a inclinação, digamos, filosófica de Freud para o que contemporaneamente se designa como um *materialismo não-reducionista*, sugerir que suas dificuldades são, de modo geral, aquelas inerentes a essa posição (cf. Kim 25) e que é nesses termos que elas podem ser mais proveitosamente discutidas. Desde já, ela parece promissora no sentido de tornar compreensível o modo como Freud concilia seus modelos naturalistas com as exigências epistêmicas próprias de uma ciência da mente e nos dispensa de transformá-lo num cartesiano tardio e de considerar suas reivindicações materialistas como mera excentricidade. Entretanto, será uma tarefa para outros trabalhos acompanhar, no detalhe, essa idéia em suas conseqüências para compreender o sentido do empreendimento metapsicológico. Isso porque, como foi observado, Freud permanece, nesse momento, explicitamente comprometido com o paralelismo psicofisiológico, ainda que na sua versão não-atomística que ele extrai ou que elabora a partir das concepções de Hughlings Jackson. O que se procurou mostrar foi, por um lado, as implicações recíprocas entre o atomismo psicológico e o paralelismo, de modo que o abandono de um deve, compreensivelmente, fornecer já os elementos para o abandono do outro; por outro lado, tratou-se de evidenciar como o paralelismo implica também a identidade entre o psíquico e o consciente, que é ainda assumida por Freud em seu trabalho de 1891, mas cuja recusa, logo a seguir, praticamente coincidirá com a fundação da psicanálise.

O argumento desenvolvido neste trabalho pretendeu, assim, mostrar que os elementos para uma superação do paralelismo – para o

---

do fenômeno: sua composição mecânica e sua combinação química; na primeira, o efeito resultante é idêntico à soma dos efeitos produzidos pela ação das causas em separado; na segunda, ele não se deixa reduzir nem às propriedades individuais das causas, nem às da somatória das mesmas (Stuart Mill 39, pp 192-5). A famosa "química mental", exposta no capítulo 4 do Livro VI da mesma obra, surge, então, como uma aplicação especial dessa concepção à causalidade psicológica.

qual esse emergentismo suposto ou incipiente insinua-se como uma alternativa – já estão presentes na reformulação do conceito de representação que Freud empreende em *Sobre a concepção das afasias* e que, na medida em que se impõe a necessidade de reconhecer e de sustentar teoricamente a existência e a eficácia de um inconsciente psíquico, são esses elementos que serão mobilizados, tornando compreensível a longevidade dessa teorização inicial sobre a representação ao longo de todo o percurso da reflexão metapsicológica freudiana, o que justifica que se a considere como o marco inaugural dessa reflexão.

Referências bibliográficas

1. AMACHER, Peter. *Freud's neurological education and its influence on psychoanalytic theory*. Psychological Issues, v IV, no. 4. Monograph 16. Nova York: International University Press, 1965.
2. ARAÚJO, Saulo F: "O conceito freudiano de representação no texto 'Zur Auffassung der Aphasien' (1891)". In *Revista Olhar (CECH/UFSCar)*, n 8, 2003.
3. ARISTÓTELES: "On memory and reminiscence". In: *The works of Aristotle (I)*. Londres: Britannica, 1978.
4. BIRMAN, Joel. *Ensaios de teoria psicanalítica (1):* metapsicologia, pulsão, linguagem, inconsciente e sexualidade. Rio de Janeiro: Jorge Zahar, 1993.
5. BORING, Edwin G. *A History of Experimental Psychology 2. ed.* Nova York: Appleton-Century-Crofts, 1950.
6. CAROPRESO, Fátima: "O conceito freudiano de representação em 'Sobre a concepção das afasias'". In *Paidéia: cadernos de psicologia e educação (FFCLRP-USP)*, vol 13, n 25, 2003.
7. FORRESTER, John. *A linguagem e as origens da psicanálise*. Rio de Janeiro:Imago 1983.
8. FREUD, Sigmund. *Zur Auffassung der Aphasien*: eine kritische Studie. Frankfurt : Fischer, 1992.
9. ———. "Entwurf einer Psychologie". In *Gesammelte Werke. Nachtragsband.* Frankfurt : Fischer, 1987.

10. FREUD, Sigmund "Die Traumdeutung". *Studienausgabe*. Band II. Frankfurt: Fischer, 1992.

11. ———. "El chiste y su relación con lo inconsciente". In *Obras completas*. Vol. VIII. 2.ed. Buenos Aires: Amorrortu Editores, 1997.

12. ———. "Das Unbewusste". In *Studienausgabe. Band III*. Frankfurt: Fischer, 1982.

13. ———. "Metapsychogische Ergänzung zur Traumlehre". In *Studienausgabe. Band III*. Frankfurt: Fischer.

14. ———."Esquema del psicoanálisis". In *Obras completas*. Vol. XXIII. 2.ed. Buenos Aires: Amorrortu Editores, 1997.

15. FULLINWIDER, S. P. "Sigmund Freud, Hughlings Jackson, and speech". In *Journal of the History of Ideas*, n 44 (1), 1983.

16. GABBI JR., Osmyr F. "Sobre a concepção da afasia e da histeria: notas sobre a relação entre anatomia e linguagem nos primórdios da obra freudiana". In Bento Prado Jr. (org.). *Filosofia da psicanálise*. São Paulo: Brasiliense, 1991.

17. ———. *Notas a "Projeto de uma psicologia"*: as origens utilitaristas da psicanálise. Rio de Janeiro: Imago, 2003.

18. GARCIA-ROZA, Luiz A. *Introdução à metapsicologia freudiana (1)*. Rio de Janeiro: Jorge Zahar, 1991.

19. GREENBERG, Valerie D. *Freud and his Aphasia Book*: language and the sources of psychoanalysis. Ithaca (NY)/Londres: Cornell University Press, 1997.

20. GROSSMAN, William I. "Hierarquies, boundaries, and representation in a Freudian model of mental organization". In *Journal of the American Psychoanalytical Association*, n. 40 (1), 1992.

21. HENDERSON, Victor W. "Sigmund Freud and the diagram-maker school of aphasiology". sn *Brain and language*, n. 43, 1992.

22. HEAD, Henry. *Aphasia and kindred disorders of speech*. Londres: Cambridge University Press. 1926.

23. JACKSON, John H. "On affections of speech from disease of the brain". In James Taylor (org.). *Selected writings of John Hughlings Jackson*. Vol.2. Londres: Staple Press, 1958. vol. 2.

24. JACKSON, Stanley. "The history of Freud's concepts of regression". In *Journal of the American Psychoanalytical Association*, 17 (3), 1969.

25. KIM, Jaegwon. "The myth of non-reductive materialism". In Jaegwon Kim. *Supervenience and Mind*: selected philosophical essays. Cambridge: Cambridge University Press. 1995.

26. KÖHLER, Wolfgang. *Psicologia da Gestalt*. Belo Horizonte: Itatiaia, 1968.

27. LAUBSTEIN, Ann S. "Inconsistency and ambiguity in Lichtheim's model". In *Brain and Language*, n. 45, 1993.

28. MARX, Otto M. "Freud and aphasia: an historical analysis". In *American Journal of Psychiatry*, n. 124 (6), 1967.

29. MILLER, Laurence. "On aphasia at 100: the neuropsychodynamic legacy of Sigmund Freud". In *Psychoanalytic Review*, n. 78 (3), 1991.

30. MONZANI, Luiz R. *Freud, o movimento de um pensamento*. Campinas: da Unicamp, 1989.

31. NAGEL, Ernest. *La estructura de la ciencia*: problemas de la lógica de la investigación científica. 3.ed. Buenos Aires: Paidós, 1978.

32. PRIBRAM, K. & GILL, M. *O 'Projeto' de Freud: um exame crítico*. São Paulo: Cultrix, s.d.

33. RIZZUTO, Ana-Maria. "A hypothesis about Freud's motive for writing the monograph 'On aphasia'". In *International Review of Psychoanalysis*, n. 16, 1989.

34. ———. "The origins of Freud's concept of object representation ('Objektvorstellung') in his monograph 'On aphasia': its theoretical and technical importance". In *International Journal of Psychoanalysis*, n. 71, 1990.

35. ———. "Freud's speech apparatus and spontaneous speech". In *International Journal of Psychoanalysis*, n. 74, 1993.

36. RYLE, Gilbert. *The Concept of Mind*. Londres: Hutchinson & Co., 1975.

37. SIMANKE, Richard T. "Memória, afeto e representação: o lugar do 'Projeto...' no desenvolvimento inicial da metapsicologia freudiana". In *Acheronta – Revista de Psicoanálisis y Cultura*, n. 20, Buenos Aires, 2004. Disponível em: www.acheronta.org

38. SOLMS, Mark. "Before and after Freud's Project". In R. M. Bilder & F. F. LeFever (orgs.). *Neuroscience of the mind on the centennial of Freud's 'Project for a Scientific Psychology'*. Nova York: New York Academy of Sciences, 1998.

39. STUART MILL, John. "Sistema de lógica dedutiva e indutiva". In *Os pensadores: Jeremy Bentham, John Stuart Mill*. 2.ed. São Paulo: Abril Cultural, 1979.

40. WERNICKE, Carl. "The aphasia symptom-complex: a psychological study on an anatomic basis". In Eggert, Gertrude H. (org.) *Wernicke's Works on Aphasia:* a sourcebook and review. Haia/Paris/New York: Mouton Publishers, 1977.

Uma libra de carne:
a leitura lacaniana d'*O visível e o invisível*

Charles Shepherdson

Professor de Humanidades na State University
of New York (Albany)

Tradução: Ronaldo Manzi Filho

Uma libra de carne: a leitura lacaniana d'*O visível e o invisível*

Trata-se de reconstruir o lugar e os usos que Jacques Lacan faz, no seu seminário sobre *Os quatro conceitos fundamentais da psicanálise,* de *O visível e o invisível,* de Merleau-Ponty. Isto implica, fundamentalmente, em compreender como Lacan procura repensar o conceito psicanalítico de pulsão a partir de certas considerações de Merleau-Ponty a respeito da estrutura do olhar.
Palavras-chave: olhar, pulsão, inconsciente, Jacques Lacan, Merleau-Ponty

A pound of flesh – Lacan's reading of *The visible and the invisible*

This paper deals with Lacan's reading of *The visible and the invisible* in his seminal *Les quatres concepts fundamentaux de la psychanalyse* in order to study the terms in which he reconsiders the psychoanalytical conception of *instinct* or *drive* according to Merleau-Ponty's analysis of the structure of sight.
Key words: sight, instinct or drive, unconscious, Lacan, Merleau-Ponty

Este corte da cadeia significante é único para verificar a estrutura do sujeito como descontinuidade no real.

Lacan, *Subversão do sujeito e dialética do desejo no inconsciente freudiano*

Este momento de corte é dominado pela forma dum retalho sangrento: a libra de carne que paga a vida para fazê-la o significante dos significantes, como tal, impossível de restituir ao corpo imaginário.

Lacan, *A direção da cura e os princípios de seu poder*

Uma filosofia da carne é condição sem a qual a psicanálise permanece antropologia.

Merleau-Ponty, *O visível e o invisível*

O limite da linguagem*

Quando *O visível e o invisível* (*Le visible et l'invisible*) foi publicado em 1964, Lacan estava ensinando pela primeira vez na École norma-

---

* Este texto (*A pound of flesh – Lacan's reading of* The visible and the invisible) foi preparado por convite como uma conferência para o encontro do Círculo sobre Merleau-Ponty de 1996 na University of Memphis. Procurou-se introduzir a perspectiva de Lacan numa comunidade já bem fundada em Merleau-Ponty; esse texto sem dúvida por isso, leva as marcas de uma apresentação oral que, para esta ocasião em especial, não tentei ocultar. Eu gostaria de agradecer aos diretores da conferência, Leonard Lawlor e Theodore Toadvine, por esse convite para discutir a relação entre esses dois pensadores, e por sua hospitalidade. Gostaria também de expressar minha gratidão pelo apoio e amabilidade de Elizabeth Weed e Ellen Rooney, do Pembroke Center for Teaching and Research on Women na Brown University, onde fui companheiro de Arthur e Martha Joukowsky em 1996-7.

le supérieure. No outono de 1963, no semestre anterior, a Sociedade Francesa de Psicanálise tinha excluído Lacan de sua lista de analistas em treinamento aprovados, o que também significou sua rejeição da sociedade fundada pelo próprio Freud, a Associação Internacional de Psicanálise[1]. Como resultado, Lacan cancelou seu seminário no Hospital Sainte-Anne, onde realizava cursos há dez anos e onde começou a ensinar pela primeira vez antes de uma audiência universitária (convidado por Fernand Braudel, Claude Lévi-Strauss, Louis Althusser e outros que colaboraram para que continuasse a ensinar). Claro que filósofos como Jean Wahl e Jean Hyppolite tinham se interessado por seu trabalho há muitos anos, mas essa foi a primeira vez em que os participantes de seu seminário não precisavam mais de credenciais especiais para entrar na clínica psiquiátrica do hospital pedagógico. O seminário era agora aberto ao público, considera-

---

[1] Esta foi a segunda maior ruptura no mundo psicanalítico francês; a primeira ocorreu quando o seminário de Lacan começou. Para informações adicionais sobre fundo histórico desse momento do trabalho de Lacan, ver Roudinesco (24)/30. Ver também Turkle, que notou que no período anterior que levaria ao primeiro seminário de Lacan "os analistas franceses 'oficiais' eram poucos em número (na véspera da Segunda Guerra Mundial, havia apenas vinte e quatro)" e mesmo estes eram distinguidos por "sua marginalidade ao estatuto de psiquiatria da França e do estatuto da psicanálise de Freud" (*ibid.*, p. 101). Foram ainda piores as condições após a guerra; ela diz: "os anos de Vichy e a ocupação nazista dizimaram a Sociedade Psicanalítica de Paris: havia mortes, uma resignação, os analistas suíços que estavam trabalhando em Paris foram para Gênova, e Loewenstein (o analista de Lacan) mudou-se definitivamente para Nova York. Em 1945, a Sociedade Psicanalítica de Paris tinha ao todo onze membros... A Sociedade parisiense respondeu ao seu despovoamento com recrutamento agressivo de candidatos e empenhando-se para expandir. Por volta de 1951-52, ela tinha setenta novos analistas em treinamento" (*ibid.*, p. 103). Essa expansão era o contexto para a ruptura que ocorreu quando o seminário de Lacan começou, e dizia respeito, em parte, à questão da configuração da análise, com Sasha Nacht, que presidia e estava de saída, insistindo que todos os analistas fossem médicos, contra a política duradoura do grupo francês – cujos estatutos de treinamento foram escritos por Lacan. A segunda divisão ocorreu dez anos depois, em 1963, quando o grupo, que se formou durante a primeira divisão, excluiu Lacan de sua lista de analistas em treinamento autorizados, principalmente como parte de seu esforço para obter reconhecimento oficial da Associação Psicanalítica Internacional. Este era o momento do Seminário XI.

velmente maior do que já havia sido até então, e seus participantes eram principalmente da universidade. Lacan era agora obrigado a apresentar seu trabalho diante do mundo acadêmico.

O seminário que ele havia planejado para aquele ano era denominado *Os nomes do pai* (*Les noms-du-père*), mas apenas uma sessão foi realizada[2]. Quando mudou de Sainte-Anne para a École normale, Lacan ofereceu um curso diferente, que foi publicado como *Seminário XI: Os quatro conceitos fundamentais da psicanálise* (*Le seminaire XI: Les quatre concepts fondamentaux de la psychanalyse* originalmente intitulado *Os fundamentos da psicanálise* (*Les fondements de la psychanalyse*). Está claro, portanto, que esse seminário constitui um novo começo, um retorno aos princípios fundamentais.

Se começamos com esses detalhes históricos, não é devido à sua importância intrínseca ou porque um texto teórico pode ser reduzido ao seu meio histórico, mas porque as observações de Lacan sobre *O visível e o invisível* só podem ser compreendidas se reconhecermos as específicas preocupações que lhe ocuparam durante esse curso[3].

Entretanto, antes de nos voltarmos a ele, esbocemos seu horizonte de maneira mais precisa. A infortunada sessão do seminário *Os nomes do pai*, publicada na edição inglesa de *Télévision* (mas não na francesa), contém uma análise da "voz" que é muito próxima à descrição do "olhar" que organiza sua discussão sobre Merleau-Ponty (ver Salecl e Žižek 26). A sessão sobre a "voz" se desenvolve através de uma leitura bíblica da narrativa de Abraão e Isaac (ver Derrida 2), que é elaborada por sua vez com referência à pintura do sacrifício de Isaac de Caravaggio e de *Temor e tremor* (*Frygt og Baeven*) de Kierkegaard. Toda a sessão dá um breve sumário do curso de Lacan sobre a angústia, do seminário anterior (o Seminário X, *L'angoisse*, 1962-3),

---

[2] Ver Lacan (9). O título *Les noms du père* foi reformulado posteriormente, no não publicado Seminário XXI (1973-74), como *Les non-dupes errent*.

[3] Ver Miller. (19) Este é o melhor volume em inglês para entender a preocupação específica da qual se ocupava Lacan nesse seminário e, especialmente, o conceito de "pulsão".

do qual Heidegger nunca está longe[4]. O contexto de sua discussão sobre Merleau-Ponty é, portanto, extremamente complexo e sobredeterminado, abrindo-se em várias direções, mas ao mesmo tempo é extremamente preciso, pois o objetivo de Lacan em explorar esses materiais não é primordialmente filosófico, mas diz respeito a um desenvolvimento bastante restrito e de um ponto técnico no interior da teoria psicanalítica, a saber, o problema da pulsão[5].

Temos assim uma orientação inicial: como objetos da pulsão, a "voz" e o "olhar" não são propriedades do sujeito (o poder de falar ou de ver); como resultado há uma considerável diferença entre "o olhar", como funciona em alguma teoria pelicular, e o olhar como um objeto da pulsão escópica (ver Saper 25). A discussão de Lacan no Seminário XI a respeito das considerações de Sartre sobre o olhar (na qual o sujeito *voyer* é subitamente surpreendido pelo olhar do outro) é desenvolvida para esboçar uma clara distinção entre a estrutura sartreana, da qual se deve fazer justiça ao modo peculiar com que a relação entre dois sujeitos pode vacilar entre "objetivação" e "intersubjetividade", e a consideração freudiana da pulsão e seus objetos. Isto sugere que, se Lacan vai de Sartre a Merleau-Ponty, é porque Merleau-Ponty caminhou para além da intersubjetividade em direção à constituição de uma "invisibilidade" no coração do visível. Porém isto apenas acentua a questão de por que Lacan, por sua vez, discorda de Merleau-Ponty.

Recordemos então os quatro conceitos tratados por Lacan no Seminário XI: o inconsciente, a repetição, a transferência e a pulsão (ver Lacan 8, p. 16/12)[6]. A divisão editorial fragmenta o seminário em qua-

---

[4] Para algumas observações sobre o seminário da angústia, ver Weber, (31, pp. 152-67).

[5] Para um sumário mais amplo da relação entre Lacan e Merleau-Ponty durante os trinta anos nos quais um lê e comenta o trabalho do outro (começando com suas participações nas leituras de Kojève), ver Phillips 21.

[6] As citações das obras de Lacan e Merleau-Ponty foram traduzidas da edição francesa. Indicamos por isso duas paginações, assim como Shepherdson o fez: primeiro da edição francesa e outra, da americana.Quanto a *Les relations avec autrui chez l'enfant in Parcours* (14) e *L'Oeil et l'Esprit* (15), o autor preferiu indicar apenas pela paginação americana.Seguimos a edição da Cynara/Verdier (1988) e da Gallimard (2004) respec) respectivamente.

tro seções e a uma curta conclusão. A primeira seção é denominada "O inconsciente e a repetição" (*L'inconscient et la répétition*), e a terceira, "A transferência e a pulsão" (*Le transfert et la pulsion*). Essas duas seções poderiam, então ser vistas como os quatro tópicos principais que abrangeriam todo o seminário. Restam duas seções. A segunda contém as observações de Lacan sobre Merleau-Ponty (que se estendem por quatro capítulos). Os comentários sobre Merleau-Ponty até este ponto interrompem o seminário, suspendendo-o em seu âmago, separando o primeiro par, dos "conceitos fundamentais", do segundo. A discussão de Lacan sobre *O visível e o invisível*, por assim dizer, como que provocando um modo de junção ou um ponto de suspensão, particularmente entre a consideração do "inconsciente" e da "pulsão".

Quanto à quarta seção, não irei desenvolver aqui, embora ela tenha um aspecto crucial na sua análise de Merleau-Ponty e que possa ser considerada a mais importante contribuição de Lacan neste seminário, um passo fundamental em relação aos seus primeiros trabalhos[7]. Digamos apenas isto: ela nos apresenta como consolidação do trabalho de Lacan nos dois ou três anos precedentes sobre a sua recusa do valor do inconsciente como um fenômeno exclusivamente "simbólico". É o notório conceito "simbólico" do sujeito que Lacan quer agora complicar ou modificar, acentuando a categoria do real de um modo não precedente até então[8]. E é essa ênfase no real que

---

As outras edições francesas, nós seguimos as indicadas pelo próprio autor nas referências bibliograficas. Shepherdson ainda acrescenta em nota uma indicação para se buscar tanto os títulos originais franceses das obras de Lacan como informações adicionais de seu *background* no trabalho de Marini 13. N.T.

[7] Esta questão pode ser caracterizada em termos da distinção entre "alienação" e "separação" que Lacan apresenta explicitamente como um novo desenvolvimento em seu pensamento (ver Laurent 12).

[8] Essa mudança para uma nova concepção do "real", que leva Lacan a questionar os limites do conceito do sujeito "simbólico", tem sido datada em vários momentos de seu trabalho. Jacques-Alain Miller localiza esse momento entre os Seminários VII e VIII, do seminário d'*A ética da psicanálise* (*L'éthique de la psychanalyse*) ao d'*A transferência* (*Le transfert*) (ver Miller 20). Nestor Braunstein data isto um pouco antes, aproximadamente

vai dirigir seu interesse no desenvolvimento do *objet petit a*, o objeto da pulsão. "Para avançar esta formulação", diz Lacan,

> eu me encontro numa posição problemática – o que promoveu meu ensinamento sobre o inconsciente? O inconsciente é a soma dos efeitos da palavra sobre o sujeito (...) o inconsciente é estruturado como uma linguagem. (...) E portanto este ensinamento teve, no que ele visava, um fim que eu qualifiquei de transferencial. (Lacan 8, p. 137/149)

Essa dimensão transferencial introduz um problema, porque Lacan insistiu, nesse seminário, numa nova definição de transferência, a saber: "a transferência é a colocação em ato da realidade do inconsciente" (Lacan 8, p. 137/149, em itálico no original). Nós poderá pensar na transferência em termos puramente "simbólicos", como um processo da fala que permite ao inconsciente mostrar-se através do significante: na forma clássica do sonho, no lapso ou ato falho, ou em qualquer dessas formações verbais que se apresentam no "pensamento inconsciente" do sujeito, revelando em forma simbólica o que o ego não gostaria de dizer. Entretanto se a transferência é definida como uma colocação em ato *da realidade do inconsciente*, somos forçados a concluir que o inconsciente não é reduzível a um fenômeno puramente "simbólico". Isto está de acordo com as asserções de Freud, e Lacan imediatamente aponta esse fato, acrescentando: "A realidade do inconsciente é (...) a realidade sexual" (Lacan 8, p. 138/150). Seja o que for que ele queira significar por "realidade sexual", e por mais complexa que seja a relação entre "realidade" e "real", está claro que o inconsciente não é mais entendido em termos

---

em 1958(ver Braunstein, 1). Philippe Julien data num momento posterior: "de 1964 em diante, Lacan distanciou-se do período da década de cinqüenta. Cada vez mais ele veio duvidar do poder criativo da fala, declarando finalmente em 1980 que este inexistia" (Julien 6, p. 63) E novamente: "Tal se deu quando Lacan dava aulas sobre a transferência e o término da análise, em 1960-1. Notemos que tudo depende da precisa relação entre a dimensão simbólica e imaginária. E o real? Lacan usou o termo até 1953 mas sem ainda ter introduzido o real tal como naquelas aulas. Ele fez isto em 1964" (*ibid.*, p. 102).

puramente "simbólicos" (ver Shepherdson, *Vital Signs*). Como veremos, este novo desenvolvimento tem uma decisiva postura em sua discussão sobre Merleau-Ponty e no conceito de "olhar".

A mesma dificuldade está presente logo no começo do seminário, num capítulo intitulado "O inconsciente freudiano e o nosso" (*L'inconscient freudien et le nôtre*). "A maioria nesta assembléia tem alguma noção do que adiantei aqui – *o inconsciente é estruturado como uma linguagem*", ele escreveu (Lacan 8, p. 23/20).

> É ela [esta estrutura que dá seu estatuto à inconsciência], em todo caso, que nos assegura que haja sob o termo de inconsciente alguma coisa de qualificável, de acessível e de objetivável. Mas quando eu incito os psicanalistas a não ignorarem este terreno"
>
> [...]"isto significa que eu penso me ater aos conceitos introduzidos historicamente por Freud nesta estrutura lingüística? Podemos manter que o inconsciente (ou "realidade sexual") é *redutível* ao fenômeno simbólico? Pois bem, não! Eu não penso assim. O inconsciente, conceito freudiano, é outra coisa, que eu gostaria de tentar lhes fazer apreender hoje (Lacan 8, p. 24/21)

Desta vez, não vamos desenvolver este pensamento de Lacan. É suficiente reconhecer que o "olhar" introduz uma dimensão que está localizada no exato limite da ordem simbólica, no sentido de que o "olhar" marca os "limites de formalização", o ponto em que a estrutura simbólica é incompleta. Como tal, o olhar pertence à categoria do real, que não é nem simbólico nem imaginário, mas está, ao contrário, ligado ao conceito de falta, um conceito que começa a desempenhar um novo e decisivo papel no pensamento lacaniano e que nos mostra um desenvolvimento radical na sua concepção do sujeito. Podemos resumir esse desenvolvimento pela epígrafe escolhida de seu ensaio *Subversão do sujeito e dialética do desejo no inconsciente freudiano* (*Subversion du sujet et dialectique du désir dans l'inconscient freudien*), que fala de um certo rompimento no campo lingüístico, uma ruptura na cadeia significativa: "Este corte da cadeia significante é único para verificar a estrutura do sujeito *como descontinuidade no real*" (E, p. 801/229, grifo meu)[9].

Tendo em mente a orientação básica de seu trabalho nesse seminário, voltemo-nos à discussão da segunda sessão, que trata diretamente de Merleau-Ponty, focalizando particularmente os dois primeiros capítulos dos quatro que tratam d'*O visível e o invisível*. A questão que iremos propor é: como a concepção do sujeito como "descontinuidade no real" é ligada por Lacan à questão do corpo e, em particular, ao problema da pulsão.

O "olhar" como objeto

Em 19 de fevereiro de 1964, Lacan entrou em seu seminário e anunciou: "Não é aqui por simples acaso (...) que foi nesta semana que veio ao alcance de vocês, por sua publicação, o livro póstumo de

---

9 Poder-se-ia reconhecer que este desenvolvimento no conceito do sujeito também se vincula a um re-pensamento substancial da categoria do real como Julien (6) e outros demonstraram. Se nos primeiros trabalhos é possível dizer que o real é "pleno" e que "nada está faltando no real", o trabalho posterior não irá sustentar tal concepção: o *status* "traumático" do real, sua conexão com o "impossível" e com o que está "faltando" no campo de representação, deve agora ser entendido *como* um efeito da representação. Se os primeiros trabalhos consideravam o real como um domínio "pré-lingüístico" da existência que nunca é capturado adequadamente pela representação imaginária e simbólica, um domínio de "imediaticidade" que se perde sempre que é mediado por representação, no trabalho posterior, ele se apresenta a nós com uma mudança abrupta: o real só pode ser entendido num modo "pós-simbólico", não como uma realidade pré-simbólica "plena" que foge da representação, mas como "falta" que emerge como o efeito excessivo da representação, um "produto" peculiar que não pode ser entendido em termos de uma concepção pré-simbólica do real. É por isso que os seus trabalhos posteriores desenvolvem uma série de elos entre o real, a *jouissance* e o objeto a – não como referência a um domínio pré-linguístico, mas precisamente como um esforço para agarrar as conseqüências corpóreas da insuficiência da lei simbólica. Para mais observações, ver Shepherdson, 27.

nosso amigo Maurice Merleau-Ponty (...)" (Lacan 8, p. 68/71). Não é um simples acaso porque esse texto remete a um problema que o próprio Lacan estava tentando resolver, mesmo que os dois pensadores formulassem tal problema de modos bem distintos. Lacan dedicou a sessão inteira de seu seminário, e as três semanas posteriores, a *O visível e o invisível*, colocando questões que, mesmo não constituindo uma análise filosófica rigorosa do trabalho de Merleau-Ponty, o trazem de volta constantemente a esse notável texto.

Seus comentários não são simples de entender. *O visível e o invisível* é um texto particularmente obscuro e difícil, mas este não é o único problema. As referências de Lacan aos trabalhos filosóficos jamais são bem desenvolvidas, e suas considerações sobre Merleau-Ponty não são uma exceção. Quando ele fala sobre Hegel ou Aristóteles, é sempre no esforço de clarificar algum detalhe da teoria freudiana, e não por razões estritamente filosóficas. Além disso, suas referências são normalmente combinadas com alusões a vários outros textos, de tal modo que nunca se tem certeza do quanto ele realmente sabe sobre o material em questão, ou quão precisa sua análise intenta ser. E mesmo quando ele fala sobre detalhes particulares, como o conceito de acaso (*tuche*) em Aristóteles, ou a lei moral na teoria ética de Kant, não se sabe qual a versão do filósofo que ele tem em mente, qual escola de pensamento ou estrutura interpretativa ele está pressupondo. Ele não elabora suficientemente o texto filosófico para nos mostrar exatamente o que entende estar dizendo o autor, e isto dificulta ver o que Lacan está criticando quando objeta, e o que aprova quando concorda. Deve-se, assim, reconhecer de início que não podemos encontrar nada como uma descrição propriamente filosófica de Merleau-Ponty ou uma exegese responsável nos quatro capítulos que tratam d'*O visível e o invisível*. Nem se pode dizer que ele faz justiça a essa obra ou que ele nos leva longe em sua intrincada estrutura tecida.

Há razões pelas quais Lacan dedica sua atenção a *O visível e o invisível*, reconhecendo sua importância, mas demarcando o que ele toma como sendo as limitações de seu trabalho. É possível, então isolar algumas proposições e apreender os traços essenciais no encontro de Lacan com Merleau-Ponty. Se ele está preocupado, como sempre, com a teoria freudiana mais do que com a tradição filosófica, pode ser possível apreender o que na psicanálise o conduz a fazer a específica reivindicação a Merleau-Ponty que encontramos no Seminário XI.

Poderíamos esperar que Lacan tomasse o trabalho de Merleau-Ponty nos termos da categoria do imaginário e no seu papel na formação do corpo – explorando o conceito da *Gestalt* e a questão do campo visual como uma formação imaginária que vai além das teorias clássicas da percepção, sensação ou experiência visual. Mas não é isso que interessa Lacan em 1964. Poderíamos esperar dele uma acentuação da ordem simbólica, e mesmo que celebrasse a aproximação de Merleau-Ponty a Saussure ou o criticasse por abordar a questão da linguagem sem dar atenção suficiente ao inconsciente. Mas não é isso o que encontramos em sua análise de *O visível e o invisível*. Poderíamos esperar, finalmente, que ele levasse em conta a mais importante realização de Merleau-Ponty, que é sua marcante análise da relação entre o visual e o verbal – a complexa interação entre linguagem e percepção que nós encontramos no capítulo sobre o quiasma (*le chiasme*), no ensaio *O olho e o espírito* (*L'oeil et l'Esprit*), ou no impressionante trabalho sobre a pintura, no qual Merleau-Ponty mostra como cor, textura e o arranjo material da pintura já têm um ritmo, uma harmonia, uma linguagem e um sistema que contêm sua própria lógica, seu próprio modo de idealidade, sua própria estrutura de memória e rigorosa abstração[10].

[10] Alphonso Lingis nos lembra que o interesse de Merleau-Ponty na linguagem jamais era realmente limitado à perspectiva da lingüística estrutural, mesmo que isto complicasse seu primeiro trabalho sobre a *Gestalt* introduzindo um nível novo de estrutura. Assim como na *Fenomenologia da percepção* (*Phénoménologie de la perception*) Merleau-Ponty já focalizava não a linguagem que é discutida pela lingüística – aquele objeto da ciência lingüística que pode revelar um conjunto de regras formais – mas antes a linguagem

"Desde que este estranho sistema de trocas é dado", Merleau-Ponty escreve n'*O olho e o espírito*, "todos os problemas da pintura estão aí" (Merleau-Ponty 15, p.21/164). E novamente, no capítulo sobre o quiasma, ele escreve:

> (...) ela [a idealidade "pura"] funde-se já à articulação do corpo estesiológico, aos contornos das coisas sensíveis (...) É como se a visibilidade que anima o mundo sensível emigrasse, não para fora de todo corpo, mas dentro de um outro corpo menos pesado, mais transparente, como se ela mudasse de carne, abandonando aquela do corpo para aquela da linguagem (...) (Merleau-Ponty 18, p. 200/152-3)

A "idealidade", seria, então dada não como um sistema lógico da filosofia tradicional, mas por aquele nível de abstração que está agarrada ao olho e à mão do pintor, esse processo de "emigração" que permite ao mundo visível habitar o domínio da linguagem. Lacan se envolveu por muitos anos com o problema da interação entre o imaginário e o simbólico, e talvez não haja outro pensador que tratou desse problema com mais cuidado e sensibilidade que Merleau-Ponty. Mas isto não é ainda o que interessa Lacan quando ele se volta ao último trabalho de Merleau-Ponty.

Em vez disso, vemos que suas notações são inteiramente focalizadas no conceito freudiano de pulsão; por isso, ele se volta às considerações sobre o "olhar" em Merleau-Ponty para alegar que o olhar não é uma questão da visão ou da percepção, nem mesmo uma questão do horizonte invisível de visibilidade, mas que, antes, ele deve ser

---

"operativa" da vida, a linguagem como é de fato usada (mesmo pelos lingüistas); então era sempre, quando chegou no problema da linguagem, uma questão de descobrimento da "lógica" evidente na língua atual, e que poderia ser estabelecida num "nível" diferente do esquema formal que se poderia elaborar na base do comportamento perceptivo-motor. Ver o prefácio do tradutor d'*O visível e o invisível* [no caso, *The visible and the invisible*], pp. xl-lxi, lii-liii.

entendido como um *objeto* e mais precisamente como um objeto da pulsão. Em resumo, o "olhar" é uma versão do "objeto a" de Lacan, e por isso ele diz respeito à categoria do real, que não é nem simbólica nem imaginária. Como ele diz no capítulo intitulado "O que é um quadro?" (*Qu'est-ce qu'un tableau?*): "O objeto a no campo do visível é o olhar" (Lacan 8, p. 97/105) O "olhar" é, portanto colocado, por Lacan numa série de objetos, cada qual correspondendo a uma diferente dimensão corporal, a um diferente aspecto do corpo. Como sabemos, Freud distingue diferentes formas de pulsão, e nós encontramos em seu trabalho uma série de objetos, o "seio", as "fezes", o "falo" e assim por diante, objetos que correspondem às fases oral, anal e fálica; Lacan acrescenta elementos à lista freudiana, dando especial atenção a dois outros objetos, o olhar e a voz – o primeiro sendo objeto da pulsão escópica, e o segundo sendo objeto do que ele chamou de pulsão vocativa. As considerações de Merleau-Ponty sobre o olhar são, assim, tomadas por Lacan em termos do objeto da pulsão escópica e, conseqüentemente, em termos de um momento bem específico na constituição do sujeito. Isto o leva a uma série de questões que são inteiramente afastadas do que Merleau-Ponty questionava em seu trabalho final. Essa diferença de orientação é considerável e não deveria ser esquecida, pois mostra, como Lacan veio a encontrar os seus próprios interesses já presentes, de modo velado ou indireto, em Merleau-Ponty.

Além da "intencionalidade": O olhar e o supereu

Nós podemos distinguir três momentos distintos nas considerações de Lacan em *O visível e o invisível*: uma que designa o contínuo caminho do trabalho de Merleau-Ponty, outra que destaca o que é novo em seu último escrito e, finalmente, um momento no qual Lacan afasta-se de Merleau-Ponty. Esses três momentos são acentuados em várias ocasiões por Lacan, e merecem melhor elaboração.

No *Seminário XI*, no capítulo denominado "A esquize do olho e do olhar" (*La schize de l'oeil et du regard*), Lacan escreve: "*O visível e o invisível* pode nos apontar o momento de chegada da tradição filosófica (...) Nessa obra, ao mesmo tempo terminal e inaugural, vocês descobrirão uma lembrança e um passo à frente" em relação à *Fenomenologia da percepção* (*Phénoménologie de la perception*) (Lacan 8, p. 68/71). Ele elabora essa lembrança como se segue:

> Ali se encontra, com efeito, lembrada a função regulatória da forma (...) à qual preside, não somente o olho do sujeito, mas toda sua atenção, seu movimento, sua tomada, sua emoção muscular e também visceral – logo, sua presença constitutiva, apontada naquilo que se denomina sua intencionalidade total. (Lacan 8, p. 68-9/71)

Como sempre, essa atenção à forma e ao poder formativo da vida encarnada é posta para evitar a alternativa entre o idealismo e o empirismo. Começando com o movimento gradual, quase-dialético[11], no qual o mundo toma forma e é compreendido pela experiência atual, provendo assim o sujeito com o horizonte finito, material de sua própria existência corporal e de atividade cognitiva, a atenção de Merleau-Ponty para a forma tenta evitar a divisão entre sujeito e objeto, ou seja, a alternativa que nos força a escolher entre: 1) o sujeito tradicional, constituinte cujas representações poderiam servir como a origem transcendental das coisas e 2) o domínio da positividade empírica que precederia a consciência e existiria independentemente, esperando com paciência a exploração do sujeito. Essa concepção de forma também possibilita uma análise mais cuidadosa do corpo. O corpo nos proporciona um ponto de acesso às coisas, mas partici-

---

[11] Sobre a questão do alcance pela qual o trabalho de Merleau-Ponty seja propriamente dialético em vários momentos, ver Terminiax (27).

pa também *das coisas em si mesmas*: sua carne é a carne do mundo. "Certamente", Merleau-Ponty diz no capítulo sobre o quiasma,

> pode-se responder que existe (...) o abismo que separa o Em-si do Para-si. (...) Mas aqui, procurando formar os nossos primeiros conceitos de modo a evitar os impasses clássicos, nós não temos que dar preferência às dificuldades que eles podem oferecer (...) (Merleau-Ponty 18, p. 180/136-47).

Como o conceito de forma, a questão do corpo, continua a proporcionar a Merleau-Ponty um ponto de partida propriamente fenomenológico que corrigiria as deficiências e contradições da tradição filosófica[12]. Lacan começa reconhecendo a continuidade entre esse novo vocabulário da "carne" e os trabalhos anteriores de Merleau-Ponty, notando que a relação entre aquele que olha e aquilo que é visto, entre aquele que toca e que é tocado, é, em alguns aspectos, uma reformulação de considerações anteriores.

Em adição a essa recapitulação, contudo, nós também encontramos algo novo: "Merleau-Ponty dá agora um passo à frente forçando os limites desta fenomenologia" (Lacan 8, p. 69/71-2). Como Lacan caracteriza esse "passo à frente" e o que lhe permite ver isto como marcando os "limites da (...) fenomenologia"? Lacan adverte que devemos entender o "passo adiante" de Merleau-Ponty através do conceito de *invisível*, um conceito que Lacan especifica em termos das

---

[12] Como Foucault diz: "Um papel tão complexo, tão sobredeterminado e tão necessário tem sido realizado no pensamento moderno por uma análise do vivido. O vivido, com efeito, é ao mesmo tempo o espaço onde todos os conteúdos empíricos são dados à experiência, e é também a forma originária que os torna em geral possíveis e designa seu enraizamento primeiro; ele estabelece, na verdade, comunicação do espaço do corpo com o tempo da cultura, das determinações da natureza com o peso da história, na condição, entretanto, que o corpo, e através dele a natureza, sejam primeiramente dados na experiência de uma espacialidade irredutível, e que a cultura, portadora da história, seja primeiramente experimentada na imediaticidade das significações sedimentadas" (Foucault 4, p.321).

considerações do olhar em Merleau-Ponty e, mais precisamente, em termos da divisão entre o olho e o olhar. Com o conceito de "invisível", Merleau-Ponty chama nossa atenção para o que podemos chamar de dependência do visível para com o olhar que o precede, um olhar que *abre* o domínio da visibilidade. Como Merleau-Ponty diz, "É como se a nossa visão se formasse no seu coração [do visível]". Ele elabora:

> O que há então, não são as coisas idênticas a elas mesmas que, em seguida, se ofereceriam ao vidente [au voyant], e não é um vidente vazio antes de tudo que, em seguida, se ofereceria a elas, mas alguma coisa de que não poderíamos estar mais perto senão lhe apalpando com o olhar [en le palpant du regard], porque o olhar mesmo as envolve, as veste com sua carne. De onde vem que, fazendo isto, ele as deixa em seu lugar, que a visão [la vision] que nós as tomamos nos parece vir delas (...)? (Merleau-Ponty 18, p. 173/131, grifo meu)

Nós devemos sublinhar esta frase final, porque é tal independência peculiar do mundo visível que interessa a Lacan – não a existência autônoma das coisas empíricas (um tema clássico da filosofia), mas o modo peculiar através do qual a visão ocorre apenas sob a soberania e a experiência penetrante do olhar que vem *das coisas em si mesmas*, um olhar que prolonga a si no ato mesmo da experiência sensória de alguém. "Qual é este talismã da cor", Merleau-Ponty escreve,

> é esta virtude singular do visível que faz com que, mantido no término do olhar, ele seja entretanto bem mais que um correlativo de minha visão, sendo ele que *me a mim e a minha visão impõe* como uma seqüência de sua existência soberana? (Merleau-Ponty 18, p. 173/131, grifo meu)

E novamente, numa outra passagem, Merleau-Ponty escreve:

> (...) é preciso que aquele que olha não seja ele mesmo estrangeiro ao mundo que ele olha.(...) É necessário(...) que a visão seja duplicada por uma

visão complementar ou por uma outra visão: eu mesmo visto de fora, tal como um outro me veria, instalado no meio do visível (...)"(Merleau-Ponty 18, p. 177/134)

É essa imposição ("que me [a mim e a minha visão] impõe"), essa invisibilidade soberana do olhar que precede todo o nosso ver, que permite a Merleau-Ponty reestruturar a totalidade da questão da "intencionalidade" e da relação sujeito-objeto.

O que Lacan toma dessa análise? Ele é claro: "O que se trata de circunscrever, pelas vias do caminho que ele nos indica, é a preexistência do olhar – eu vejo somente de um ponto, mas em minha existência eu sou visto por todos os lados" (Lacan 8, p. 69/72). Essa experiência de estar sob o olhar é o que constitui o "passo adiante" de Merleau-Ponty de acordo com Lacan: "Eu entendo, e Merleau-Ponty nos aponta, que nós somos os seres olhados no espetáculo do mundo" (Lacan 8, p. 71/74-5).

Chegamos assim no segundo estágio da leitura lacaniana, no ponto onde podemos compreender o que é novo no último trabalho de Merleau-Ponty. Por que, então, Lacan acha necessário reformular as considerações do "olhar" de Merleau-Ponty? Antes de tomarmos essa questão, abramos um parêntese – uma vez que, neste segundo estágio dos apontamentos de Lacan, é possível localizar uma certa convergência entre as observações de Merleau-Ponty e as considerações da teoria freudiana. Diante da análise de Merleau-Ponty e antes de qualquer divergência com Lacan, podemos nos perguntar o que o psicanalista irá fazer com o "olhar". Como Lacan irá desenvolver a pretensão merleau-pontyana e o que ele vê como importante para nossa compreensão do sujeito? O "olhar" é um problema do imaginário ou do simbólico? Isto vai levar Lacan a refletir sobre o narcisismo ou seria antes uma questão do supereu – um reflexo da punição e da presença obscuramente malévola que parece nos observar de cima, invisível e onipresente, como um agente da lei que subitamente mostra sua face sádica? Alguns lembram da última sentença do ensaio *As relações com outro na criança* (*Les relations avec autrui chez l'enfant*) de Merleau-Ponty:

> Pode-se interrogar sobre a relação que se deve estabelecer entre a crise dos três anos da qual diz Wallon e a fase edipiana do desenvolvimento que alguns psicanalistas situam no mesmo momento com a qual se esboça o superego, a verdadeira relação 'objetal' e a ultrapassagem do narcisismo. (Merleau-Ponty 14, p. 229; PP, p.155, grifo meu)

Poderia ocorrer que, no momento mesmo que o narcisismo é aparentemente superado, no momento mesmo que o excesso do ego parece estar dominado e uma relação "objetal" madura com o mundo é estabelecida, paradoxalmente, nos depararíamos também com um momento no qual a dimensão mais não-natural do Outro é manifestada? Poderia ocorrer que a suposta transcendência do narcisismo se vincularia, de algum modo, à peculiar produção do olhar, o que significa dizer que o fato mesmo da visão, a experiência sensória mais "natural", seria assombrado por uma presença peculiar, invisível e tirânica, uma presença que não pode ser vista mas que nos olha e governa secretamente o movimento do corpo com sua própria malícia ou intenção estranha, solicitando nosso olhar, direcionando nossa visão como uma extensão de sua existência imperiosa? O que isto significa para Lacan e para a teoria do sujeito, quando Merleau-Ponty abre esta experiência na qual nós somos "(...) olhados no espetáculo do mundo" (, p. 71/74-5)? É uma questão do narcisismo ou algo que emerge precisamente no ultrapassamento do narcisismo?

Merleau-Ponty certamente parece considerar a primeira possibilidade quando escreve estas palavras no capítulo sobre o quiasma: "De modo que o vidente, estando preso no que vê [*le voyant étant pris*], é ainda ele mesmo que ele vê: há um narcisismo fundamental em toda visão". E a passagem continua assim:

> Pela mesma razão, a visão que ele exerce, ele a sofre também por parte das coisas, que, como dizem muitos pintores, eu me sinto olhado [je me sens regardé] pelas coisas, minha atividade é identicamente passividade – é este o sentido segundo e mais profundo do narcisismo: não ver por fora, como os outros o vêem, o contorno de um corpo que é habitado, mas sobretudo ser visto por ele, existir nele, emigrar para ele, ser seduzido, captado, alienado pelo fantasma, de modo que vidente e visível sejam recíprocos e não saiba mais quem vê e quem é visto [qui voit et qui est vu]. (Merleau-Ponty 18, p. 183/139, grifo meu)

Assim, o olhar no sentido merleau-pontyano só poderia parecer emergir no momento em que o narcisismo é ultrapassado, apenas quando o espelho *não mais me remete a mim mesmo* numa forma imaginária, apenas quando meu corpo não está mais em sua possessão, em sua unidade, mas está antes nessa abertura ao mundo na qual "vidente e visível são recíprocos e não sabemos mais quem vê e quem é visto". Não levemos adiante essa questão. É suficiente ver o primeiro ponto de contato entre Merleau-Ponty e Freud, como Lacan parece lhes apresentar. Fechemos este parêntese e continuemos em nossa exegese.

O conceito do olhar é uma recapitulação, mas é também um "passo adiante" em relação às primeiras análises da forma e da *Gestalt*. E esse passo adiante poderia marcar o limite da fenomenologia, na medida em que ele abre uma certa invisibilidade no coração do visível, algo que não pode ser visto, que está além da "aparência" e do "fenômeno", mas que olha para mim como eu olho para o mundo, com um olhar que solicita previamente minha visão, mesmo antes que eu comece a ver. E desde que isto seja uma questão de ser visto, de ser "olhado de todos os lados", o olhar não é mais uma propriedade do sujeito, um poder de ver ou de especular, mas alguma coisa que vem *do mundo das coisas*. O olhar não é mais uma propriedade do sujeito, mas não é também uma propriedade dos objetos, um fenômeno natural, um traço do mundo empírico, nem uma característica da luz, mas algo que precede o domínio do visível e se revela à nossa visão. Isto seria o passo de Merleau-Ponty para além da fenomenologia, como Lacan o apresenta: o olhar não pertence às coisas empíricas, mas designa uma dimensão da invisibilidade – não uma esfera transcendente, mas um domínio da experiência que é única ao animal humano, e isto captura a característica peculiar da *encarnação* humana, alguma coisa que não pode ser agarrada em termos de "sujeito" e "objeto", percepção sensória e positividade externa.

N'*O olho e o espírito*, Merleau-Ponty não fala sobre a visibilidade, mas sobre o "solo do mundo sensível e do mundo cultivado": "é preciso que o pensamento científico ele escreve,

> torne a se colocar num "há" prévio, na paisagem, sobre o solo do mundo sensível e do mundo cultivado tal como é em nossa vida, para nosso corpo, não o corpo possível no qual é lícito sustentar que ele seja uma máquina de informação, mas este corpo atual que eu digo meu (...) [um corpo que só pode ser entendido em sua conjunção com] corpos associados (...), os "outros" (...) que me assediam e que eu assedio (...) como jamais os animais assediam aqueles de sua espécie (....) (Merleau-Ponty 15, pp 12-3; 16, pp 160-1)

É portanto uma questão do corpo, não como um organismo com sua capacidade sensório-motora, suas memórias e expectativas, mas como um fenômeno humano exclusivo: não um corpo como "(...) um pedaço de espaço, um feixe de funções, mas um entrelaçado de visão e de movimento" (Merleau-Ponty 15, p. 16; 16, p. 162), o corpo sem o qual "(...) não haveria humanidade" (Merleau-Ponty 15, p. 20; 16, p. 163).

Em resumo, o olhar não é uma propriedade do sujeito, mas também não é uma propriedade das coisas, um traço do visível em si mesmo. Ele não tem uma imagem especular, mas é antes algo invisível, algo que não pode ser visto, mas que no entanto vem do *mundo* das coisas, algo que, na linguagem de Lacan, *vem do Outro*, precedendo minha visão e solicitando-a a seguir, "que *me* [*a mim e a minha visão*] *impõe*" (Merleau-Ponty 18, p. 173/131), continuando a si no ato mesmo da minha visão, reduzindo a mais ativa exploração sensória a uma fundamental *passividade*, e na verdade ao ponto de podermos falar de *aniquilação do sujeito* (Lacan 8, pp. 78, 83/82, 88). O olhar é algo ao qual estou *assujeitado*. É isto que Lacan isola do último trabalho de Merleau-Ponty: "Esse *ver ao qual estou submetido* de um modo original – eis aí sem dúvida o que deve nos levar à ambição desta obra (...)" (ver Lacan 8, p. 69/72, grifo meu)[13].

Negociação platônica: *chora* ou sujeito?

Assim, de acordo com Lacan, temos n'*O visível e o invisível* uma recapitulação dos temas anteriores e também um passo adiante, que consiste na elaboração do conceito do olhar. Finalmente, devemos destacar o ponto do qual Lacan se distancia de Merleau-Ponty, o ponto do qual sua análise do olhar toma uma direção diferente. Porque ele também escreve neste capítulo que "o campo que nos dá Maurice Merleau-Ponty (...) se apresenta por suas incidências mais factícias, senão as mais caducas" (Lacan 8, p. 69/72). Ele continua:

---

[13] Dado esse "ser-olhado-por" primário e radical que Merleau-Ponty nos leva a considerar, pode-se também pensar no problema da "síntese passiva" e "constituição passiva" de que Husserl se ocupou em seus últimos trabalhos (ver Landgrebe, *The Problem...*,pp. 50-65; *The World as...*, pp. 122-48). Lacan também comenta esta aparente passividade. Ver Lacan 8, onde ele nota que a "passividade" aparente desse "estar-sendo-visto", sendo um ser que é "olhado no espetáculo do mundo", é de fato precisamente a atividade da pulsão: "mesmo na sua pretensa fase passiva, o exercício de uma pulsão, masoquista, por exemplo, exige que o masoquista se dê, se ouso me exprimir assim, um trabalho de cão" (Lacan 8, p. 182/200).

> Mas não é entre o invisível e o visível que nós temos que passar. A esquize que nos interessa não é a distância que se mantém entre o que existe de formas impostas pelo mundo e aquilo contra o que a intencionalidade da experiência fenomenológica nos dirige (...). O olhar só se apresenta a nós sob a forma (...) da nossa experiência, a saber, a falta constitutiva da agonia da castração. O olho e o olhar, tal é para nós a esquize na qual se manifesta a pulsão no nível do campo escópico. (Lacan 8, pp. 69-70/72-3)

Nós distinguimos três momentos na análise de Lacan: primeiro, um reconhecimento daqueles elementos n'*O visível e o invisível* que se aprofundam e que dão seqüência à trajetória da totalidade filosófica de Merleau-Ponty; segundo, a introdução de um novo começo genuíno, o horizonte invisível da visibilidade; e, finalmente, uma divergência, na qual a análise de Merleau-Ponty seria deficiente, isto a partir de um ponto de vista freudiano.

No próximo capítulo, "A anamorfose" (*L'anamorphose*), nós encontramos os mesmos três passos. Esse capítulo fornece uma análise da pulsão escópica e Lacan retorna novamente a Merleau-Ponty, confessando que "(...) a função escópica se situa (...) na obra que acaba de ser publicada de Maurice Merleau-Ponty, *O visível e o invisível*" (Lacan 8, p. 75/79). Neste ponto, tendo introduzido o nome de Merleau-Ponty, Lacan lembra de algumas das maiores figuras da tradição filosófica e, em duas páginas, ele recorre a várias concepções do sujeito: 1) "(...) o caminho irredutível do bispo Berkeley (...) que chega a reduzir o sujeito que percebe a meditação cartesiana a um poder de nadificação"; 2) a revolução hegeliana que "(...) faz oscilar efetivamente o sujeito contra a ação histórica transformante (...)"; e, finalmente, 3) "quanto à meditação sobre o ser que chega a seu cume no pensamento de Heidegger, restituindo ao ser mesmo o poder de nadificação (...)" (Lacan 8, p. 77/81). Isto não nos diz muito a respeito da tradição filosófica, mas nos permite ver como Lacan situa o trabalho de Merleau-Ponty: "É bem aí que nos leva também Merleau-Ponty" (Lacan 8, p. 77/81). Aqui, novamente, de acordo com Lacan, nós temos uma continuação da tradição filosófica em sua reflexão a respeito do sujeito, assim como a respeito de certa "negatividade" no sujeito, algo que novamente é formulado de um modo a nos levar direto ao limite dessa tradição, à mais profunda investigação ontológica de Heidegger[14]. Nós estamos agora com a concepção de "carne" apresentada como o elemento no qual meu corpo é dado assim como as coisas em si mesmas. Como o próprio Merleau-Ponty diz:

> É que a espessura da carne entre o vidente e a coisa é constitutiva de sua visibilidade a ela como de sua corporeidade a ele; isto não é um obstáculo entre eles, é seu modo de comunicação. (...) É a este título, e não como portador de um sujeito que conhece, que nosso corpo comanda para nós o visível, mas ele não o explica, não o esclarece, ele não faz senão concentrar o mistério de sua visibilidade esparsa; trata-se com razão de um paradoxo do Ser, e não um paradoxo do homem. (18, pp. 178-80/135-6)

Seguindo Merleau-Ponty e vendo seu trabalho como um caminho que nos leva direto ao limite da tradição, ao ponto em que a questão do sujeito não pode mais ser colocada em termos antropológicos, Lacan insiste, entretanto, que Merleau-Ponty não nos leva suficientemente longe, ao menos não tão longe para alcançar o que está em questão nas considerações psicanalíticas da função escópica, do olhar como um objeto da pulsão. Seguindo seu sumário da tradição e sua referência a Heidegger, Lacan escreve:

---

[14] Em suas *Notas de trabalho* (*Notes de travail*), Merleau-Ponty destaca que devemos "fazer não uma psicanálise existencial, mas uma psicanálise *ontológica*" (18, p. 323/270) e acrescenta que "a filosofia de Freud não é uma filosofia do corpo mas da carne". E ainda: "Uma filosofia da carne é condição sem a qual a psicanálise permanece antropologia" (18, p. 321/267).

> É bem aí que nos leva (...) Merleau-Ponty. Mas, se vocês se reportarem ao texto, vocês verão que é neste ponto que ele escolhe recuar para nos propor retornar ao caminho da intuição concernente ao visível e ao invisível, de voltar ao que está antes de toda reflexão, tética ou não-tética, a fim de marcar o surgimento da visão mesma. Trata-se para ele de restaurar (...) a via pela qual, não do corpo, mas de alguma coisa que denomina de carne do mundo, pôde surgir o ponto original da visão. (Lacan 8, p. 77/81-2)

Por que Lacan vê a meditação merleau-pontyana como algo que de algum modo está em falta e se afasta diante de suas conseqüências mais radicais? Seria porque as considerações do olhar em Merleau-Ponty de algum modo ficam nos limites da tradição da metafísica ou são marcadas por um certo "platonismo"? Alguns escritores (particularmente os analistas lacanianos) reivindicaram precisamente isto, argumentando que, para Merleau-Ponty, há uma presença onividente, algo como um ser divino platônico que permanece inobservável, invisível, mas que olha para nós e que direciona nossa visão para o esplendor do mundo fenomenal (ver Quinet 22;23). Esta é uma consideração redutiva e errônea sobre a obra de Merleau-Ponty e o próprio Lacan não parece concordar com isto. Sem dúvida, é uma compreensão possível, um modo possível de se posicionar, ou talvez de cometer um engano a respeito dessa estranha experiência do olhar. Como Lacan diz: "O espetáculo do mundo, neste sentido, nos aparece como onividente. Está aí o fantasma que nós encontramos na perspectiva platônica, de um ser absoluto (...)" (Lacan 8, p. 71/75). Mas nós não temos que colocar essa fantasia de um ser absoluto no lugar do "fenômeno" (se se pode ainda utilizar este termo) que Merleau-Ponty descobriu para nós, mesmo que o fenômeno do olhar *também* possa explicar a fantasia que ele torna possível. Lacan escreve: "Não precisamos, de modo algum, nos reportar a qualquer que seja a suposição da existência de um vidente universal" (*ibidem*, p. 71/74).

Sejamos mais precisos neste ponto: Lacan parece se entreter por um momento com possibilidade de Merleau-Ponty realmente tornar-se vítima da idéia de um vidente universal "platônico", uma espécie de "substância" ou "elemento" primordial que poderia preceder o sujeito e servir como o lugar de seu nascimento, sua origem, *chora* e assim por diante. Referindo-se ao "olhar" que vem do mundo e que solicita nossa visão anterior, assim como ao conceito de "carne", Lacan escreve:

> Parece assim que, nessa obra inacabada, se esboça alguma coisa como a pesquisa de uma substância inominada de onde eu mesmo, o vidente, me extraio. Da armadilha [rets], ou do raio [rais] se vocês preferirem, de um brilho do qual antes de tudo sou uma parte, eu surjo como olho (...) (Lacan 8, p. 77/82)

Desse ponto de vista, o olhar seria algo que, na arena da visão, funciona como a *chora*, a substância primordial ou lugar que precederia o sujeito e do qual o sujeito emergiria. Mas isto não é o que Lacan pensa que Merleau-Ponty esteja fazendo[15]. Ele imediatamente acrescenta: "Mas era esse mesmo o caminho, portanto, que ele gostaria de tomar? Os traços que nos restam da parte por vir de suas meditações [i.e. as "notas de trabalho"] nos permite duvidar disto" (Lacan 8, p. 77/82). O que então Merleau-Ponty está fazendo, se ele não está se engajando no grande empreendimento especulativo da tradição metafísica, "a pesquisa de uma substância inominada"? Do ponto de vista de Lacan, ele "estaria talvez se dirigindo a uma pesquisa original em relação à tradição filosófica, a esta nova dimensão da meditação sobre o sujeito *que a análise permite, a nós, traçar*" (Lacan 8, pp. 77-78/82, grifo meu). É, portanto, uma nova meditação sobre o sujeito, e não uma especulação metafísica de uma substância primordial, que Lacan encontra no conceito do olhar.

---

[15] Pode-se comparar aqui a leitura lacaniana d'*O visível e o invisível* com a de Luce Irigary (5 pp. 143-71, pp. 151-84).

Sobre o sacrifício: o outro e o objeto

Então por que ele insiste que a psicanálise deve se afastar de Merleau-Ponty ou que nós encontraremos na psicanálise uma discussão mais precisa do olhar do que esta que encontramos em Merleau-Ponty? A resposta a tal questão é óbvia: enquanto Merleau-Ponty apresenta o olhar como alguma coisa que vem do mundo – não dos objetos no mundo, mas do mundo como um todo, o mundo num sentido fenomenológico e talvez até mesmo da experiência da mundanidade do mundo, este horizonte invisível no qual as coisas visíveis encontram seu lugar – em outras palavras, enquanto Merleau-Ponty apresenta o olhar como algo que, na linguagem lacaniana, vem do Outro, Lacan vê, ao contrário, o olhar como um objeto, não como uma coisa empírica, mas como uma forma específica do *objet petit a* e, mais precisamente, como o objeto da pulsão escópica. O que isso significa e qual é sua importância para nossa compreensão do sujeito?

A fim de clarificar este ponto final, retornemos à questão da passividade, retornemos ao ponto no qual Lacan fala sobre a experiência do olhar como alguma coisa "à qual eu estou assujeitado", para então falarmos do "aniquilamento do sujeito". Na experiência do olhar, "(...) nós somos os seres olhados no espetáculo do mundo" (Lacan 8, p. 71/74-5). Nosso olhar é solicitado anteriormente por um olhar que continua a si no próprio ato da minha percepção. Assim, na experiência do olhar, minha percepção é revelada em sua passividade fundamental – não uma passividade entendida como o familiar oposto de "atividade", mantendo um dualismo simétrico e binário, mas outra, mais fundamental, uma passividade mais primordial, na base das quais ambas são possíveis: passividade e atividade. É uma questão da experiência *elementar* que precede a divisão entre sujeito e objeto e que torna ambas possíveis: minha recepção passiva do dado sensorial e minha atividade intencionalmente direcionada para a exploração do mundo[16]. A carne nos abre para uma fundamental passividade na qual atividade e passividade, sujeito e objeto, não mais mantêm seu sentido tradicional. Acentuando este ponto e destacando a riqueza notável da prosa de Merleau-Ponty e sua atmosfera de sensualidade luxuosa, Lacan formula a seguinte questão: "Não há satisfação de estar sob este olhar (...)?" (Lacan 8, p. 71/75). Por que Lacan foca a questão da "satisfação" precisamente nesse momento, precisamente nesse nível da estrutura do sujeito? Nós fomos levados por Merleau-Ponty a ver o modo notável com o qual nosso olhar já está dominado, já compelido a emigrar para além de si, a ser seduzido e cativado anteriormente pelo olhar do mundo, um olhar que continua a si em minha experiência da visão, como se minha visão fosse o implemento e o meio de um olhar que vem do Outro. "O que isto quer dizer", Lacan pergunta, senão que "alguma forma de elisão do sujeito se mostra"? (*ibidem*, p. 72/75). Cem páginas depois, Lacan retoma este ponto alegando que é precisamente no embate com sua falta, com sua radical divisão, e como uma única tentativa de rodear esta divisão, que "(...) o sujeito *se faz o objeto* de uma outra vontade (...)" (*ibidem*, p. 168/185, grifo meu). "É o sujeito que determina a si mesmo como objeto em seu encontro com a divisão da subjetividade" (*ibidem*, p. 168/185). Nós vemos assim, mais claramente, a função do *objet petit a* em Lacan, como um paradoxo "objeto de falta", uma localização de falta, uma "particularização" que permite que a falta no Outro seja velada no momento mesmo de sua manifestação – e velada de um modo inteiramente preciso, a saber, numa peculiar instância de *substituição* (metáfora), que Lacan considera como sacrificial, desde que o sujeito se oferece a si como

---

[16] Como é bem conhecido, Merleau-Ponty diz que o conceito de "carne" que ele introduz n'*O visível e o invisível* requer um retorno ao antigo elemento primordial do mundo. "A carne não é matéria, não é espírito, não é substância. Precisar-se-ia, para designá-la, do velho termo 'elemento', no sentido que se empregava para falar de água, ar, terra e fogo (...). A carne é, neste sentido, um 'elemento' do Ser" (Merleau Ponty 18, p. 184/139).

o objeto que se mostra faltando no Outro, se identificando com a "Coisa" perdida primordialmente que torna a ordem simbólica incompleta. É por isso que Lacan declara que a experiência do olhar se relaciona com a falta que constitui a "angústia de castração": "O olho e o olhar, tal é para nós a esquize na qual se manifesta a pulsão no nível da pulsão escópica" (*ibidem*, p. 70/72-3). "Neste nível, nós não somos forçados a entrar em nenhuma consideração da subjetivação do sujeito. O sujeito é um aparelho. Esse aparelho é alguma coisa de lacunar, e é na lacuna que o sujeito instaura a função de um certo objeto, enquanto objeto perdido" (*ibidem*, p. 168/185). Em resumo, na experiência do olhar é o sujeito que se identifica com o objeto que faria o Outro completo, desvanecendo ou desaparecendo num movimento sacrificial de identificação.

Em 1963, durante a única sessão do seminário que foi cancelada, *Os nomes do pai*, Lacan fornece uma consideração notável do sacrifício de Isaac e a relação simbólica que permite ao carneiro ser substituído pela criança, assim também definindo uma nova relação entre o povo judeu e o Outro, além dessa "libra de carne", além do labor sacrificial que procura satisfazer a *jouissance* divina [o gozo divino]. Em face do enigma apresentado pelo inescrutável Outro, o vazio que é aberto por esta "questão de ser" ("O que o Outro quer de mim?"), o sujeito só pode ser impulsionado a uma angústia profunda e não-natural – uma angústia que traz consigo uma peculiar tentação: nas palavras de Lacan, "(...) oferecer-se aos obscuros deuses um objeto de sacrifício, eis algo a que poucos sujeitos podem não sucumbir, numa monstruosa captura" (*ibidem*, p. 246/275) O pacto simbólico de substituição representado pela mão do anjo, uma mão que está ao alcance de tocar a mão de Abraão, parando-a no instante mesmo do corte sacrificial, no exato limite da Lei, é portanto um novo modo de tocar, um novo modo de negociar a divisão, no campo do Outro, entre desejo e *jouissance*.

É aqui que encontramos a mais clara divisão entre Lacan e Merleau-Ponty: para Lacan, a análise de Merleau-Ponty nos mostra – talvez sem intentar fazer isto – o que Freud quis dizer quando falou da *satisfação* da pulsão, que numa frase Lacan lembra perguntando: "Não há satisfação de estar sob este olhar (...)?" (*ibidem*, p. 71/75). Para Lacan, trata-se de uma questão relativa ao prazer peculiar com o qual vemos simultaneamente a aniquilação do sujeito, o desvanecimento ou o desaparecimento do sujeito, essa marca fundamental da morte na qual Freud insistiu quando escreveu que todas as pulsões são pulsões de morte. Para Lacan, é uma questão de distinção entre o prazer da pulsão, aquele prazer no qual o sujeito desaparece (que Lacan chama de *jouissance*) e, por contraste, a ordem do desejo no qual o sujeito encontra sua vida. De acordo com Lacan, esta é a antítese que Merleau-Ponty descobre, sem perseguir isto na direção que Freud nos exige tomar: a experiência de estar sob o olhar e, mais precisamente, a satisfação que acompanha isto, essa é precisamente a experiência da pulsão escópica, esta experiência primordial que é sempre uma possibilidade do sujeito, mas na qual o desejo é perdido e o sujeito se move para sua própria aniquilação.

Referências bibliográficas

1. BRAUNSTEIN, Nestor. *La jouissance: "un concept lacanien"*. Paris: Point Hors Ligne, 1990.
2. DERRIDA, Jacques. *The gift of death*. Chicago: University of Chicago P, 1995.
3. FELDSTEIN, Richard; et al (eds). *Reading Seminar XI: Lacan's Four Fundamental Concepts of Psychoanalysis*. Albany: Suny Press, 1995.
4. FOUCAULT, Michel. *The order of things: an archaeology of the Human Sciences*. Nova York: Vintage, 1970. (Traduzido de *Les mots et les choses: une archéologie des sciences humaines*. Paris: Gallimard, 1966.)
5. IRIGARAY, Luce. *An ethics of sexual difference*. Ithaca: Cornell University Press, 1993. (Traduzido de *Éthique de la différence sexuelle*. Paris: Minuit, 1984.)
6. JULIEN, Philippe. *Jacques Lacan's return to Freud: the real, the symbolic, and the Imaginary*.Nova York: New York University Press, 1994.
7. LACAN, Jacques. *Écrits: a selection*. Nova York: Norton, 1977. (Traduzido de *Écrits*. Paris: Seuil, 1966.)

8. LACAN, Jacques. *The four fundamental concepts of psychoanalysis.* Nova York: Norton, 1978. (Traduzido de *Le Seminaire XI: les quatre concepts fondamentaux de la psychanalyse.* Ed. Jacques-Alain Miller. Paris: Seuil, 1973.)
9. ———. "Introduction to the Names-of-the-Father Seminar" In *Television: a challenge to the psychoanalytic establishment..* Ed. Joan Copjec. Nova York: Norton, 1990.
10. LANDGREGE, Ludwig. "The problem of passive constitution" in *The Phenomenology of Edmund Husserl:* Six Essays by Ludwig Landgrebe. Ithaca: Cornell University Press, 1981.
11. ———. "The world as a phenomenological problem" In *The Phenomenology of Edmund Husserl:* Six Essays by Ludwig Landgrebe. Ithaca: Cornell University Press, 1981.
12. LAURENT, Eric. "Alienation and separation" In FELDSTEIN et al 3.
13. MARINI, Marcelle. *Jacques Lacan: the French context.* New Brunswick: Rutgers University Press, 1992.
14. MERLEAU-PONTY, Maurice. "The child's relations with others" In *Primacy of perception.* (Traduzido de *Merleau-Ponty à la Sorbonne*: Résumé de cours 1949-52. Paris: Cynara, 1988.)
15. ———. "Eye and mind" In *Primacy of perception.*(Traduzido de *L'Oeil et l'Esprit.* Paris : Gallimar, 1985.)
16. ———. "Eye and Mind" In *The Merleau-Ponty aesthetics reader*: Philosophy and painting. Evanston: Northwestern University Press, 1993.
17. ———. *The primacy of perception: and other essays on Phenomenological Psychology, the Philosophy of Art, History and Politics.* Evanston: Northwestern University Press, 1964.
18. ———. *The visible and the invisible.* Evanston: Northwestern University Press, 1968. (Traduzido de *Le visible et l'invisible.* Paris: Gallimard, 1964.)
19. MILLER, Jacques-Alain. *Context and Concepts* in FELDSTEIN et al.
20. ———. "Extimité". In *Lacanian Theory of Discourse: Subject, Structure, and Society.* Ed. Mark Bracher et al. Nova York: New York University Press, 1994.
21. PHILLIPS, James. *Lacan and Merleau-Ponty: the confrontation of Psychoanalysis and Phenomenology* in *Disseminating Lacan.* Ed. David Pettigrew and François Raffoul. Albany: Suny Press, 1996.
23. QUINET, Antonio. "The gaze as an object". In FELDSTEIN et al 3.

24.QUINET, Antonio. "The look of lust and death in Peeping Tom". In *Newsletter of the Freudian Field,* vol 4, n. 1-2, 1990.

25. ROUDINESCO, Elisabeth. *Jacques Lacan and Co: a history of Psychoanalysis in France, 1925-85*. Chicago: University of Chicago Press, 1990.

26. SAPER, Craig. "A nervous theory: the troubling gaze of Psychoanalysis in Media Studies" In *Diacritics, vol 21, n.24,* 1991.

27. SALECL, Renata; ŽIŽEK, Slavoj (eds). *Gaze and voice as love objects.* Durham: Duke University Press, 1996.

28. SHEPHERDSON, Charles. "The intimate alterity of the real". In *Postmodern Culture,* vol 6., n.3, 1996.

29. ———. "Vital signs: the place of memory in Psychoanalysis". In *Spaces of Memory. Research in Phenomenology,* vol. 23, 1993.

30. TERMINIAX, Jacques. "Merleau-Ponty, from Dialectic to Hyperdialectic" In *Merleau-Ponty: perception, structure, language.* Ed. John Sallis. Atlantic Highlands: Humanities, 1981.

31. TURKLE, Sherry. *Psychoanalytic Politics:* Jacques Lacan and Freud's French Revolution. London: Burnett Books, 1979.

32. WEBER, Samuel. *Return to Freud:* Jacques Lacan's dislocation of Psychoanalysis. Cambridge: Cambridge University Press, 1991.

"Who is there?"
Metafísica e desconstrução do intérprete segundo a situação psicanalítica

Nelson da Silva Junior

Professor do Instituto de Psicologia
da Universidade de São Paulo (USP)

"Who is there?" Metafísica e desconstrução do intérprete segundo a situação psicanalítica

Partindo da premissa a de que o lugar do analista o expõe a uma estrutura de desconhecimento constitutiva de sua escuta, problematizamos a escolha de modelos hermenêuticos essencialmente incompatíveis com essa escuta. A partir da crítica heideggeriana à metafísica como recusa em pensar o próprio fundamento, procuramos demonstrar como essa recusa se traduz em modelos do intérprete enquanto uma recusa da passividade, eliminando *a priori* a possibilidade de uma hermenêutica pensada como recepção do sentido. Segundo nossa hipótese, contudo, a energética freudiana pode representar uma alternativa não metafísica à sua teoria do sentido, pois dá origem a uma concepção de hermenêutica onde, paradoxalmente, é a impossibilidade da interpretação, o limite do sentido, que garantirá o intérprete como aquele que pode ter acesso ao sentido.
Palavras-chave: metafísica, desconstrução, intérprete, hermenêutica, situação analítica, recepção do sentido

"Who is there?" Metaphysics and desconstruction of the interpretation

This paper supposes that the analyst is not concerned in his own practice with the very element that makes it possible – *l'écute*, or the listening in the hearing. Heidegger finds a similar refusal in metaphysics, a science that does not pose to itself the question of its own possibility. In psychoanalytical terms, this sort of refusal amounts to the impossibility of thinking psychoanalysis as an *hermeneutics* of the *reception of sense*. On the other hand, Freud's own considerations concerning the economy of the psychic apparatus seems to offer a non-metaphysical alternative, an hermeneutics of the impossibility of interpretation and of the boundaries of sense that gives the analyst privileged access to *some other kind* of sense.

Key words: metaphysics, deconstruction, interpretation, hermeneutics, sense

se souvenir par l'oubli, le dehors à nouveau
Blanchot[1]

Hamlet?

"Who is there? ": Quem está aí? Que precisamente tal questão realize a abertura de *Hamlet* pode parecer não mais que um acaso: esta seria uma declaração fortuita, de pouca significação ou densidade literária, frente à dor crescente que se desdobrará na peça. Contudo, essa interrogação aparentemente banal antecipa com precisão toda a geometria trágica do príncipe das hesitações. Não por acaso, essa pergunta é lançada por Bernardo à *sombra de um espectro, ao negativo de um fantasma*, o que constitui um destinatário essencialmente problemático. Com efeito, considerada a partir da ambigüidade de tal destinatário, a questão "Quem está aí?" se desdobra em duas interrogações desiguais: por um lado, o questionamento da identidade de alguém; por outro, o questionamento de sua existência. Trata-se de uma intimação feita a alguém capaz de responder por si ou de um apelo sem destinatário, dirigido a ninguém? A inquietante necessidade com que Hamlet será tragado ao labirinto de sua loucura demostra que apenas a impossibilidade de uma resposta responde a essa questão de abertura, que coloca a peça em seu movimento mais próprio.

---

[1] Blanchot, M. *L'écriture du désastre*, Paris: Gallimard, 1980, p. 10.

Sabe-se que o teatro elizabethano invariavelmente começava com uma cena marcante e brusca: trompetes de uma festa, uma briga de casal ou um duelo, qualquer coisa enfim que fosse capaz de romper com o palavrório distraído do público e despertá-lo para a realidade cênica. Trata-se de um recurso prosaicamente necessário, se lembrarmos que os teatros da época não possuíam palco, e que os atores compartilhavam o mesmo nível do solo que os espectadores. A questão "Quem está aí?" vale, assim, em princípio, meramente como recurso de abertura cênica. No entanto, e precisamente nesse sentido, esta é uma questão dirigida a cada um da platéia. Eventualmente, então, talvez enquanto apelo à sombra do espectro, a questão poderá evocar a imensa escuridão em cada espectador. Aparentemente lançado à sombra de um fantasma, o chamado "Quem está aí?" evoca de fato a inquietante familiaridade do espectador com o próprio espectro. Espectador e espectro! Como pudemos até aqui sistematicamente não ver uma origem comum de ambas as palavras? Se "Quem está aí?" são as primeiras palavras pronunciadas na peça, então o espectador ainda não se esqueceu de quem é, podendo ser questionado diretamente sobre esse saber. Tem ainda, em primeiro, plano o fato de saber-se médico, artesão, mercador ou nobre, mas não poderá responder àquela questão com tais registros de identidade. Na verdade, se a pergunta o atingir, o espectador sabe já que não tem resposta a oferecer, e que, nesse sentido, se encontra diante de uma dívida impagável. Pode-se dizer que, apenas nesse momento, as cortinas do espetáculo se abrem deveras. E, se o trágico destino de Hamlet se abre a partir da impossibilidade de um saber sobre si, essa mesma impossibilidade abre o espaço cênico enquanto tal. Mas já será difícil localizar o espaço de tais cortinas: estariam no palco, se abrindo para um espaço ficcional, ou estariam na alma, se abrindo para espaços até então invisíveis?

A recepção do sentido em psicanálise e sua condição negativa

A impossibilidade de responder à questão da própria identidade será, portanto, a condição negativa tanto da abertura da tragédia particular de Hamlet quanto daquela do espaço cênico como tal. Pode-se dizer que o espaço cênico e a impossibilidade do saber sobre si se descortinam necessariamente juntos. Com efeito, não é senão sob a condição dessa impossibilidade que cada um poderá se encarnar em Hamlet ou em qualquer outro personagem. Não será, assim, mero acaso se essa difícil geografia da abertura cênica interessar à psicanálise em uma de suas questões mais críticas enquanto uma teoria da escuta, a saber, aquela que diz respeito às suas condições de possibilidade de *recepção do sentido*. E a criticidade de toda e qualquer teoria da recepção do sentido oriunda da psicanálise talvez seja homolóloga à complexa abertura de Hamlet. De fato, se as cortinas do palco se abrem somente a partir da impossibilidade da questão lançada por Bernardo, se as janelas ao outro se abrem apenas sob a condição da i-responsabilidade mais radical quanto à própria identidade, esta *mesma e impossível questão* não seria igualmente a condição da abertura da escuta analítica enquanto tal? Dito de outro modo, em sua *dependência da impossibilidade de resposta sobre a própria identidade*, a escuta analítica possuiria uma estrutura homóloga não apenas à abertura desta tragédia, mas também homóloga à abertura dos espaços cênicos e ficcionais como um todo (Silva Junior 15). Se aquele que escuta deve necessariamente ser alguém vulnerável a transformações imprevisíveis, a condição mesma de toda e qualquer escuta psicanalítica seria a incapacidade de responder sobre si; sua incerteza de si, ou seja, para a psicanálise, um intérprete é aquele cujo fundamento é sua exposição radical ao *pathos*.

Note-se assim que, na experiência analítica, não somente o paciente deve ser pensado necessariamente como um outro para si, como o próprio analista deveria sê-lo em sua escuta. Em tal escuta, o analista estaria exposto a uma estrutura de desconhecimento constitutiva de sua escuta, estrutura que é homóloga àquela despertada pelo chamado de abertura em *Hamlet*. Em que medida esse desconhecimento é pensado teoricamente como condição do sentido, e, portanto, da linguagem, em psicanálise? Longe de ser pensado, tal desconhecimento é, ao contrário, sistematicamente silenciado por construções da escuta analítica como ativamente interpretativa. Em tal construção do intérprete, a psicanálise recupera modelos perspectivistas da hermenêutica. Pois, a exemplo da perspectiva na pintura, ao considerar a metapsicologia como uma hermenêutica pensada como ponto de vista sobre o discurso, o analista necessariamente se toma como idêntico a si mesmo, isto é, como a única fonte do próprio olhar. A teorização psicanalítica pode, então tomar como certas as condições de possibilidade dessa escuta, posição de certeza que supõe uma "soberania quase absoluta do intérprete"(Birman 2, p.232) em seu gesto interpretativo. Nesse sentido, ao descrever o processo analítico exclusivamente como um processo de deciframento, é possivel construir uma teoria do intérprete sobre a base de teorias da intepretação, isto é, sobre hermenêuticas fundamentalmente incompatíveis com essa experiência. Com efeito, isto o identifica a Édipo, que vence o mistério da Esfinge transformando-o em enigma resolúvel pela atividade da razão que não duvida de seus próprios fundamentos(Loparic 9), onde a certeza da existência do intérprete vale como condição de possibilidade da interpretação. Trata-se de um movimento de auto-afirmação do intérprete ainda presente em Lacan, que concebe a situação analítica segundo uma anamorfose (Silva Junior 14), ou seja, segundo o modelo de uma *perspectiva encriptada*, e que, portanto, reforça a concepção ativista do intérprete como aquele que é desafiado a desvendar um segredo para poder ver a verdade.

Na medida em que propõe modelos e estruturas sobre patologias, e na medida em que a psicanálise pensa tais modelos no âmbito da linguagem, a abordagem da metapsicologia enquanto chave interpretativa, enquanto uma hermenêutica perspectivista do discurso do paciente é, por assim dizer, uma vocação constante da escuta.

Mas outras tradições hermenêuticas resultam em compreensões da compreensão igualmente incompatíveis com a experiência analítica. No período bíblico, por exemplo – Orígenes, São Tomás de Aquino –, a hermenêutica significa sobretudo, mas não apenas, um conjunto de regras práticas de interpretação de passagens obscuras dos textos sagrados. Tal vocação hermenêutica torna a escuta analítica evidentemente impossível. A Patrística supõe uma rede de saber pré-estabelecido que se constitui como fonte segura do sentido, o que naturalmente oblitera a estrutura aberta do discurso na experiência analítica. Retornemos, contudo, à obliteração específica da hermenêutica perspectivista.

O lugar do analista o expõe a uma estrutura de desconhecimento constitutiva de sua escuta(Silva Junior 16), donde a inquietante familiaridade da situação analítica com o chamado de abertura em *Hamlet*: "Who's there?". É nesse sentido que, à medida que concebe seu sujeito da interpretação como identificado ao ponto de vista perspectivista, a psicanálise retoma uma tradição de linguagem que reforça a centralidade do sujeito da consciência. A compreensão metafísica da linguagem presente em tal concepção hermenêutica oblitera, desse modo, a abertura do intérprete em seu próprio fundamento, isto é, sua incerteza de si.

Em *Ser e tempo*, Heidegger interpreta a investigação metafísica sobre o sentido do Ser enquanto um questionamento que pensa o Ser a partir dos entes. Ao pensar o Ser como ente, contudo, a metafísica necessariamente pensa a temporalidade do Ser enquanto temporalidade linear e virtualmente infinita, feita de uma sucessão infinita de momentos presentes. Isto seria resultante, em última instância, da estrutura existencial do Dasein, que, acossado por sua angústia diante do poder-não-mais-estar-aí, sistematicamente foge de sua possibilidade última e oblitera a própria finitude sem cessar, inclusive no campo do pensamento sobre o Ser. Após a "virada" dos anos 1930 (*die Kehre*), a crítica heideggeriana à metafísica se desloca da subjetividade e passa a considerar a própria história do Ser como a origem do velamento ao próprio fundamento infundado. Com efeito, um voluntarismo essencialmente metafísico ainda vigora na terminologia heideggeriana de *Ser e tempo*, por exemplo, na possibilidade de um estar-aí *decidido* (*Entscheidung*) diante do ser-para-a-morte (*Sein-zum-Tode*). É desse modo que a subjetividade autônoma ainda vigente no Dasein será considerada posteriormente por Heidegger como um vestígio metafísico em *Ser e tempo* (6).

Será nesse sentido que o perspectivismo presente na construção do intérprete compartilhará do velamento metafísico ao seu próprio fundamento, inviabilizando de antemão a experiência propriamente psicanalítica. Pois tal silenciamento essencialmente metafísico oblitera qualquer possibilidade de uma *receptividade* ao sentido. Retomemos, pois, aqui, os antecedentes históricos da hermenêutica perspectivista em psicanálise, cuja teoria metafísica da linguagem pode ser considerada incompatível com sua própria experiência.

A perspectiva na hermenêutica racionalista de Chladenius

Apesar do perspectivismo ter sido um modelo do sujeito do conhecimento em Leibniz e Kant, foi Johan Martin Chladenius (1710-59) quem, inspirado por uma vocação racionalista, explicitamente introduziu a noção de perspectiva no interior da reflexão hermenêutica. Essa noção é pensada por Chladenius enquanto *ponto de vista*: "Aquelas circunstâncias da alma, do nosso corpo e de toda nossa pessoa, que fazem com que, ou são causa para que nós representemos para nós alguma coisa deste modo, e não de outro, queremos chamar de ponto de vista"[2].

---

[2] Chladenius, *Introdução para a correta interpretação de discursos e escritos racionais, 1742,* Apud, Grondin (3 p. 106)

O conceito de ponto de vista resulta, assim, da exigência da necessidade nos resultados da interpretação. Será, com efeito, a necessidade de *representar alguma coisa de um modo e não de outro* que exigirá, retroativamente, uma estabilidade nas condições de interpretação. A dificuldade está no fato de que tais condições dizem respeito a "circunstâncias da alma, do nosso corpo e de toda nossa pessoa". Poderíamos nos perguntar: como pode o autor pretender conquistar estabilidade em territórios tão movediços? Ora, o modelo do espectador construído na experiência visual da perspectiva artificial, técnica pictórica desenvolvida pelos pintores fiorentinos sob a inspiração de um *métodor* (Silva Junior, 14), fornece aqui uma forma de fixação do que parecia, até então, essencialmente móvel e cambiante. Com auxílio de procedimentos geométricos, os quais conferem simultaneamente universalidade e anonimato ao lugar do espectador da perspectiva, qualquer um poderia ver uma paisagem a partir de um lugar fixo, fosse ele acessível ou não aos recursos mecânicos da época. Assim, a concepção racionalista da hermenêutica procura se fortalecer ao tomar a perspectiva enquanto paradigma: na medida em que o modelo da perspectiva passa a definir o ato de interpretação, o lugar do intérprete pode ser pensado como resultante de uma construção geométrica. Uma codificação geométrica do lugar do intérprete permitiria um resultado sempre repetível em sua interpretação. De tal modo seria possível a uma hermenêutica atingir o caráter de previsibilidade, encontrado na ciência, e de necessidade, na lógica.

Do solipsismo kantiano ao psicanalítico

Pensada como uma teoria racional sobre o sentido, isto é, como uma hermenêutica de pressupostos estáveis e resultados necessários, caberia considerar a metapsicologia como uma construção em perspectiva sobre discurso. Porém, na medida em que o correlato dessa construção geométrica do intérprete é um solipsismo radical, a compreensão da situação analítica a partir da perspectiva artificial é um suicídio teórico. Com efeito, segundo o modelo de hermenêutica vigente no período racionalista, no qual se insere Chladenius, a escuta analítica necessariamente compartilha a obliteração ao outro solidária de um sujeito do conhecimento kantiano (De Mauro 10, p.87). Dito de outra forma, uma vez que o ato de conhecimento foi, a partir de Kant, essencialmente pensado como atribuição ativa de sentido por um sujeito ao seu objeto, esse ato exclui toda e qualquer possibilidade de *recepção do sentido*. Assim, uma *escuta em perspectiva* implica a adoção de um modelo de sujeito no interior da experiência psicanalítica duplamente incompatível com essa experiência: por um lado, suprime do intérprete sua incerteza existencial; por outro, retira do outro o privilégio de ser uma fonte de sentido. Desse modo, a estrutura de conhecimento pensada como disposição frente a frente entre um sujeito e seu objeto (*Gegenstand*) se mostra tributária de duas incompatibilidades *a priori* com a escuta analítica. Por um lado, essa disposição depende da e está relacionada com a forma metafísica de interpretação do ser, com sua recusa de pensar o ser como fundamento de seu próprio ato interpretativo. Por outro lado, tal recusa metafísica se traduz enquanto uma recusa de toda passividade, e, portanto, da possibilidade mesma de uma relação com o sentido pensada enquanto recepção.

A perspectiva em Nietzsche enquanto atividade ontológica

Ora, a perspectiva continua a oferecer-se como um modelo forte na história da hermenêutica, ainda que esta tenha rompido com a centralidade da razão na compreensão do sujeito. Ela o faz, contudo, sem abrir mão da obliteração propriamente metafísica em relação aos próprios fundamentos e, portanto, mantendo intactas suas incompatibilidades com uma escuta psicanalítica. Na filosofia nietzcheana, a noção fundamentalmente perspectivista de interpretação assume uma magnitude ontológica (Grondin 4), na qual ficará particularmente clara a recusa de toda e qualquer passividade como condição de existência do intérprete: "Caso queiramos abandonar o mundo das perspectivas, seremos destruídos"[3]. Segundo Nietzsche, "o perspectivismo é aquilo por cuja causa cada centro de força – e não apenas o homem – constrói todo o mundo restante a partir de si, isto é, o mede com sua força, o prova, o forma..."[4].

A recusa da passividade do intérprete foi localizada com precisão na crítica heideggeriana ao perspectivismo de Nietzsche. Heidegger comenta a passagem acima de modo a recuperar sua articulação com a vontade de poder:

> Nietzsche fala de perspectiva. Apenas, a "perspectiva" não é jamais a simples linha da visão, na qual algo é contemplado, mas o olhar para fora que visa e inspecciona as condições de manutenção-crescimento. (Heidegger 7, p.269)

Diferentemente do solipsismo do olhar kantiano, este olhar que inspeciona e busca garantir as próprias condições de manutenção-crescimento compreende seus "outros" como fontes de interpretação análogas a si próprio. Nesse sentido, ele ultrapassa a impermeabilidade kantiana ao sentido proveniente de um outro. Entretanto, sua "visada", isto é, sua compreensão, longe de se constituir por esse outro olhar, se vê por ele constantemente ameaçada. Trata-se, portanto, de compreender esse outro olhar na medida exata de superá-lo. Fica evidente, por conseguinte, a impossibilidade de aceitar uma *receptividade do sentido* em tal contexto teórico. Ora, contrariamente a esta

[3] Apud Heidegger 7, p.271.

[4] Nietzsche, F. *Der Wille zur Macht*, n. 636. Apud Heidegger 7, p.271.

hermenêutica da vontade de potência do intérprete, na escuta analítica, a relação com a linguagem exige a vulnerabilidade do intérprete diante do imprevisível, exige a incerteza enquanto fundamento metodológico.

Todavia, se poderia dizer com razão que as hermenêuticas kantiana e nietzscheana não inspiraram obras importantes na abordagem da psicanálise. Ora, apesar de não terem agido de modo direto, isso não significa que a recusa metafísica em acolher a incerteza do intérprete tenha deixado de marcar profundamente as relações entre hermenêutica e psicanálise. Haveria outras tradições hermenêuticas, tradições essencialmente abertas à incerteza identitária do intérprete capazes de inspirar a psicanálise? Com efeito, uma retomada histórica mais cuidadosa permite localizar momentos de tematização do intérprete nos quais sua essencial incerteza de si não está velada, pelo contrário, ela é apresentada como condição da verdade da interpretação. Assim, no seio do período teológico da hermenêutica, a passividade do intérprete se apresentava como uma das condições últimas de toda interpetação dos textos sagrados.

A passividade na hermenêutica de Santo Agostinho

> *Com que disposição deve a pessoa aproximar-se da interpretação de passagens não transparentes da Sagrada Escritura: no temor de Deus, no único cuidado de procurar nas Escrituras a vontade de Deus; impregnado de piedade, para que não tenha prazer em contendas de palavras; revestido de conhecimento da linguagem, para que não fique preso em palavras e maneiras de falar desconhecidas...* (Santo Agostinho, *De Doctrina Christiana*[5])

---

[5] Apud Grondin 3, p. 72.

Em Santo Agostinho, o temor a Deus é apresentado como condição de possibilidade da compreensão das sagradas escrituras. Se para Agostinho *a alma é feita* (facticia est anima), fabricada artificialmente por Deus do mesmo modo que os ídolos são feitos pelos pagãos (Agamben 1, p.18), então ela não é soberana sobre si própria. Dessa maneira, Santo Agostinho atribui às disposições afetivas incontroláveis no intérprete um estatuto de condição de possibilidade da interpretação. Com efeito, nem o temor nem a fé podem ser criadas por decisão.

A fé era uma graça divina que podia ser recebida, acolhida. Nesse sentido, um intérprete era entendido como alguém sem completo domínio sobre suas condições interpretativas, em cuja compreensão a receptividade contava tanto quanto a atividade. Note-se que essa falta de controle não era pensada enquanto "ruído" da interpretação, mas como uma de suas condições. Isto significa que a interpretação ainda dependia, em Santo Agostinho, de elementos fora do campo da vontade do intérprete, ou seja, de elementos que supunham nesse intérprete uma relação de diferença consigo. Vejamos, agora, uma segunda tradição hermenêutica, também deixada *en souffrance* pela teorização psicanalítica a respeito de suas próprias e paradoxais condições de recepção do sentido: Schleiermacher.

O incompreensível como origem do sentido em Schleiermacher

Se, em Agostinho, a incerteza do intérprete se funda no estatuto de criatura do homem, Schleiermacher, ao levar o racionalismo ao seu limite extremo, abre, por uma via inversa, um espaço metodológico inédito ao desconhecimento na tarefa da interpretação.

Sua nova concepção de hermenêutica apenas pode se realizar, segundo Jean Grondin, através de uma inversão completa na hierarquia do compreensível e do incompreensível:

> A compreensibilidade era antigamente o primário ou inato, a não-compreensão, por assim dizer, a exceção... Schleiermacher põe essa perspectiva "ingênua", provinciana, de cabeça para baixo e pressupõe o mal-entendido (o equívoco) como realidade básica.(Grondin 3, p.127)

Schleiermacher parte do pressuposto de uma universalização do mal-entendido, definido por ele como a condição de uma *strengere Hermeneutik*, ou seja, uma hermenêutica austera, capaz de aspirar ao estatuto de ciência:

> Mesmo no conhecido, é de fato o estranho que a nós se manifesta na língua, quando uma ligação de palavras renega-se a tornar-se clara; é o estranho que se manifesta na produção do pensamento, mesmo quando ele é muito análogo ao nosso, quando o encadeamento entre as partes isoladas de uma série ou a extensão destes renega-se a se fixar, e nós, inseguros, vacilamos. (Schleiermacher 13, p. 45)

Schleiermacher observa, assim, que o estranho não

> [...] se limita aos casos em que a língua é uma língua estrangeira, mas também na própria língua e, note-se, inteiramente independente dos diversos dialetos nos quais ela eventualmente se decompõe, ou de particularidades que se encontram em um e não em outro, existe para cada um o estranho nos pensamentos e expressões de um outro, e isto nas duas exposições, a oral e a escrita. (Scheleiermacher 13, p. 33)

Eis por que o paradigma schleiermachiano da experiência com o desconhecimento será a *conversa íntima entre amigos*, pois mesmo aí ele se "percebe realizando operações hermenêuticas" para compreeder o sentido das palavras de seu interlocutor.

A partir desse pressuposto de uma universalização do mal-entendido, se desdobram novas e interessantes problemáticas. A primeira delas será uma concepção de linguagem que opõe seu aspecto codificado, kantiano, ao seu aspecto criativo, determinado pelo uso individual que cada um faz da língua. Com efeito, tal problemática é oriunda de um tema novamente caro à psicanálise atual, a saber, a questão do estilo. Diante do estilo de um autor literário, diz Schleiermacher, diante do seu uso singular e criativo da língua, o intérprete se encontra sempre sem nenhum guia ou método seguro, ainda que conheça perfeitamente a totalidade das determinações sintáticas e semânticas usadas pelo artista. Nesse caso, a solução será nada mais nada menos que recorrer ao procedimento divinatório, ou seja, deve adivinhar. Esse recurso coloca, sem mediações, a hermenêutica fora do campo da certeza do intérprete sobre seu próprio ponto de vista, como também exclui o critério científico da necessidade em seus resultados.

Essas duas possibilidades de teorização da experiência psicanalítica com o sentido não resultaram em influências importantes. Será através de uma outra tradição hermenêutica que se fará a mais completa tentativa de abstração da hermenêutica própria à psicanálise; trata-se de Paul Ricoeur(12). Precisamente nessa tentativa poderá ser localizada claramente a recusa metafísica da incerteza do intérprete.

A hermenêutica psicanalítica como tradução em Paul Ricoeur

Para Paul Ricoeur, certamente aquele que levou mais longe e mais conseqüentemente o projeto de um exame da hermenêutica própria à psicanálise, esta se define enquanto método a partir de uma concepção híbrida da linguagem, a saber, aquela de ser ao mesmo tempo uma hermenêutica e um modelo energético do discurso. O desejo, segundo o autor, sendo o objeto por excelência da psicanálise, seria, em última instância, o responsável por essa duplicidade na natureza da teoria analítica. Objeto essencialmente híbrido, isto é, dividido entre o campo do sentido e o campo das forças pulsionais, o desejo exigiria, por assim dizer, uma hibridicidade correspondente na própria ciência sobre ele fundada. Cabe notar, contudo, que para o autor a semântica do desejo seria mais forte do que sua energética pulsional, o que nos permite questionar: que teoria da linguagem fundamenta tal semântica? E como tal teoria concebe as relações discursivas entre um sujeito e seu interlocutor?

Ricoeur se inspira no modelo da tradução proposto por Dilthey: trata-se de um trabalho de transposição de uma língua a outra, de transformação do incompreensível em compreensível. Esse modelo concebe a tradução como um trabalho que busca tranformar o estrangeiro em familiar, supondo, no entanto, desde sempre, algo de familiar neste estrangeiro, isto como uma condição de possibilidade da própria idéia de tradução. Assim, tal concepção de hermenêutica concebe uma modalidade apenas relativa de alteridade, onde a estrangeiridade do outro, por princípio, jamais poderá ser absoluta, já que ela só se apresenta enquanto uma analogia do próprio sujeito. O problema com essa concepção de hermenêutica é que tal modalidade relativa de alteridade será sempre constitutivamente fechada ao radicalmente outro, essencialmente impermeável, portanto, à surpresa e à própria incerteza.

Conforme vimos, na situação analítica a incerteza de um intérprete em relação à própria identidade adquire um sentido para além de uma contingência fatual: essa incerteza não é um empecilho à boa interpretação; pelo contrário, ela se constitui como uma condição de possibilidade da própria interpretação e pode ser considerada, portanto, como uma *incerteza metodológica*. Tal incerteza metodológica, assim como a dúvida a respeito dos fundamentos da própria teoria, não se confunde com a incerteza sobre esta ou aquela hipótese interpretativa. A incerteza metodológica diz respeito à própria natureza do discurso hermenêutico em seu *poder interpretativo*.

Uma hermenêutica derivada da psicanálise pensada nos termos de Paul Ricoeur desembocaria no fechamento diltheyano da hermenêutica, onde o pressuposto de uma identidade de fundo entre o intérprete e seu outro vale como garantia de uma compreensão do todo.

A aproximação entre a psicanálise e a hermenêutica se faria aqui segundo uma compreensão essencialmente metafísica da linguagem, ambas partilhando uma cegueira ativa quanto à precariedade dos próprios fundamentos. A adoção de uma modalidade apenas relativa de alteridade exige que o intérprete do discurso do outro mantenha sua própria posição no discurso como um elemento sobre o qual não se pode falar; a certeza sobre a própria identidade é algo que deve ficar fora da discussão. Já a adoção de uma modalidade radical de alteridade exige, por sua vez, que se coloque incessantemente em questão a própria compreensão do outro.

Assim, a hipótese de Paul Ricoeur, segundo a qual a psicanálise teria uma constituição teórica mista, entre uma energética e uma hermenêutica, não chega a reconhecer, em sua abordagem bipartite, uma vocação propriamente hermenêutica da energética freudiana. Contrariamente à concepção de Ricoeur, podemos conceber a energética pulsional igualmente como uma hermenêutica, e conceber os limites ao campo do sentido impostos ela energética pulsional enquanto um elemento indissociável da própria experiência do sentido. Isso significaria adotar uma concepção de hermenêutica compatível com a inconsistência e a incerteza do intérprete, isto é, uma hermenêutica aberta ao não-sentido como condição do sentido. Segundo nossa hipótese, portanto, a energética freudiana é, não então, apenas uma hermenêutica privada da psicanálise, mas também um limite à uma concepção de hermenêutica como "ciência do sentido" em sentido estrito.

A anterioridade da linguagem como condição da recepção do sentido

Aquele que recebe o sentido não o recebe senão sob a condição de uma dupla exposição. Primeiramente, uma exposição à incerteza do sentido, que, como se sabe, é a condição mesma de qualquer projeto hermenêutico. Com efeito, seja como arte divinatória, seja como ciência de decifração, a hermenêutica pressupõe sempre a incerteza e mesmo o desconhecimento do sentido de um fragmento da linguagem, o qual será objeto de uma tentativa de deciframento.

Conforme vimos, a explicitação de tal desconhecimento enquanto premissa é a principal conquista da hermenêutica em seu período racionalista, na qual ela assume para si a vocação de um método. Contudo, há uma insuficiência fundamental nessa tradição hermenêutica racionalista em relação com o não-sentido, pois sua incerteza se restringe às possibilidades de sentido do fragmento escolhido, dentre as quais caberá uma escolha do intérprete. O intérprete, em tal tradição, não somente escolhe uma ou outra possibilidade de sentido, mas é igualmente responsável por gerar o conjunto de todas as suas possibilidades, de modo que toda alteridade só é pensada a partir do próprio sujeito, sem que ele próprio se altere em seu gesto interpretativo. Em tais condições, está excluída a hipótese de uma recepção do sentido: a exposição gerada pela mera incerteza do sentido dos fragmentos de linguagem não somente nunca garante a possibilidade de sua recepção, como também a suprime necessariamente.

Para que se garanta tal possibilidade de recepção de sentido, deve-se recorrer a uma outra exposição, *uma exposição anterior*, a exposição do intérprete à própria incerteza, à incerteza de si próprio. Essa segunda modalidade de exposição já não pode ser concebida nos mesmos moldes da primeira, pois o intérprete deve aqui se haver com a insuficiência constitutiva de qualquer possibilidade de sentido, assim como do conjunto de possibilidades que venha a gerar a seu próprio respeito. Assim, diferentemente da incerteza quanto ao sentido de um fragmento de linguagem, a incerteza de si expõe o intérprete à *própria vulnerabilidade existencial,* pois o que se abre como questão é *sua existência.* Sob tal condição, receber um sentido qualquer, ousar escutar, significa se expor a um risco, um risco existencial, isto é, um risco de alteração, e portanto, da perda de si.(Hamacher 5).

Se tal risco de perda de si é uma condição da escuta analítica, isto exige que se repense a linguagem como instrumento de comunicação e a teoria como intrumento do olhar. De fato, conforme demonstrou Heidegger em *Ser e tempo*, na idéia de *instrumento à-mão* residem heranças metafísicas, o que a torna inviável como modelo de uma linguagem capaz de recepção do sentido. A natureza crítica da experiência analítica se desdobra e se traduz pela questão de saber se se trata de uma teoria sobre o discurso do outro, ou de uma teoria aberta a outro discurso. Pois, o risco da alteração depende do convívio com o não-familiar, o *infamiliar*. Freud aborda o tema da *Unheimlichkeit* sem abordar explicitamente sua faceta constitutiva de toda e qualquer experiência lingüística. Contudo, conforme demonstrei anteriormente (Silva Junior 15), a sombra da dupla exposição subjaz seu texto como um espectro silencioso e fiel.

A exposição existencial enquanto uma condição de possibilidade da interpretação será a grande conquista do período histórico-ontológico da hermenêutica, em que a tal exposição máxima do intérprete garante a possibilidade da reinterpretação da história da metafísica ,seja enquanto a história de uma vontade de poder (Nietzsche), seja enquanto aquela de uma fuga compulsiva do pensamento diante da própria vulnerabilidade (Heidegger, em *Ser e tempo*). Em outras palavras, será, paradoxalmente, a impossibilidade da interpretação, o limite do sentido, aquilo que garantirá, doravante, o intérprete como aquele que pode ter acesso ao sentido.

Conforme vimos, na interpretação heideggeriana, a metafísica se define por interpretações do ser a partir dos entes como presença e extensão infinitas, o que significa excluir sistematicamente a finitude da interpretação do ser. Com efeito, o sentido crítico de *Ser e tempo*, em seu projeto de reinterpretação da história das interpretações sobre o ser, tem sua arquitetura sustentada e também limitada pela questão: quem é este ente que compreende o ser? Trata-se de uma pergunta fundamentalmente dirigida a si próprio. "Who is there?" apenas desdobra seu sentido a partir da impossibilidade de sua resposta, como uma espécie de dívida impagável. Dívida, e não dúvida apenas, pois a dúvida pede uma solução teórica, em princípio solucionável pelo exercício lógico ou pelo desenvolvimento científico, ao passo que a dívida é sempre uma questão moral. Sobre esse aspecto invariavelmente moral da dívida, cabe notar que, na língua alemã, a mesma expressão significa, segundo o contexto, estar em dívida ou ser culpado: *schuldig sein*. A pergunta de abertura de *Hamlet* faz duvidar do que não pode ser objeto de dúvida, gerando culpa: se me pergunto quem sou, posso não saber, portanto, *se sou*. Assim, precisamente a questão "Who's there?" poderá receber um lugar de destaque em *Ser e tempo* (Heidegger 8, §56 a §58) na estrutura do *apelo*. Trata-se, de fato, da única questão capaz de sustentar um estatuto ontológico, da única locução capaz de compartilhar a finitude, assim como o silêncio angustiado, sem velá-la sob um manto de esquecimento, como todas as outras locuções. Aquele que chama se distancia de todo reconhecimento ("Der Rufer des Rufes (...) hält jedes Bekkantwerden von sich fern", *ibidem*, p. 274). A questão "quem está aí?" goza portanto de um estatuto excepcional nesse livro, que condena como falsas todas as falas possíveis e aceita oficialmente apenas o silenciar como modo da fala que não se esconde da própria morte: "A consciência moral fala apenas e constantemente no modo do calar-se." ("Das Gewissen redet einzig und ständig im Modus des Schweigens", *ibidem*, p. 273). Precisamente ao não fugir da falta de sentido que lhe concerne, a angústia do Dasein é que dará sentido à pergunta que a despertou.

Ora, a pré-existência da linguagem ao sujeito é um dos elementos que fazem parte da complexa virada dos anos 1930, período que representou, para Heidegger, a superação da linguagem metafísica da subjetividade presente em Ser e tempo. Se a anterioridade da linguagem é o que caracteriza a natureza do intérprete em Agostinho, e, em última instância, seu caráter de criatura – *a alma humana não é a origem de si própria* – será precisamente esse caráter de não-soberania sobre si,de o novo elemento, em Heidegger, de sua compreensão da linguagem.

Para o segundo Heidegger, a linguagem precede o ser humano. Esse reposicionamento retira, no campo da hermenêutica, a certeza e segurança do intérprete. Partindo do questionamento heideggeriano, tratar-se-ia, então, de saber de que modo a estruturação da relação de conhecimento pensada na disposição frente a frente entre um sujeito e seu objeto (*Gegenstand*) depende de e está relacionada com a forma metafísica de interpretação do ser, com a recusa de pensar o ser como fundamento de seu próprio ato interpretativo. A recusa metafísica em pensar o próprio fundamento se traduz em uma recusa da passividade, eliminando *a priori* a possibilidade uma hermenêutica pensada como recepção do sentido.

Pensar a passividade na incerteza como condição da escuta convida o analista a uma abertura para a inexistência, para a negação de si, uma preservação da iminência da própria anulação sem a qual nada pode ser recebido. Nesse mesmo sentido, a passividade não pode ser nomeada, o que não significa que ela esteja excluída da linguagem. Simplesmente deixaria de ser, caso admitisse obedecer às injunções e ordens de um sujeito soberano sobre seu dizer. Um analista deve escutar na passividade de sua incerteza. Falar em passividade na incerteza serve, assim, antes de mais nada, para pensarmos uma condição da linguagem, e, ainda mais precisamente, uma condição da recepção do sentido. Isso supõe uma pré-existência do outro no material da palavra analítica, existência anterior, portanto, à alteridade explicitamente nomeada ou invocada no discurso consciente.

Comentando um tema caro a Paul Celan, a questão da matéria do interlocutor, Pierre Fédida declara "o interlocutor é feito no material de linguagem do poema"[6] .

Referências bibliográficas

1. AGAMBEN, Giorgio. "La passion de la facticité" AGAMBEN, G. & PIAZZA, V. *L'ombre de l'amour.* Le concept d'amour chez Heidegger, Paris: Payot, 1988.

2. BIRMAN, Joel. *Freud e a interpretação psicanalítica.* Rio de Janeiro: Relume-Dumará, 1991.

3. GRONDIN, Joel. *Introdução à Hermenêutica Filosófica.* São Leopoldo: Unisinos. 1991

4. ———. *Von Heidegger bis Gadamer. Unterwegs zur Hermeneutik.* Darmstadt: Wissenschaftliche Buchgesellschaf, 2001.

5. HAMACHER, Wêrner. *Premisses.* Essays on philosophy and literature from Kant to Celan. Stanford: Stanford University Press, 1999.

6. HEIDEGGER, Martin. *Sobre o Humanismo, Carta a Jean Beauffret,* São Paulo: Abril Cultural, 1979.

7. ———. *Nietzsche II.* Pfullingen: Neske, 1961.

8. ———. *Sein und Zeit* Tübingen: Max Niemeyer Verlag, 1927.

9. LOPARIC, Zelijko. *Heidegger Réu.* Ensaio sobre a Periculosidade da Filosofia. Campinas: Papirus, 1989.

10. DE MAURO, Tulio. *Une introduction à la Sémantique,* Paris: Payot, 1969.

11. MESOT, Herve. *Des interprétations du Rêve.* Psychanalyse, Herméneutique, Daseinsanalyse. Paris: PUF., 2001.

12. RICOEUR, Paul. *De l'interpretation.* Paris: Seuil, 1965.

13. SCHLEIERMACHER, Friedrich – *Hermenêutica:* arte e técnica da interpretação. Petrópolis: Vozes, 1999.

14. SILVA Jr., Nelson da. "O abismo fonte do olhar. A pré-perspectiva em Odilon Morais e a abertura da situação analítica". *In Percurso – Revista de Psicanálise,* São Paulo, v. 23, 1999.

---

[6] Fédida, P. "De l'impression du rêve" in Mesot 11, p. 14.

15. SILVA Jr., "A ficcionalidade da Psicanálise. Hipótese a partir do Inquietante em Fernando Pessoa". In G. Bartucci. (org.). *Literatura, psicanálise e estéticas de subjetivação*. Rio de Janeiro: Imago, 2001.

16. ———. "Metodologia psicopatológica e ética em psicanálise: o princípio da alteridade hermética". *Revista Latinoamericana de Psicopatologia Fundamental*, São Paulo, v. 3, n. 2, 1999.

A teoria das pulsões como ontologia negativa

Vladimir Safatle

Professor do Departamento de Filosofia
da Universidade de São Paulo (USP)

A teoria das pulsões como ontologia negativa

Trata-se aqui de defender a tese a respeito do caráter ontológico da teoria psicanalítica das pulsões. O reconhecimento de tal caráter ontológico será uma das contribuições maiores de psicanalistas como Jacques Lacan, e não está em contradição com certos modos de encaminhamento do problema do estatuto das pulsões em Freud. No entanto, a teoria das pulsões, ao menos em sua versão lacaniana, exige algo como uma ontologia negativa, ou seja, uma ontologia fundada no reconhecimento da irredutibilidade ontológica da negação.
Palavras-chave: pulsão, angústia, morte, negação, ontologia

The theory of drive or instinct as a negative ontology

This paper is a defence of Lacan's ontological interpretation of Freud's theory of drive or instinct as being compatible with certain aspects in the way which Freud deals with the problem of drive or instinct in his own theory. According to Lacan, a *negative ontology* is the necessary compliment to Freud's own considerations.
Key words: drive or instinct, distress, death, negation, ontology

Ich bin des Geist,
der stets verneint.
Goethe

"Eu tenho uma ontologia – por que não? – como todo mundo tem uma, ingênua ou elaborada" (Lacan 26, p. 69). Esta frase não poderia passar despercebida, ainda mais sendo proferida por um psicanalista. Que Jacques Lacan admita ter uma ontologia, como aparentemente seria o caso de todo mundo; que ele admita isso em um tom absolutamente natural (por que não tê-la?), eis algo que não deixa de nos colocar questões. Pois qual poderia ser, afinal, a função de considerações de natureza ontológica para uma *praxis* aparentemente tão vinculada à particularidade do caso clínico, como a psicanálise? Por que deveríamos procurar alguma espécie de relação entre a direção do tratamento que orienta a clínica analítica e uma ontologia? E, principalmente, que tipo de ontologia seria capaz de fornecer, à psicanálise, os subsídios implicados na direção do tratamento?

Tais questões têm por finalidade expor as conseqüências de uma hipótese maior a respeito da experiência intelectual lacaniana. Trata-se de afirmar que uma das contribuições mais importantes de Lacan consiste na defesa de que a psicanálise é solidária de uma articulação complexa, porém decisiva, entre clínica e ontologia. Trata-se de uma maneira um pouco mais arriscada de dizer que a orientação da clínica analítica é dependente de um núcleo invariável de conceitos que compõe o campo do que se convencionou chamar de "metapsicologia".

É verdade que tal afirmação pode não parecer evidente, ainda mais em uma época como a nossa, na qual nos acostumamos a aceitar sem reservas o discurso da "soberania da clínica", soberania legitimada pela realidade urgente do sofrimento que leva o sujeito à análise. É como se a eficácia terapêutica em relação a uma categoria fenomênica extremamente normativa como o "sofrimento" fosse condição suficiente para assegurar a validade de dispositivos clínicos. Nesswe sentido, lá onde uma prática mede sua validade a partir da eficácia em realizar disposições normativas variáveis de acordo com contextos sócio-históricos, não há lugar para insistir na articulação entre clínica e ontologia. Lá, onde uma clínica se mede inteiramente através de sua capacidade "curar o sofrimento", não há, de fato, espaço para além da implementação disciplinar de dispositivos normativos[1].

No entanto, esta não era exatamente a perspectiva que animou Jacques Lacan. Podemos dizer que sua peculiaridade foi insistir na relação entre direção do tratamento e reconhecimento da dignidade ontológica de certos conceitos metapsicológicos, especialmente o conceito de pulsão (*Trieb*). Daí afirmações segundo as quais a pulsão seria "uma noção ontológica absolutamente central que responde a uma crise da consciência que não somos forçados a apreender plenamente, já que nós a vivemos"(Lacan 23, p. 152). A teoria da pulsão seria assim o que orienta, de maneira invariável, tal como o que se assenta sobre uma ontologia, a clínica em suas aspirações de validade. Isto a ponto de a modificação ou abandono de a teoria da pulsão implicar necessariamente, para Lacan, na perda da essencialidade da prática analítica.

---

[1] A afirmação canônica de Michel Foucault a respeito das ilusões da "soberania da clínica" vale para este contexto de discussões: "Desde o século XVIII, a medicina tem tendência a narrar sua própria história como se o leito dos doentes tivesse sido sempre um lugar de experiências constante e estável, em oposição às teorias e sistemas que teriam estado em permanente mudança e mascarado, sob sua especulação, a pureza da evidência clínica". Na verdade, tudo se passa como se "Na aurora da Humanidade, antes de toda crença vã, antes de todo sistema, a medicina [residisse] em uma relação imediata do sofrimento com aquilo que alivia" (Foulcault, 12, pp. 59-60).

Nesse sentido, este artigo faz parte de um movimento mais amplo de pesquisa que consiste em avaliar algumas características maiores que nortearam a reconstrução lacaniana da metapsicologia. Tais características só ficarão evidentes se abandonarmos a expectativa tradicional de encontrar, no núcleo do projeto lacaniano, encontrar um simples movimento de leitura estruturalista do inconsciente e da dinâmica de suas formações. Talvez, o projeto lacaniano consista, na verdade, em dotar a metapsicologia de um estatuto ontológico que se situe para além de todo e qualquer estruturalismo. Esse estatuto ontológico se insinua todas as vezes que Lacan toma a palavra para falar do "ser do sujeito" (e por que um psicanalista deveria falar do ser?) ou para falar sobre a "essência do objeto" do desejo, isto sem deixar de completar: "Você perceberam que eu falei de essência, tal como Aristóteles. E depois? Isto quer dizer que estas palavras são totalmente utilizáveis".(Lacan 27, p. 55)

Contudo, para encaminhar de maneira adequada esta reflexão sobre a teoria lacaniana da pulsão, faz-se necessário retornar a Freud a fim de identificar aquilo que, no interior da longa elaboração freudiana a respeito do estatuto das pulsões, será decisivo para a experiência intelectual lacaniana.

Da energética à metafísica da morte

Sabemos como, para Freud, o recurso a uma teoria das pulsões enquanto *Grundbegriff* marcava o coração da reflexão psicanalítica com uma dimensão especulativa indelével. Mesmo que, em alguns momentos, Freud aparentemente defenda um certo reducionismo materialista ao esperar o dia em que "todas nossas concepções provisórias (*Vorläufigkeiten*), em psicologia, poderão se formar a partir de suportes (*Trägen*) orgânicos"(Freud 13, pp. 143-4), não devemos esquecer quão especulativa era a físico-química energética que servia de base para a formação do horizonte científico presente nos textos freudianos quando este fala em "fenômenos orgânicos". É o que leva Lacan a afirmar, sem muitas mediações, que "a energética é também uma metafísica" (Lacan 21, p. 80). Se voltarmos os olhos ao trajeto da formação do conceito de pulsão nos textos freudianos, veremos a natureza dessa dimensão especulativa da teoria das pulsões.

Quando aparece pela primeira vez de maneira explícita, nos *Três ensaios sobre a teoria da sexualidade,* o termo pulsão busca dar conta das fontes internas de excitação às quais o organismo não pode escapar. Dentre tais fontes de excitações internas, a sexualidade já aparece como elemento maior das preocupações freudianas, embora não seja a fonte exclusiva. Já no não-publicado *Projeto para uma psicologia científica,* Freud lembrava, ao falar da "urgência da vida" (*Not des Lebens*) enquanto excitação interna contrária ao princípio de inércia do aparelho psíquico, que a fome e a respiração também eram fontes de tal excitação. Nessa primeira abordagem sobre a pulsão, Freud ainda insistirá que uma de suas características centrais é a de ser uma força constante, e não apenas força de um impacto momentâneo de falta sentida pelo organismo. De onde se segue a definição canônica da pulsão como "representação psíquica (*Psychische Repräsentanz*) de uma fonte endossomática de excitação".

Até aqui, nada indica a necessidade de transformar o conceito de pulsão em fundamento de preocupações especulativas. À primeira vista, Freud parece estar muito mais perto de uma explicação materialista dos processos causais do aparelho psíquico ou, ainda, de uma perspectiva, classicamente implantada na medicina desde ao menos Broussais, que compreende a *excitação* como o fato vital primordial. No entanto, os problemas vinculados à definição do estatuto das pulsões ficam visíveis a partir do momento em que Freud procura definir a natureza da energia responsável por essa excitação interna constante.

Sabemos como Freud parte inicialmente de uma distinção entre a energia libidinal própria à sexualidade e "outras formas de energia psíquica", como aquelas em jogo nas necessidades fisiológicas de autoconservação; distinção esta fundadora de um primeiro dualismo pulsional entre pulsões sexuais e pulsões de autoconservação. Tal dualismo será suspenso a partir da constituição da categoria de "narcisismo", já que o narcisismo permitirá a Freud reconhecer que "as pulsões de autoconservação também eram de natureza libidinal, eram pulsões sexuais que haviam tomado por objeto, ao invés dos objetos exteriores, o próprio eu"[2]. Disso se segue a afirmação de que

> Basta simplesmente admitir que as pulsões são parecidas qualitativamente e que devem seus efeitos unicamente às grandezas de excitação (*Erregungsgrössen*) que cada pulsão veicula ou, talvez, a certas funções desta quantidade"[3].

Como veremos, trata-se de uma redução extremamente sintomática da diferença qualitativa às grandezas quantitativas. Por fim, o dualismo pulsional voltará, de maneira totalmente reconfigurada, apenas a partir do texto *Para além do princípio do prazer*. É nesse momento de reconfiguração profunda também da noção de libido que Freud fará mais apelo a reflexões sobre o conceito de *Trieb* desenvolvidas a partir da tradição idealista alemã, em especial na obra de Schopenhauer (lembremos como, antes de Schopenhauer, o conceito de *Trieb* desempenha um papel importante, entre outros, em Fichte e Hegel).

Dessa forma, a noção-chave para a compreensão da natureza da energia pulsional é *libido.* Freud a define normalmente como força quantitativamente variável que permite a comparação de processos e transposições no domínio da excitação sexual. Ao tentar compreender o impulso determinante para a inteligibilidade da conduta a partir da posição de uma energia endossomática plástica quantitativamente caracterizada, Freud atualiza, à sua maneira, uma longa tradição racionalista que procurava definir a psicologia como "física do sentido externo", ou seja, como o que permite "determinar as cons-

---

2 Freud, G XIII, p. 231

3 Freud, G X, p. 216 (trad. bras., p. 149)

tantes quantitativas da sensação e as relações entre tais constantes" (Canguilhem 7, p. 370). Devemos ler nesta perspectiva sua dependência epistêmica da psicofísica de Fechner, para quem "os princípios gerais da psicofísica envolvem apenas a manipulação de relações quantitativas"[4], assim como de Helmholtz e Du Bois-Reymond, para quem só há, no organismo, forças físico-químicas em atuação[5].

Por outro lado, esse vocabulário da energia e da força, longe de ser uma mera metáfora científica que impediria o desvelamento do verdadeiro caráter da psicanálise enquanto prática assentada no uso clínico de processos de auto-reflexão (motivo de uma longa tradição de crítica à metapsicologia que engloba nomes tão díspares entre si quanto podem ser Politzer, Habermas e Ricoeur), é, na verdade, a maneira que Freud encontra para indicar o vínculo da pulsão à dimensão de um solo irreflexivo (e ainda não estruturado) para a conduta e o pensar.

Lembremos, a este respeito, que a caracterização da libido como *quantum* de energia não é feita tendo em vista alguma forma de "mensuração" de processos psíquicos entre si. É verdade que Freud define o ponto de vista *econômico* (que, juntamente com o *tópico* e o *dinâmico,* compõe a perspectiva de apreensão de fatos metapsicológicos) como sendo aquele que "se esforça em seguir os destinos

---

[4] Fechner, 11, p. 9. Lembremos ainda como a noção de energia cinética (*Lebendige Kraft*) de Fechner foi importante para a constituição do conceito freudiano de pulsão em sua tentativa de suspender o dualismo entre somático e psíquico. Tendo em vista tal suspensão, que Fechner afirma: "Energia cinética empregada para cortar madeira e energia cinética usada no pensamento não são apenas quantitativamente comparáveis, mas cada uma pode ser transformada na outra e, conseqüentemente, ambos os tipos de trabalho são mensuráveis, em seu aspecto físico, por uma referência comum" (*idem*, p. 36)

[5] Nesse sentido, lembremos do que diz Canguilhem: "Se acrecentarmos que Descartes, mesmo não sendo exatamente o inventor do termo e do conceito de reflexo, ao menos afirmou a constância da ligação entre excitação e reação, vemos que uma psicologia entendida como física matemática do sentido externo começa com ele para chegar a Fechner, graças ao socorro de fisiologistas como Hermann Helmholtz" (*idem*, p. 370).

(*Schicksale*) das grandezas de excitação (*Erregungsgrössen*) e em obter uma estimativa (*Schätzung*), ao menos, relativa destas"[6]. Mas a afirmação diz o que ela quer dizer. Se o problema da estimativa é afetado por uma cláusula de relativização, é para lembrar que o ponto realmente importante diz respeito à apreensão do trajeto, do "destino" dos *quanta* de energia libidinal[7]. Na verdade, isto demonstra como o ponto de vista econômico permite a Freud pensar essa plasticidade própria a uma energia psíquica caracterizada, principalmente, pela sua capacidade de ser transposta, invertida (Freud usa, nestes casos, o termo *Verkehrung*), desviada, recalcada, em suma, deslocada de maneira aparentemente inesgotável. Esse princípio de deslocamento constante leva Freud a caracterizar inicialmente a libido como energia que circula livremente, "energia livre" em relação àquilo que poderia barrar tal movimento, ou seja, em relação a sua ligação (*Bändigung*) através da subsunção a representações (*Vorstellung*).

Que Freud tenha refletido sobre tal plasticidade, de maneira privilegiada, a partir de fenômenos ligados à sexualidade, eis um ponto absolutamente central. De fato, ele quer mostrar como há, no sujeito, o que não se deixa determinar de maneira reflexiva como representação da consciência, há o que só se manifesta de maneira polimórfica, fragmentada, e que encontra seu campo privilegiado, necessariamente, em uma sexualidade não mais submetida à lógica da reprodução, encontra seu campo em um impulso corporal que desconhece *telos* finalistas, como é o caso da reprodução. Daí porque

---

[6] Freud, G X, p. 280

[7] Sobre o uso do termo "destino" neste contexto, lembremos que: "Ele indica que o que está em jogo em um ser humano no que diz respeito a suas pulsões é propriamente humano e produto de seres singulares, isto ao mesmo tempo que uma pulsão, devido ao fato de seus componentes escaparem ao sujeito que é dela o teatro, aparece como anônima, despersonalizada, a-subjetiva" (David-Ménard 8, p. 207)

a libido é inicialmente caracterizada como auto-erótica[8], inconsistente por estar submetida aos processos primários e, por fim, perversa (no sentido de ter seus alvos constantemente invertidos, desviados e fragmentados).

Como veremos adiante, essa libido é, na verdade, solidária de um conceito de *natureza* pensado como campo do que ganha inteligibilidade a partir da redução de seus fenômenos ao conceito geral de "energia". No entanto, ao privilegiar o campo da sexualidade e ao determinar sua essencialidade a partir da noção de "energia livre", Freud impede que a natureza apareça como plano positivo de doação de sentido. A partir de *Para além do princípio do prazer*, tal impossibilidade permitirá, de maneira explícita, a articulação fundamental entre teoria das pulsões a uma reflexão sobre a natureza como espaço de manifestação de uma certa "negatividade".

No entanto, devemos inicialmente tirar algumas conseqüências dessa articulação complexa entre representação e libido pensada como energia livre. Uma delas ficará visível se aproximarmos duas afirmações canônicas a respeito da pulsão. A primeira vem do texto *O inconsciente*: "uma pulsão não pode transformar-se em objeto (*Objekt*) da consciência, apenas a representação que a representa (*die Vorstellung die ihn repräsentiert*)"[9]. A segunda, escrita na mesma época, lembra que o objeto da pulsão "é o que há de mais variável (*variabelste*) na pulsão, ele não está originalmente vinculado (*verknüpft*) a ela (...) Ele pode se substituído à vontade ao longo dos destinos que a pulsão conhece"[10]. Se definirmos "objeto" como sendo o que resulta de procedimentos de categorização de uma consciência que unifica o

---

[8] Lembremos como o auto-erotismo indica uma posição anterior ao narcisismo. Neste sentido, ela serve para indicar a polimorfia de uma libido que se direciona ao prazer de órgãos que ainda não se submetem a um princípio geral de unificação fornecido pelo Eu enquanto unidade sintética.

[9] Freud, G X, p. 275-276

[10] Freud, G X, p. 215 (trad. bras. p. 149)

diverso da sensibilidade em representações sintéticas, então diremos que a pulsão só se manifesta à consciência através da sua ligação em representações de objeto. É, no entanto, uma ligação frágil, marcada pela variabilidade estrutural do que não se deixa objetivar de maneira essencial; tal ligação é operada por uma representação incapaz de apresentar o que não se deixar unificar, ou ainda, o que não se deixa pensar no interior de relações estruturadas.

É a partir desse problema armado que devemos abordar as questões legadas pela construção freudiana ulterior do conceito de "pulsão de morte", conceito central para a metapsicologia lacaniana, já que, segundo o psicanalista parisiense, "toda pulsão é virtualmente pulsão de morte"(Lacan 20, p. 848). Como veremos a seguir, esta é a afirmação central para a compreensão da figura lacaniana da pulsão, por nos lembrar que Lacan tende a operar na clínica com uma modalidade muito particular de *monismo pulsional,* não sendo por acaso que, em suas mãos, a *pulsão* aparece sempre no singular.

Seguindo uma via aberta por Lacan, Jean Laplanche lembra que uma metamorfose profunda ocorre quando Freud vincula, posteriormente, a noção de libido à potência unificadora de Eros (tal como ele a encontra no mito de Aristófanes, em *O banquete,* de Platão), isto ao passar ao dualismo pulsional Eros/Tanatos. A definição da libido como Eros unificador, potência que visaria "formar, a partir da substância viva, unidades (*Einheiten*) cada vez maiores e assim conservar a vida na sua permanência, levando-a a desenvolvimentos mais complexos"[11], parece implicar em abandono da noção de libido pensada a partir de uma energia livre própria a essa sexualidade fragmentada e polimórfica tematizada anteriormente por Freud. Tal abandono seria impulsionado pelas considerações freudianas a respeito da centralidade do narcisismo, com seus mecanismos de projeção e introjeção que unificam os destinos da pulsão à repeti-

[11] Freud, G XIII, p. 233

ção da imagem do Eu[12].É como se o narcisismo fosse a revelação do *pathos* de um Eu pensado como unidade sintética que fornece o princípio de ligação (*Verbindung*) do diverso da experiência sensível em representações de objetos. Boa parte do interesse de filósofos como Theodor Adorno pela psicanálise encontra aí sua raiz, ou seja, em uma espécie de reflexão sobre as "patologias do esquematismo transcendental".

Nesse contexto, a reconstrução do dualismo pulsional através do par Eros e pulsão de morte seria o resultado da necessidade encontrar um novo destino para a potência de des-ligamento própria à energia livre que havia inicialmente definido a libido. Ou seja, a polaridade vida/morte na teoria pulsional freudiana recobre, na verdade, a distinção entre energia ligada em representações através da capacidade sintética do Eu/energia livre inauguradora da dinâmica psíquica[13].

A princípio, não é evidente a razão que leva Freud a utilizar o termo "morte" para falar de tal potência de des-ligamento. Trata-se de uma questão claramente posta por Lacan:

> Existe uma dimensão para além da homeostase do Eu (*moi*), uma outra corrente, uma outra necessidade que deve ser distinguida em

---

[12] Como dirá Laplanche: "Eros é o que procura manter, preservar e mesmo aumentar a coesão e a tendência sintética tanto do ser vivo quanto da vida psíquica. Enquanto que, desde as origens da psicanálise, a sexualidade era, por essência, hostil à ligação, princípio de 'des-ligamento' ou de desencadeamento (*Entbildung*) que só se ligava através da intervenção do Eu, o que aparece com Eros é a forma ligada e ligadora da sexualidade, colocada em evidência pela descoberta do narcisismo" (Laplanche 28, p. 187). Isto nos explica por que, em Freud, "o Eu aparece como uma estrutura inibidora e defensiva que funciona[...] para estabelecer uma economia restrita de impulsos e de suas descargas" (Boothby 5, p. 285)

[13] Isso nos leva a concordar com a idéia de Boothby, para quem "a idéia mais crucial de Freud, raramente posta de maneira explícita exatamente por ser tão fundamental para toda a concepção freudiana, é a assunção da disjunção inevitável e irremediável entre o nível das excitações somáticas e de suas representações psíquicas. Sempre há um resto, algo que é irremediavelmente deixado, uma porção de energia corporal que não recebe registro adequado na bateria dos *Triebrepräsentanzen*" (Boothby, *idem*, pp. 286-7)

> seu plano. Esta compulsão a retornar a algo que foi excluído do sujeito [própria à pulsão de morte], ou que nunca foi por ele absorvida, o *Verdrängt*, o recalcado, nós não podemos fazê-lo entrar no princípio do prazer [que agora se confunde com Eros] (...) Faz-se necessário supor um outro princípio. Por que Freud o chamou instinto de morte?(Lacan 21, p.163).

A questão se justifica pelo fato de que esta guinada parece, a princípio, desproporcional em relação à dimensão do problema (conservar a potência disruptiva da sexualidade para além da força unificadora do Eu, força cuja extensão teria sido revelada, principalmente, pelo narcisismo). A não ser que, de fato, o problema pressentido por Freud fosse maior do que poderia parecer. Só assim poderíamos pressupor alguma espécie de unidade entre fenômenos aparentemente tão distintos quanto estes que Freud procura pensar a partir da noção de pulsão de morte, ou seja, a compulsão de repetir acontecimentos traumáticos, o fenômeno de resistência à cura e de vínculo à doença que a psicanálise chama de "reação terapêutica negativa", a organização de um destino à libido enquanto energia livre e, por fim, o problema econômico dos fantasmas masoquistas que aparentemente desvinculam desejo e cálculo do prazer.

Responder à questão do real problema que a derradeira teoria freudiana das pulsões tentava resolver exige, inicialmente, lembrar que a reconstrução da teoria pulsional através da dicotomia pulsão de vida/pulsão de morte foi solidária de uma aparente redefinição do próprio conceito de pulsão. Ela será agora uma "pressão (*Drang*) inerente ao organismo vivo em direção ao restabelecimento de um estado anterior [inorgânico] abandonado devido a influências perturbadoras de forças exteriores"(Freud 13, XIII, p. 38), e não apenas a representação psíquica de uma fonte endossomática de excitação constante. Da primeira à segunda definição, acrescenta-se um certo caráter *teleológico* que orienta a direção da pressão pulsional para as vias de uma operação de retorno. A pulsão aparece, assim, como expressão da inércia da vida orgânica, como exigência de trabalho em direção ao restabelecimento de um estado de supressão de tensão. Essa tendência, no entanto, se manifesta principalmente através da figura da compulsão de repetição, compreendida como movimento de retorno em direção à aniquilação de um indivíduo determinado, como o que orienta sua conduta a partir da conservação de si graças ao cálculo do prazer, à simbolização de experiências traumáticas que bloqueiam disposições sintéticas da consciência e à efetivação de um princípio de individuação.

É nesse contexto que a especulação freudiana flerta mais claramente com uma certa metafísica da morte, toda ela fundada, por sua vez, em uma verdadeira filosofia da natureza. Praticamente ausente na primeira teoria das pulsões, essa inflexão em direção à metafísica, em especial através de Schopenhauer (além de Platão, para a ilustração do poder unificador de Eros, e Empédocles), não deve ser vista simplesmente como uma espécie de desvio de rota. De fato, vários princípios da psicofísica de Fechner que aparecerão posteriormente em Helmholtz, Mach e outros, base teórica importante para a formação da teoria freudiana das pulsões, não são estranhos à filosofia de Schopenhauer e à sua reflexão sobre a dinâmica das forças. Da mesma forma, tais princípios não são imunes a pressuposições metafísicas, o que fica bastante claro especialmente em Fechner. Tudo se passa, então, como se Schopenhauer fornecesse, para Freud, uma espécie de inteligibilidade alargada do que, posteriormente, continuou se insinuando no interior da energética.

Nesse sentido, vale a pena lembrar como as explicações gerais de comportamento humano e natural a partir da dinâmica de forças, pensada enquanto figura de uma metafísica da Vontade como ser em-si, é o que leva Schopenhauer a ver, na morte, um protocolo de "retorno ao ventre da natureza"(Schopenhauer 30, p. 71). Pois a morte do indivíduo apenas demonstraria a perenidade das forças e da matéria em contraposição à transitoriedade dos estados e formas:

> Assim, já considerada como força natural, a força vital permanece por inteira imune à mudança de formas e estados que a série de causas e efeitos produz, e somente à qual estão submetidos o nascer e o perecer como se mostra na experiência.(*ibidem*, p.74)

Podemos mesmo dizer que, nesse contexto, a morte aparece como potência de suspensão da ligação das forças em representações capazes de produzir individualizações. Daí porque Schopenhauer opera com uma dicotomia entre a imortalidade da espécie enquanto "Idéia" e a destrutibilidade dos indivíduos que aparecerá, de forma reconfigurada, no próprio cerne da teoria pulsional freudiana isto através das distinções entre *soma* e *plasma* vindas de Weismann.

No entanto, há algumas diferenças fundamentais aqui. Schopenhauer insiste na morte como destruição do indivíduo apenas para lembrar que

> Pedir a imortalidade da individualidade significa propriamente querer perpetuar um erro ao infinito. Pois, no fundo, cada individualidade é apenas um erro especial, um passo em falso, algo que seria melhor não ser, sim, algo do qual nos trazer de volta é de fato a meta de toda vida. (*ibidem*, p.110)

Isso não poderia ser diferente, já que a morte é pensada, ao mesmo tempo, como o que está inserido no *telos* do ciclo vital da renovação da natureza e como modo de acesso à inteligibilidade (acesso à inteligibilidade que não é exatamente conhecimento reflexivo) de uma dinâmica de forças não ligada e que passa livremente de uma forma a outra sem perpetuar nenhuma delas. A morte é o nome do processo que revela a natureza enquanto ciclo incessante de individuação e anulação da individuação de configurações de forças, como se estivéssemos diante de um ciclo de pulsação entre energia livre e energia ligada. Assim, longe de ser fenômeno desprovido de sentido, negação desprovida de conceito, a morte, para Schopenhauer, é o que, em última instância, garante a natureza como *pólo positivo de doação de sentido* por desvelar os mecanismos de orientação da força vital.

De fato, este não é o caso em Freud. Tal como em Schopenhauer, a morte em Freud não é apenas destruição da integridade do organismo biológico, mas é também o que suspende o princípio de individuação e de unidade sintética em operação no Eu. Daí porque ela pode aparecer, no caso de Freud, como fonte da dinâmica pulsional responsável por processos como a repetição de acontecimentos traumáticos não-simbolizados e essa reação terapêutica negativa compreendida enquanto resistência aos processos de subjetivação em operação na clínica analítica. No entanto, não há nada em Freud semelhante à afirmação teleológica da vida como ciclo incessante de destruição e reconfiguração resultante de alguma forma de princípio geral de conservação de energia. A noção de pulsão de morte, ao contrário, está mais próxima da absorção de um conceito energético como a entropia enquanto princípio do que aparece apenas como perda, princípio do que não se deixa configurar em um estado submetido a um protocolo de ordenação[14]. A morte é, assim, para Freud, presença do que não se deixa absorver no interior de uma noção de natureza como pólo positivo de doação de sentido, presença do que não se deixa contar no interior de uma economia vitalista.

No entanto, Freud acaba por operar, no interior de sua teoria das pulsões, com um conceito muito peculiar de natureza. Pois a tendência em utilizar a teoria das pulsões para explicar princípios de conduta de organismos *em geral* (o que não deixa de ser uma certa "atualização" de princípios explicativos holísticos próprios à psicofísica do século XIX) deve ser vista como pressuposição de um

---

[14] Nesse sentido, vale a afirmação de Assoun, para quem o conceito freudiano de energia "marca uma 'passagem' entre dois estados que traduz uma despesa mecânica, ela mesma expressão particular (moção) do aumento geral de desordem formulado pelo segundo princípio da termodinâmica (Carnot-Clausius). O que, desde este momento, poderia ser expresso dizendo que 'toda pulsão, enquanto pulsão, é pulsão de morte'" (Assoun 2, pp. 182-3).

conceito não-tematizado de natureza. Trata-se de algo como uma natureza que não se deixa pensar a partir de figuras do ciclo vital ou de alguma forma de funcionalismo ordenador, mas que se manifesta necessariamente como resistência à integração a todo e qualquer princípio de determinação positiva[15]. Fundar uma clínica, com seus protocolos de cura, a partir de tal pressuposição a respeito da noção de natureza, não é algo desprovido de dificuldades.

Isso talvez nos explique, entre outras coisas, a posição sintomática da pulsão de morte no interior da clínica freudiana. De fato, o lugar da pulsão de morte na clínica freudiana é complexo e difícil de ser equacionado. Lembremos apenas que, em um texto da fase final como *Análise finita e análise infinita*, Freud se pergunta se há limites para a ligação (*Bändigung*) das pulsões em representações – o que podemos entender como uma questão referente à possibilidade de dominar, principalmente, a compulsão de repetição própria à pulsão de morte. A resposta é programática: é a correção *a posteriori* do processo de recalcamento originário que pode colocar um fim à força efetiva do fator quantitativo da pulsão. No entanto, Freud é o primeiro a reconhecer a infinitude da força pulsional ao sublinhar o caráter inesgotável de seu domínio: "Pode-se duvidar que os

---

15 Quem compreendeu claramente essa defnição eminentemente negativa de natureza presente nas elaborações freudianas foi Theodor Adorno. Lembremos aqui, apenas para ficar em um exemplo, desta definição adorniana de mimetismo (operador central de reconciliação entre sujeito e natureza). Ele seria uma "tendência a perder-se no meio ambiente (*Unwelt*) ao invés de desempenhar aí um papel ativo, da propensão a se deixar levar, a regredir à natureza. Freud denominou-a pulsão de morte (*Todestrieb*), Caillois *le mimetisme*" (Adorno e Horkheimer, 1985, p. 212). Se a pulsão de morte indica, para Adorno, as coordenadas da reconciliação com a natureza, então devemos admitir várias conseqüências. Pois a pulsão de morte freudiana expõe a economia libidinal que leva o sujeito a vincular-se a uma natureza compreendida como espaço do inorgânico, figura maior da opacidade material aos processos de reflexão. Esta "tendência a perder-se no meio ambiente" da qual fala Adorno pensando na pulsão de morte é o resultado do reconhecimento de si no que é desprovido de inscrição simbólica (ver Safatle, *Espelhos sem imagens: mimesis e reconhecimento em Lacan e Adorno*, Trans/form/ação).

dragões do tempo originário estejam verdadeiramente mortos até o último"[16]. Como se a simbolização analítica não pudesse dissolver esta forçagem repetitiva da pulsão de morte.

No entanto, a negatividade da pulsão de morte não será incorporada pela clínica freudiana como motor dos processos de cura. A compulsão de repetição aparecerá como *limite* à clínica e aos mecanismos de rememoração, verbalização e simbolização reflexiva, próprios aos modos freudianos de subjetivação. Freud só pôde pensar a manifestação da negatividade da pulsão de morte no interior da clínica sob a forma da reação terapêutica negativa, da destruição do outro na transferência e de outras manifestações de fantasmas masoquistas ou sádicos *que devem ser liquidados a fim de levar o sujeito ao final da análise.* Ou seja, o programa freudiano de "ligar (*bändigen*) a compulsão de repetição e de transformá-la em um motivo para rememorar (*Motiv fürs Erinnern*)"[17], graças à liquidação de uma repetição normalmente confundida com a transferência, continuará válido até o final, mesmo se Freud encontra limites para a sua eficácia.

Lacan e a clínica da pulsão de morte

Dado esse impasse, a saída mais usual da posteridade psicanalítica consistiu em abandonar tal amálgama feito por Freud ao introduzir o conceito de pulsão de morte. Normalmente, insistiu-se que a pulsão de morte se tratava de um fato social vinculado ao impulso de destruição em sociedades que socializam os sujeitos através de processos repressivos de culpabilização (Marcuse é um bom exemplo), ou que estávamos simplesmente diante de um entulho metafísico desprovido de função clínica, até porque não haveria necessidade

---

[16] Freud, G , p. 73

[17] Freud, G X, p. 134

alguma de que a clínica apelasse a forças abstratas postuladas na antecâmara dos fenômenos que ela trata.

Nesse sentido, uma das grandes peculiaridades de Jacques Lacan consistiu em tentar reorientar a clínica analítica através da centralidade da pulsão de morte como perspectiva de inteligibilidade da clínica. De fato, o reconhecimento de tal centralidade será visto como o motor do progresso analítico e da direção do tratamento. Afinal, o verdadeiro problema clínico para Lacan não consiste em limitar o impulso de destruição da pulsão de morte a fim de permitir à vida operar processos cada vez mais amplos de unificação. Ao contrário, trata-se de produzir inicialmente uma ruptura dessa unidade almejada por *Eros*, unidade que, para Lacan, era fundamentalmente narcísica e imaginária, pois vinculada à projeção e introjeção da imagem do Eu. Dessa forma, Lacan teve o mérito de compreender a pulsão de morte para além da repetição compulsiva do instinto de destruição, o que abriu a possibilidade de estruturarmos uma nova via de reflexão sobre as figuras do negativo na clínica.

Nesse esforço, Lacan procurou, inicialmente, tecer aproximações entre o poder disruptivo da pulsão de morte e um conceito de "negatividade" herdado das reflexões francesas sobre a *Begierde* hegeliana, primeiro modo de manifestação da individualidade da subjetividade, assim como dos vários momentos de confrontação com a experiência da morte que permeiam a *Fenomenologia do espírito*. No entanto, empréstimos filosóficos sempre têm uma peculiaridade: eles devem ser os únicos nos quais aquele que pega emprestado sempre leva mais do que percebe. Assim, temos o direito de perguntar se Lacan não acabou por trazer, ao coração da teoria pulsional psicanalítica, um conceito de negação que, em Hegel, tem um estatuto claramente ontológico, já que, como veremos mais à frente, vinculado ao modo de manifestação do que se determina como essência. Tal conceito teria servido para dar conta do que já se manifestou quando Freud procurava "naturalizar" a pulsão de morte, transformando-a em conceito norteador da inteligibilidade da conduta de todo e qualquer vivente.

Antes de avançarmos nesse ponto, lembremos como, de fato, o encaminhamento lacaniano a respeito da teoria psicanalítica das pulsões só é inteligível como desdobramento de suas reflexões iniciais a respeito do estatuto do desejo na clínica analítica. Podemos mesmo dizer que o problema do estatuto da pulsão ganha centralidade na experiência intelectual lacaniana a partir do momento em que ele se vê obrigado a rever certas questões deixadas em abertos por sua teoria do desejo.

A este respeito, sempre vale a pena lembrar que a característica principal do desejo, em Lacan, é ser desprovido de todo procedimento natural de objetificação. Ele é fundamentalmente sem objeto, desejo de "nada de nomeável"(Lacan 21, p. 261). Aqui, escutamos o leitor atento de Kojève, o mesmo Kojève que tentava costurar o ser-para-a-morte heideggeriano à *Begierde* hegeliana a fim de afirmar que a verdade do desejo era ser "revelação de um vazio"(Kojéve 19, p.12), ou seja, pura negatividade que transcendia toda aderência natural e imaginária. Trata-se de um estranho desejo incapaz de se satisfazer com objetos empíricos e arrancado de toda possibilidade imediata de realização fenomenal.

Essa pura transcendência negativa, vinculada à função intencional de um desejo que insiste para além de toda relação de objeto, coloca-se como algo absolutamente incontornável para Lacan em seus primeiros escritos e seminários. A razão vem do fato de Lacan ter desenvolvido uma teoria da constituição dos objetos apoiada sobretudo em considerações sobre a centralidade do narcisismo. Trata-se do resultado do reconhecimento simultâneo de dois fatores: o caráter constitutivo do Eu na ligação do diverso da intuição sensível em representações de objeto; e a *gênese empírica* da função do Eu a partir de uma lógica de identificações narcísicas.

Dessa forma, nesse momento do pensamento lacaniano, tanto os objetos quanto os outros indivíduos empíricos são sempre projeções narcísicas do eu. Lacan chega a falar do *caráter egomórfico* dos objetos do mundo empírico, de onde se segue um *narcisismo fundamental* guiando todas as relações de objeto, assim como a necessidade de atravessar esse regime narcísico de relação através de uma crítica ao primado do objeto na determinação do desejo.

A crítica ao primado do objeto aparecerá em Lacan principalmente através da crítica às relações reduzidas à dimensão do Imaginário, já que o Imaginário lacaniano designa, na sua maior parte, a esfera das relações que compõem a lógica do narcisismo com suas projeções e introjeções[18]. *Grosso modo*, podemos dizer que, para Lacan, o Imaginário é um gênero de *esquema de categorização espaço-temporal* que funcionaria através da subsunção do diverso da intuição sensível à imagem (neste sentido, Lacan está muito próximo da teoria da imagem e do esquematismo presente em *Kant e o problema da metafísica*, de Heidegger). Essa imagem, no entanto, unifica o diverso a partir de um princípio de ligação e de identidade derivado do próprio Eu como unidade sintética e auto-idêntica. Ela é, por sua vez, o verdadeiro nome do que está em jogo na representação, isto ao menos segundo Lacan, de onde se segue esta articulação lacaniana cerrada entre Imaginário, narcisismo e *representação*[19].

Aqui, faz-se necessário salientar um ponto importante: é dessa forma que o objeto empírico aparece necessariamente como *objeto submetido à engenharia do Imaginário*. A possibilidade de fixação libidinal a um objeto empírico não-narcísico ainda não é posta. Assim, a fim de livrar o sujeito da fascinação por objetos que são, no fundo, produções narcísicas, restava à psicanálise "purificar o desejo" de todo e qualquer conteúdo empírico; subjetivar o desejo no seu ponto brutal de esvaziamento. Afinal, a ligação do desejo em

---

[18] "Nós consideramos o narcisismo como a relação imaginária central para a relação interhumana" (Lacan 22, p. 107).

[19] Para uma descrição mais detalhada desta função do Imaginário, tomo a liberdade de remeter a Safatle 29)

representações de objeto implica alienação de um ser pensado como transcendência, de onde se segue necessariamente a definição, em um indefectível acento sartriano, da negatividade do desejo como *manque d'être*: "O desejo é uma relação do ser à falta. Essa falta é falta de ser (*manque d'être*) propriamente dita. Ela não é falta disto ou daquilo, mas falta de ser através da qual o ser existe"(Lacan 21, p. 261). Levar o sujeito a reconhecer o ser como falta-a-ser (como Lacan adotará posteriormente, a fim de se diferenciar de Sartre) seria a estratégia maior da prática analítica.

Este é o esquema que anima as primeiras elaborações lacanianas a respeito da teoria pulsional. Já em seus primeiros seminários, Lacan tende a compreender a unidade produzida pela pulsão de vida como submissão do outro à lógica do narcisismo, definindo a ligação da energia psíquica como "captura pela forma, apreensão pelo jogo, absorção na miragem da vida"(Lacan 21, p. 110). Pois há uma potência unificadora do Imaginário que consistiria em vincular o sujeito – a um outro que é essencialmente imagem do ego, como se as unidades cada vez maiores das quais fala Freud fossem construídas através da ligação do diverso das representações e dos afetos à *imagem* do mesmo. A força desintegradora da pulsão de morte estaria, assim, desde o início, direcionada contra a coerência imaginária do Eu e suas relações imaginárias de objeto. Em vários momentos, essa força desintegradora da pulsão será apresentada como o que leva o sujeito para além de um prazer vinculado à submissão da energia libidinal a um princípio de homeostase garantido pela "transferência de quantidade de *Vorstellung* em *Vorstellung*"(Lacan 23, p. 72), ou seja, submissão da energia libidinal à forma das representações. Isto talvez nos explique por que a emergência do que é a da ordem da pulsão aparece constantemente em Lacan envolto na temática de um gozo que flerta com o informe; gozo para além do princípio do prazer que é, no fundo, gozo para além do princípio de submissão a representações. O uso constante de motivos e exemplos vindos de Bataille se impõe, neste ponto, para Lacan.

Bataille também coloca, como imperativo, um programa em larga medida próximo ao de Lacan: "Supressão do sujeito e do objeto", dirá ele, "único meio de não terminar na possessão do objeto pelo sujeito, ou seja, de evitar a corrida absurda do *ipse* querendo transformar-se no todo" (Bataille 4, p. 67). O motor de tal supressão aparece também a partir de uma certa temática vinculada à experiência da morte como saída do primado da antropologia: "Quem não 'morre' por ser apenas um homem será sempre apenas um homem" (*ibidem*, p. 47). No entanto, esta filiação possível entre Bataille e Lacan parece trazer vários problemas, pois poderia indicar que, ao transformar a pulsão de morte em conceito central para o progresso analítico, Lacan estaria se deixando seduzir por uma espécie de *implementação clínica de expectativas estetizantes de experiências limites pensadas através das temáticas da informidade e da heterologia.*

De fato, esse risco esteve sempre presente, mas não dá conta do que estava realmente em jogo na experiência intelectual lacaniana. Neste sentido, lembremos como, inicialmente, a pulsão de morte serve a Lacan para organizar algumas distinções entre as dimensões do Imaginário e do Simbólico pensado em chave estruturalista, ou seja, como estrutura de significantes puros que organizam as diferenças linguístico-sociais. Por outro lado, Lacan nunca chegou ao ponto de defender alguma forma de supressão do sujeito, mas apenas de sua entificação na figura auto-idêntica do Eu.

Reflitamos, por exemplo, sobre aquela que é, a primeira frase dos *Escritos*: "Nossa pesquisa nos levou a permitir reconhecer que o automatismo de repetição (*Widerholungzwang*) encontra seu princípio no que chamamos de *insistência* da cadeia significante" (Lacan 20, p. 11). Ou seja, Lacan está dizendo que essa compulsão de repetição que não se encaixa em nenhuma lógica que vise explicar a conduta do aparelho psíquico apenas através da maximização de prazer e da fuga do desprazer é, na verdade, manifestação do modo de funcionamento da estrutura simbólica que determina os sujeitos. É, portanto, algo muito distante do que Freud tinha em vista ao tentar tematizar a compulsão de repetir situações traumáticas e desprazeirosas, própria a certos neuróticos, ou a tentativa de dominar processos de perda a partir de uma repetição simbolizadora (como é o caso do famoso exemplo do *fort-da*).

O que Lacan quer, ao aproximar cadeia significante e automatismo de repetição, é, por um lado, lembrar que a energia livre própria à força de des-ligamento da pulsão de morte produz os processos primários de condensação, deslocamento e figuração que fornecem a base da dinâmica dos significantes. Daí a possibilidade da aproximação. É assim que ele compreende o que Freud chama de caráter de rede (*Netz*) e fluxo (*Flüssigkeit*) da pulsão, proposição que é tão ousada quanto frágil, já que a articulação da cadeia significante desconhece a disseminação própria do que se caracteriza como energia livre. Ao contrário, a cadeia significante tem um poder ordenador e articulador próprio a toda construção simbólica. Ou seja, seu trabalho é um trabalho de ligação estranho ao que é da ordem da pulsão de morte.

Porém, há ainda um outro aspecto da aproximação. Ao articular pulsão de morte e significante, Lacan parece indicar que não há algo como a particularidade da pulsão e do impulso que se contraporia ao universo sócio-linguístico partilhado intersubjetivamente. Ao contrário, a pulsão já está, de uma certa forma, vinculada de maneira constitutiva àquilo que permite aos sujeitos se socializar através do acesso à linguagem (há um paralelo instrutivo, neste ponto, com o conceito hegeliano de *Trieb)*. Em última instância, ela não é reprimida devido aos processos de socialização de sujeitos. Ela é a mola mesma do que leva os sujeitos a usar a linguagem e à condição, é claro, de dar realidade a um regime bastante peculiar de linguagem. Essa linguagem que Lacan tem em mente é absolutamente anti-realista por não ser compostas por signos, mas apenas por puros significantes, ou seja, por termos que não têm força denotativa alguma, que não denotam objeto algum. Trata-se de uma anulação da faticidade da referência que é descrita por Lacan nos seguintes termos: "Os significantes só manifestam inicialmente a presença da diferença enquanto tal e nada mais. A primeira coisa que implicam é que a relação do signo à coisa seja apagada" (Lacan 25, sessão de 06/12/1961).

Desta forma, Lacan pode dizer "nós encontramos aí o esquema do símbolo como morte da coisa"[20]. É como se o impulso de negação próprio à pulsão de morte estivesse em operação, ou, se satisfizesse sempre que o significante se mostrasse como anulação da coisa *enquanto objeto reificado constituído pela lógica do Imaginário.* Afinal, em sua essência, o significante não seria um dispositivo de denotação, mas apenas um dispositivo que marca a inadequação radical entre as palavras e as coisas, inadequação entre uma cadeia significante que se articula tal qual fluxo de energia livre e coisas pensadas como o que se submete à unidades imaginárias. Lacan procura, pois, encaixar sua compreensão da centralidade da pulsão de morte no interior de uma lógica da inadequação como saldo dos processos de socialização através de uma linguagem constituída por significantes. Por outro lado, ele vincula o significante não a um problema de denotação de objetos, mas de satisfação da pulsão, como se os usos da linguagem estivessem todos subordinados a interesses práticos de satisfação.

Como vemos, essa estratégia lacaniana era ambivalente e difícil de ser sustentada da forma como foi inicialmente construída. De um lado, a cadeia significante é solidária a um trabalho de ligação e de ordenação do mundo dos objetos estranho ao que é da ordem da pulsão de morte. É a maneira lacaniana de insistir que a pulsão de morte não é puro impulso de destruição transgressora em direção à informidade ou a um gozo mortífero, mas é o que procura dar conta da inteligibidade de processos de socialização, ao menos se pensarmos naquilo que os processos de socialização *em operação em nossas sociedades* teriam de não repressivo. De outro, a cadeia significante descreve exa-

[20] Lacan, S IV, p. 377.

tamente o fluxo livre de energia que nega o que se deixa ligar sob a forma de objeto, sob a forma de representação.

No entanto, podemos dizer que essa contradição é criativa. É claro que Lacan procura um regime de formalização capaz de dar conta de uma relação do sujeito com uma pulsão que não se deixa pensar através de uma linguagem da representação, linguagem que, no interior da cartografia lacaniana, está submetida à lógica do Imaginário. Mas para que ele possa tematizar de forma adequada o que não se deixa formalizar a partir da representação, Lacan deve explicar como o sujeito pode estruturar relações com aquilo que não se articula a partir de princípios de ligação derivados do Eu como unidade sintética. O acento, aqui, vai para o imperativo de "estruturar relações" que não sejam tributárias de um retorno a alguma forma de intuição imediata.

Uma negação ontológica para a clínica

Antes de avançarmos, vale a pena insistir que esse problema presente em Lacan, problema que podemos dizer ser herança de um certo encaminhamento freudiano, já nos fornece uma explicação provisória para a noção de que a pulsão é um conceito ontológico. Isso porque, ao vincular a pulsão de morte ao que se satisfaz através da potência negadora da linguagem, quando esta se libera de suas ilusões realistas, Lacan reordena completamente a noção tradicional de simbolização como submissão à potência organizadora da representação; isto a fim de encontrar uma maneira mais adequada para tematizar os modos de relação com o que aparece, a um sujeito, como irredutibilidade da negatividade própria à pulsão de morte. Essa irredutibilidade tem um peso ontológico, pois está assentada em uma noção de negação, nem sempre tematizada de maneira explícita por Lacan, como modo ontológico de acesso à essência.

O termo "ontologia" pode causar estranheza nesse contexto. No entanto, antes de legitimar tal estranhamento, vale a pena perguntar se poderíamos pensar a ontologia não mais como o regime de *discursividade positiva* do ser enquanto ser, regime que, ao ser posto, tende a normatizar os campos da práxis ao determinar *a priori* a configuração de suas possibilidades. Ora, ao problematizarmos a relação entre positividade e ontologia, talvez se abra a possibilidade de pensá-la, ao contrário, como o regime que suporta a realidade daquilo que bloqueia o esgotamento do ser em uma determinação positiva. Nesse sentido, uma ontologia *negativa*, ou seja, um regime de pensar assentado sobre a realidade ontológica das experiências de negação, poderia ser o que estaria orientando as decisões clínicas lacanianas, assim como a direção que ele procura impor ao tratamento[21].

Talvez a dificuldade em aceitar tais colocações venha do fato de que o encaminhamento lacaniano a respeito do caráter ontológico de certos conceitos metapsicológicos não tenha sido exatamente traçado em uma linha reta. Lembremos, por exemplo, do que ele havia afirmado no seminário sobre *Os quatro conceitos fundamentais da psicanálise*, dias antes de aceitar que tinha uma ontologia:

> é exatamente de uma função ontológica que se trata nesta abertura (*béance*), através da qual acreditei dever introduzir a função do inconsciente. A abertura do inconsciente, nós poderíamos chamá-la de *pré-ontológica*. Insisti nesta característica, muito esquecida, da primeira emergência do inconsciente, que é de não se prestar à ontologia [já que

---

[21] Alain Badiou nos mostra uma via frutífera para pensarmos uma negação ontológica em Lacan quando afirma que há, na psicanálise lacaniana, um acesso à ontologia, já que "o inconsciente é esse ser que subverte a oposição metafísica do ser e do não-ser" (Badiou, *Théorie du sujet*, Paris: Seuil, 1982. p. 152). O inconsciente da pulsão, o *isso*, é este ser que só é pensável em uma ontologia fundada no negativo, e é isto que Lacan tem em mente ao dizer que o inconsciente "traz ao ser um ente apenas do seu não-advento" (Lacan, S XI p. 117)

> o que é da ordem do inconsciente: " não é nem o ser, nem o não-ser, mas o não-realizado].(Lacan 26, pp. 31-2)

De fato, essa idéia de que o que é da ordem do inconsciente é *pré-ontológico* nos leva diretamente a Merleau-Ponty com sua *ontologia* da carne. Contudo vale a pena reconstruir o contexto de tal afirmação a fim de compreender o que está aí em jogo.

Na seção anterior desse seminário, Lacan havia discutido a noção de "causalidade inconsciente" com a ajuda das últimas páginas do *Ensaio para introduzir em filosofia o conceito de grandeza negativa*, de Kant. Lacan tinha em mente, sobretudo, a distinção kantiana entre fundamento lógico e fundamento real. A respeito do fundamento lógico, Kant, em 1763, dirá: dado um fundamento, podemos derivar uma conseqüência lógica a partir da obediência da regra de identidade. Assim,

> o homem é falível, e o fundamento dessa falibilidade reside na finitude de sua natureza, pois quando decomponho o conceito de um espírito finito vejo que a falibilidade reside nele, isto é, coincide com o que está contido no conceito de um espírito.(Kant 18, p. 97)

Mas, no fundamento real, algo segue de outro algo sem obedecer à regra de identidade, como, quando digo que as fases da lua são as causas das marés. Kant dirá que, para dar conta do fundamento real, há apenas "conceitos simples e indecomponíveis de fundamentos reais, cuja relação com a conseqüência não pode absolutamente fazer-se distinta"(*ibidem*, p. 62). Lacan insiste que esta noção de um conceito indecomponível que visa formalizar a relação causal entre um fundamento real e sua conseqüência é adequada para determinar a especificidade da causalidade que opera no inconsciente, uma causalidade que estabeleceria relações de necessidade entre termos descontínuos. É a essa descontinuidade que Lacan chama *béance*. No entanto, tal *béance* em nada invalida uma noção de ontologia que não opera mais através da posição da noção de substância e identidade, mas exatamente através da recusa da realidade essencial de tais conceitos. De fato, haveria muito ainda a ser discutido a esse respeito. Tais indicações servem, no entanto, para mostrar que o debate não é facilmente esgotável.

De qualquer forma, isto não afasta um outro problema: poderíamos pensar estar diante de uma espécie perigosa de *teologia negativa* disfarçada em considerações clínicas, ainda mais com os motivos lacanianos insistentemente repetidos a propósito do objeto perdido, da assunção incontornável da falta, do gozo impossível, do lugar vazio do sujeito que nunca se corporifica totalmente; esses motivos nos levariam, no máximo, a uma ética da "resignação infinita", como gostava de falar Deleuze a respeito dos lacanianos(Deleuze & Parnet 9, p. 96), ou ainda a uma "idealização religiosa da impossibilidade" Butler 6, p. 72), como fala Judith Butler a respeito da relação lacaniana entre gozo e Lei.

É claro que poderíamos pensar tudo isso mas estaríamos equivocados, por não compreendermos o que Lacan procura ao transformar a confrontação com a pulsão de morte em eixo central do progresso analítico.

Essa estratégia da reconfiguração da pulsão de morte na clínica só ficará mais clara se levarmos em consideração o problema do estatuto das negações na práxis lacaniana. Lembremos, por exemplo, que os modos de relação do sujeito com a pulsão, propostos por Lacan, não passam por aquilo que Freud definia como ligação da pulsão em representações de objeto, mesmo que Lacan insista na necessidade de pensarmos o que pode ser o "objeto" da pulsão (embora a própria noção de objeto, neste contexto, perca seu caráter do que se constitui a partir de princípios de ligação fornecidos pelo Eu como unidade sintética).

Essa questão nos leva a uma outra, vinculada diretamente à direção do tratamento. Lacan insiste a todo momento que as subjetivações na clínica não podem organizar-se a partir da perspectiva de alargamento do horizonte reflexivo de compreensão da consciência ou de reconstituição das capacidades sintéticas do eu. Ou seja, as subjetivações na clínica não podem passar pelos imperativos de ligação em representações que suportam a tríade rememoração – verbalização – simbolização que guiam a clínica freudiana. No entanto, a limitação dos processos reflexivos não pode significar impossibilidade completa de autoposição do sujeito ou mesmo bloqueio insuperável das capacidades subjetivas de síntese da experiência; isto por mais que lacanianos insistam no final da análise como advento da irreflexividade de um gozo mudo, monológico, ou ainda como advento de uma destituição subjetiva que resultaria no abandono de toda forma de aspiração sintética do pensamento.

Uma via possível para a compreensão do que Lacan tem em mente passa pela teoria lacaniana das negações. Ele sabe que a especificidade de seus modos de subjetivação se funda no reconhecimento do caráter eminentemente negativo dos "objetos" aos quais a pulsão se vincula e *nos quais o sujeito deve se reconhecer*. Isso demonstra como a clínica lacaniana demanda um modo de negação que não é simples indicação de um não-ser, de uma privação (*nihil privativum*), do vazio como o puro ausente de determinações, de uma denegação ou modo de expulsão para fora de si do que vai contra o princípio do prazer. Ela precisa, em vez disso, de um modo de negação que é modo de presença do que resta fora da simbolização reflexiva com seus protocolos de identificação, sem que isto implique necessariamente em alguma forma de retorno ao inefável. Como veremos, é bem possível que esta tenha sido a verdadeira contribuição das importações lacanianas maciças em relação à filosofia hegeliana. Afinal, para Lacan, que sempre vinculou a cura analítica às possibilidades de auto-objetivação do sujeito para além de sua objetificação no Imaginário, *só há cura lá onde o sujeito se reconhece em uma negação pensada como modo de presença do que se oferece como determinação essencial de objetos não mais constituídos como imagens narcísicas do Eu*. Há algo de profundamente hegeliano nessa estratégia. No caso lacaniano, esse ponto talvez fique mais claro se mostrarmos que há uma negação que pode *revelar a estrutura dos objetos* capazes de satisfazer a pulsão, e não apenas aparecer como modo de destruição de objetos.

Angústia como modo de manifestação do objeto

Há várias formas de abordar o problema da reflexão lacaniana sobre a negatividade constitutiva do objeto da pulsão. Trata-se de noção aparentemente paradoxal, já que, à primeira vista, não é evidente que há modos de negação que revelam a estrutura de objetos de satisfação. Porém, podemos abordar tal questão através da maneira lacaniana de configurar o sentido de um fenômeno, central para a clínica analítica, como a angústia. Essa maneira é, em larga medida, distinta daquela que encontramos em Freud.

De fato, Freud apresenta uma articulação importante entre angústia e vida pulsional, já que a angústia neurótica aparece claramente vinculada à emergência de reivindicações pulsionais. Tal articulação será preservada por Lacan.

Já em 1895, ao criar a nosografia de "neurose de angústia", Freud identifica sua causa no impedimento em elaborar psiquicamente (ou seja, em ligar) a acumulação de excitação endógena de ordem sexual[22]. Mais tarde, algo dessa perspectiva continuará através da afirmação de que, na angústia neurótica, tem-se medo da própria libido, já que a reivindicação pulsional é vivenciada como perigo interno. Esse esquema servirá de base para a definição da angústia como afeto vinculado à posição de um quantum de energia libidinal inutilizável, ou seja, não ligado em representações de objetos. Isto é o que permite Freud vincular a angústia ao perigo derivado da perda

---

[22] Cf. Freud, *Sobre a justificativa de separar um certo complexo sintomático sob o nome de "neurose de angústia"*

de vínculo entre a pulsão e tudo aquilo que aparece como objeto determinado, uma relação de sustentação da pulsão lá onde o objeto falta e que faz o sujeito confrontar-se com o que Freud chama de "desamparo".

Tal manifestação de uma energia libidinal livre é o que está no cerne da definição canônica que vincula a angústia a um fator traumático que não pode ser liquidado segundo as normas do princípio do prazer. Até porque

> é apenas a grandeza da soma de excitação (*Grösse der Erregungssumme*) que faz, de uma impressão, um fator traumático que paralisa a ação do princípio de prazer e que dá à situação de perigo seu sentido.(Freud 13, XV, p. 100)

Lacan começa seguindo essa via freudiana que vincula a angústia a situações de perda do objeto e de aumento de uma energia libidinal não ligada. Assim, ele afirmará:

> Quando, por razões de resistência, de defesa e de outros mecanismos de anulação do objeto, o objeto desaparece, continua aquilo que pode restar, ou seja, a *Erwartung*, a direção ao seu lugar, lugar no qual ele está ausente, no qual ele não pode ser mais do que um *umbestimmte Objekt*, ou ainda, segundo Freud, do que um objeto com o qual sustentamos uma relação de *Löslichkeit*. Quando nos encontramos neste ponto, a angústia é o último modo, modo radical através do qual o sujeito continua sustentando sua relaçãocom o desejo. (Lacan 24, p. 429)

Contudo, o momento realmente original da elaboração lacaniana sobre a angústia ocorrerá mais à frente. Ele está ligado à procura lacaniana em vincular-se a uma longa tradição filosófica que encontramos claramente, por exemplo, em Hegel, e que determina as experiências de angústia como dispositivo fundamental de processos de formação subjetiva. Isso porque a angústia indica o momento de confrontação do sujeito com aquilo que não se articula a partir de princípios de ligação derivados do Eu como unidade sintética. Nesse sentido, ela é peça central para o progresso analítico por livrar o sujeito das ilusões narcísicas do Eu, da mesma forma como é central, na perspectiva lacaniana, a experiência da pulsão de morte.

No caso de Lacan, tal dimensão formadora da angústia (que não exclui, é claro, uma dimensão bloqueadora da angústia) é tematizada quando o psicanalista insiste, contrariamente tanto a suas próprias elaborações anteriores quanto a Freud, que a "angústia não é sem objeto". Na verdade, a angústia será modo de manifestação de objetos não mais submetidos às estruturas de categorização espaço-temporal próprias ao Imaginário. Daí porque ele insistirá, durante todo seu seminário dedicado à angústia, na necessidade de reconstituir a estética transcendental que convém à experiência analítica, já que

> há momentos de aparição do objeto que nos jogam em uma outra dimensão daquela que nos é dada na experiência. Trata-se da dimensão do estranho. Tal dimensão não poderia, de forma alguma, ser apreendida como deixando diante dela o sujeito transparente a seu próprio conhecimento. Diante deste novo, o sujeito literalmente vacila, e tudo o que diz respeito à relação primordial do sujeito aos efeitos de conhecimento é posto em questão. (Lacan 25, pp. 73-4)

Essa dimensão do estranho, a respeito da qual fala Lacan, é aquilo que Freud tematizou através da noção de *Unheimlichkeit*[23]. De fato, Freud tinha em mente fenômenos angustiantes nos quais situações e objetos familiares apareciam, de maneira inesperada, fora de seus protocolos naturais de identidade e identificação. Por exemplo, se a imagem de si no espelho aparece, de repente, não mais como imagem *de si*, mas como imagem de algo que parece ter uma certa au-

[23] Cf. Freud, *Das Unheimliche*, G XII

tonomia em relação ao si mesmo, como se fosse a imagem de um duplo, então estaríamos diante de um fenômeno de *Unheimlichkeit*. Normalmente, situações nas quais a distinção entre sujeito e objeto é posta em questão, como se houvesse algo da ordem de um sujeito agente lá onde esperávamos encontrar apenas um objeto inerte (ou vice-versa), também produzirão *Unheimlichkeit*.

Lacan tende a transformar tais fenômenos em chave para a determinação do papel formador da angústia. Ele os compreende como modos de aparição de objetos que não se submetem mais a protocolos naturalizados de identidade, diferença e oposição, e que, por isso, embaralham as distinções seguras entre sujeito e objeto, si mesmo e outro, identidade e diferença. Assim, ao afirmar que tais aparições fazem vacilar a relação do sujeito com as estruturas do conhecimento, Lacan procura mostrar como a aparição de objetos que colocam em questão princípios gerais do entendimento, tais como os princípios de identidade e de diferenciação, levam o sujeito a uma fragilização das imagens ordenadas do mundo e de si mesmo. Por outro lado, tais objetos podem colocar em questão princípios gerais do entendimento porque se tratam de objetos que trazem em si mesmos a negação de sua submissão à identidade.

Este é um ponto central. Quando Lacan determina que tais objetos são aquilo que satisfaz a pulsão (de morte), satisfação estranhamente marcada pela angústia, é porque a negatividade da pulsão de morte pode se satisfazer com o gozo de um objeto que traz em si mesmo sua própria negação, que é a destruição de si, torção de seus protocolos de identidade (protocolos que, para Lacan, são fundamentalmente vinculados à ordem do Imaginário).

No entanto, é fato que falar de um objeto que traz em si sua própria negação parece simplesmente uma maneira mais nebulosa de dizer que estamos diante de um "objeto vazio desprovido de conceito" (*nihil negativum*)[24], ou seja, nada mais do que um objeto contra-

---

[24] Cf. Kant 17, A292/B348.

ditório. Sendo assim, a elaboração lacaniana a respeito da centralidade da pulsão de morte como dispositivo de direção do tratamento depende de uma noção de objeto que não reduza a figura da autonegação da identidade ao estatuto de um objeto vazio desprovido de conceito. Tal noção determina a essencialidade do objeto como o que é marcado por uma negatividade cuja aparição é sempre fonte de angústia por implicar na fragilização das imagens ordenadas do mundo e de si. Questão profundamente hegeliana, nos parece.

A gramática hegeliana da negação lacaniana: da metafísica da morte à fenomenologia da morte?

Vimos como a clínica lacaniana, ao privilegiar o conceito de pulsão de morte, exigia uma teoria específica das negações. Vemos agora que tal teoria pede uma figura da negação capaz de determinar objetos que não se adequam à positividade da imagem ou da formalização a partir de representações. Tal negação tem, aqui, um valor ontológico por ser modo de manifestação do que se determina como essência.

De fato, a noção de uma negação como modo ontológico de presença do que há de essencial em objetos da experiência pode ser encontrada na tradição dialética, em especial na *Doutrina da essência* hegeliana. Basta lembrarmos que, para Hegel, o negativo não é falta de determinação ou um positivo em si que aparece como negativo apenas no interior de uma relação opositiva. Ao contrário, o esforço maior de Hegel consistiu em pensar um *negativo em si,* para além de sua oposição ao positivo. Trata-se de restituir da dimensão ontológica ao negativo, através da negatividade de uma essência que deve tomar a forma do objeto e, ainda assim, conservar seu caráter negativo, que talvez nos indique a verdadeira esfera da influência de Hegel em Lacan.

Conhecemos alguns capítulos da relação conflituosa entre Lacan e Hegel, relação feita de desencontros e incompreensões, como só poderia ser prenhe de desencontros e incompreensões uma relação com um "Hegel errado, mas vivo", para usar uma fórmula feliz de Paulo Arantes. No entanto, para além dela, devemos estar atento à gramática hegeliana da negação lacaniana, o que não implica necessariamente em alinhamento incondicional às conseqüências do sistema hegeliano. Nesse sentido, poderíamos dizer que alguns dos pontos centrais do projeto de Lacan consistiriam em: a) transformar a teoria das pulsões em *teoria da pulsão*; b) transformar a negação própria à pulsão de morte em negação ontológica, negação como modo de manifestação da essência; e c) mostrar como esta negação pode determinar objetos cuja manifestação se dá sob o afeto da angústia. Esses objetos determinados por negações colocam-se como objetos descentrados por trazerem em si mesmos a negação de sua submissão à identidade.

De fato, haveria várias formas de abordar uma possível partilha entre Lacan e Hegel no que diz respeito a um conceito de negação próximo àquele presente na pulsão de morte lacaniana. Uma discussão detalhada da noção hegeliana de "negação em si" e de sua função como peça de polêmica contra o conceito kantiano de oposição real, conceito que nos leva a ver como objeto vazio sem conceito algo que seja negativo *em si*, seria talvez o melhor caminho para darmos conta da aproximação das teorias da negação em Lacan e Hegel. No entanto, essa discussão nos levaria a um outro largo desenvolvimento que não cabe nos limites deste artigo[25].

Mas poderíamos lembrar aqui esta figura fenomenológica central da negação em Hegel: a morte. Primeiro, quando Hegel fala em morte, ele pensa na manifestação fenomenológica própria à indeterminação fenomenal do que nunca é apenas um simples ente. Ou seja, a morte indica uma experiência do que não se submete aos contornos autoidênticos do pensar representativo, a morte como aquilo que não se submete à determinação do Eu. Para Hegel, há uma experiência de confrontação com o indeterminado, com um ponto no qual o pensar do puro Eu não consegue projetar sua própria imagem, que equi-

---

[25] Neste ponto, tomo a liberdade de remeter a SAFATLE, *Linguagem e negação em Hegel* in Dois Pontos

vale à morte – uma morte que não é destruição simples da consciência, não é um simples despedaçar-se (*zugrunde gehen*), mas é modo de ir ao fundamento (*zu Grund gehen*). Esse movimento de ir ao fundamento desprovido de conteúdo, tal como na pulsão de morte lacaniana, impulsiona a determinação de objetos nos quais a consciência reconhece a sua própria negatividade. Daí porque Hegel dirá, na *Ciência da lógica*:

> A essência, enquanto se determina como fundamento, determina-se como o não-determinado (*Nichtbestimmte*) e é apenas a superação (*Aufheben*) de seu ser determinado (*Bestimmtseins*) que é seu determinar.(Hegel 16, p. 81)

A respeito dessa articulação entre negatividade da morte e experiência do fundamento, lembremo-nos de um momento central da *Fenomenologia do espírito* e a respeito do qual Lacan era extremamente sensível, momento em que, no interior da dialética do Senhor e do Escravo, a consciência tem a experiência da angústia:

> Essa consciência sentiu a angústia, não por isto ou aquilo, não por este ou aquele instante, e sim através de sua essência toda, pois sentiu o medo da morte, do senhor absoluto. Aí se dissolveu interiormente, em si mesma tremeu em sua totalidade e tudo o que havia de fixo nela vacilou. Entretanto, esse movimento universal puro, o fluidificar-se absoluto de todo subsistir, é a essência simples da consciência-de-si, a negatividade absoluta, o puro ser-para-si que assim é nessa consciência. (Hegel 14, par. 112)

Este trecho talvez desvele seu real foco se lembrarmos que, para Hegel, a essência não é uma substância auto-idêntica que determina as possibilidades dos modos de ser. A essência é a realização de um movimento de reflexão. Nesse sentido, contrariamente ao ser que procurava sua fundamentação em determinações fixas, a essência se põe como determinação reflexiva e relacional. Em outras palavras, a essência é a unificação desse movimento reflexivo de pôr seu ser em um outro, cindir-se e retornar a si desta posição. Daí porque Hegel pode afirmar que, quando o ser encontra-se determinado como essência, ele aparece como um ser que em si está negado, todo determinado e todo finito, ou, ainda, como "ser que pela negatividade de si mesmo se mediatiza consigo"(Hegel 14, p. 112). Nesse sentido, Hegel insiste que a internalização da negação de si próprio à configuração da essência deve se manifestar inicialmente como negatividade absoluta diante da permanência de toda determinidade.

É neste sentido que a angústia deve ser compreendida como a manifestação fenomenológica inicial dessa essência, que só pode se pôr através do "fluidificar absoluto de todo subsistir", ou seja, do negar a essencialidade de toda determinidade aferrada em identidades opositivas. Manifestação inicial, daí porque Hegel fala de "essência simples", mas manifestação absolutamente necessária. A angústia pode aqui ter essa função porque não se trata de um tremor por isto ou aquilo, por este ou aquele instante, mas de uma fragilização completa de seus vínculos ao mundo e à imagem de si mesmo. É essa fragilização que traduz de maneira mais perfeita o que está em jogo nesse "medo diante da morte, do senhor absoluto". O termo "angústia" tem aqui um uso feliz, porque indica exatamente essa posição existencial na qual o sujeito parece perder todo vínculo do desejo em relação a um objeto, como se estivéssemos diante de um desejo não mais desprovido de forma. No entanto, se a consciência for capaz de compreender a angústia que ela sentiu ao ver a fragilização de seu mundo e de sua linguagem como primeira manifestação do espírito, desse espírito que só se manifesta destruindo toda determinidade fixa, então a consciência poderá compreender que esse "caminho do desespero" é, no fundo, internalização do negativo como determinação essencial da essência. Daí porque "o temor do senhor é o início [mas apenas o início] da sabedoria"(Hegel 15, p. 132), uma sabedoria descrita por Hegel nos seguintes termos:

> A morte – se assim quisermos chamar esta inefetividade – é a coisa mais terrível; e suster o que está morto requer a força máxima. A beleza sem-força detesta o entendimento porque lhe cobra o que não tem condições de cumprir. Porém, a vida do espírito não é a que se atemoriza ante a morte e se conserva intacta da devastação, mas é a vida que suporta a morte e nela se conserva. O espírito só alcança sua verdade à medida que se encontra a si mesmo no dilaceramento absoluto. Ele não é essa potência como o positivo que se afasta do negativo – como ao dizer de alguma coisa que é nula ou falsa, liquidamos com ela e passamos a outro assunto. Ao contrário, o espírito só é essa potência enquanto encara diretamente o negativo e se demora junto dele. Ele demorar-se é o poder mágico que converte o negativo em ser.(Hegel 15, p. 38)

Ao falar que a vida do espírito é aquela vida que suporta a morte e nela se conserva, Hegel quer dizer que o espírito é capaz de internalizar e conservar a negação do que não se submete ao mundo organizado pela representação e fundamentado pela forma autoidêntica do Eu. Internalizar, aqui, não é outra coisa sendo rememorar. O que o espírito procura sempre esquecer não é apenas seu processo histórico de formação, mas aquilo que o move, ou seja, a negação como força de fragilização das imagens de mundo e dos sistemas substancialmente enraizados de práticas sociais de ação e justificação. Rememorar é, pois, não apenas internalizar o negativo, mas transformá-lo em ser, dotá-lo de determinação objetiva. Mas rememorar essa negação que aparece aqui como morte só é possível se o pensar abandonar o primado da representação com seus protocolos fixos de identidade e diferença e com sua recusa da realidade ontológica da negação.

Assim, se a morte nunca aparece na *Fenomenologia do espírito* como negação abstrata da consciência – se, ao contrário, ela é sempre esse ponto de despossessão fundamental para que o sujeito tenha a experiência de uma alteridade interna ao si mesmo, é porque há um nível da negação que é sempre modo de pôr a não-identidade e reconfigurar o campo de determinações objetivas. Lembremos, por exemplo, como Dubarle notou claramente que o termo que teria valor de termo nulo está ausente da doutrina hegeliana do Conceito(Dubarle & Doz 10, pp. 134-5). Isto acontece porque, em Hegel, o termo negado nunca alcança o valor zero, já que essa função do zero será criticada por Hegel como sendo um "nada abstrato" (*abstrakte Nichts*). Nesse sentido, o interesse hegeliano pelo cálculo infinitesimal estaria ligado à maneira com que Hegel estrutura sua compreensão da negação como um impulso *ao limite* da determinidade. A negação hegeliana nunca alcança o valor zero porque ela leva o nada *ao limite do surgir* (*Entstehen*) e o ser *ao limite do desaparecer* (*Vergehen*). Na verdade, ela é a exposição desse movimento no qual o ser está *desaparecendo* (ou em *fading*, se quiséssemos falar com Lacan) e onde o nada está *manifestando-se* em uma determinidade. Trata-se de movimento cuja exposição exige uma outra compreensão do que é um objeto, para além da idéia do objeto como pólo fixo de identidade. E é para esse ponto que Lacan, com suas reflexões sobre a pulsão, parece também querer nos levar.

Referências bibliográficas

1. ADORNO, Theodor; HORKHEIMER, Max. *Dialética do esclarecimento*, Rio de Janeiro. Zahar, 1991.
2. ASSOUN, Paul-Laurent; *Introduction à l'épistémologie freudienne.* Paris: Payot, 1981.
3. BADIOU, Alain. *Théorie du sujet.* Paris: Seuil, 1982.
4. BATAILLE, Georges. *L'expérience intérieur.* Paris: Gallimard, 1998.
5. BOOTHBY, Richard. *Freud as philosopher:* metapsychology after Lacan. Nova York: Routledge, 2001.
6. BUTLER, Judith. *Gender trouble.* Nova York: Routledge, 1999.
7. CANGUILHEM, Georges. *Etudes d'histoire et de philosophie de la science.* Paris: Vrin, 2002.

8. DAVID-MÉNARD, Monique. "Les pulsions caractérisés par leurs destins: Freud s'éloigne-t-il du concept philosophique de *Trieb*?" In Bienenstock (org.), *Tendance, désir, pulsion*. Paris: PUF, 2001.

9. DELEUZE, Gilles; PARNET, Claire. *Dialogues*. Pairs: Flammarion, 1996.

10. DUBARLE, Dominique; DOZ, Andre. *Logique et dialectique*. Paris: Larousse:, 1972.

11. FECHNER, Theodor. *Elements of psychophysics*. Nova York: Holt Rinehart & Winston, 1966.

12. FOUCAULT, Michel. *O nascimento da clínica*. Rio de Janeiro: Forense, 1994.

13. FREUD, Sigmund. *Gesammelte Werke*. Frankfurt: Fischer, 1999.

14. HEGEL, Georg W.F. *Enciclopédia das ciências filosóficas em compêndio – a ciência da lógica*. São Paulo: Loyola, 1995.

15. ———. *Fenomenologia do espírito*. Petrópolis: Vozes, 1992.

16. ———. *Wissenschaft der Logik II*, Frankfurt: Suhrkamp, 1986.

17. KANT, Emanuel. *Crítica da razão pura*. Lisboa: Fundação Calouste Gulbenkian, 1989.

18. ———. "Ensaio para introduzir em filosofia o conceito de grandeza negativa". In *Ensaios pré-críticos*. São Paulo: Unesp, 2005.

19. KOJÈVE, Alexandre. *Introduction à la lecture de Hegel*. Paris: Gallimard, 1992.

20. LACAN, Jacques. *Écrits*, Paris: Seuil, 1966.

21. ———. *Séminaire II*. Paris: Seuil, 1978.

22. ———. *Séminaire III*. Paris: Seuil, 1981.

23. ———. *Séminaire VII*. Paris: Seuil, 1986.

24. ———. *Séminaire VIII*. Paris: Seuil, 2001.

25. ———. *Séminaire X*. Paris: Seuil, 2004.

26. ———. *Séminaire XI*. Paris: Seuil, 1973.

27. ———. *Séminaire XX*. Paris: Seuil, 1975.

28. LAPLANCHE, Jean. *Vie et mort en psychanalyse*. Paris: Flammarion, 1970.

29. SAFATLE, Vladimir.*A paixão do negativo:* Lacan e a dialética. São Paulo: Unesp, 2006.

30. SCHOPENHAUER, Arthur. *Metafísica do amor, metafísica da morte*. São Paulo: Martins Fontes, 1998.

Subjetividade e cultura em Freud:
ressonâncias no 'mal-estar' contemporâneo

Vincenzo di Matteo

Professor de Filosofia da Universidade Federal de Pernambuco (UFPE)

Subjetividade e cultura em Freud: ressonâncias no 'mal-estar' contemporâneo

Este artigo discute, pensar o "sujeito" no discurso cultural de Freud como grade de leitura para análise e compreensão dos "destinos" da subjetividade na contemporaneidade. Parto da convicção de que os escritos freudianos sobre a cultura ainda são úteis para pensarmos os problemas das subjetividades singulares, das instituições sociais e políticas, das novas formas de sofrimento presentes na atualidade. Todavia, é inegável que nossa sociedade pós-industrial e globalizada não é a mesma de Freud. É legítimo, portanto, se colocar a seguinte questão: o que aprendemos com Freud sobre cultura e "mal-estar" – e devemos, portanto, incorporar ao nosso patrimônio cultural – e o que merece ser problematizado. Para ensaiar algumas respostas, certamente provisórias, procedo, inicialmente, a uma explicitação da problemática envolvida. Em seguida, reconstruo geneticamente o pensamento freudiano sobre o conflito subjetividade-cultura, confrontando-o com nossa realidade atual.

Palavras-chave: subjetividade, cultura, mal-estar

Subjectivity and culture in Freud

This paper discusses Freud's notion of subject is his writings concerning culture (mainly *Civilisation and its discontents*) as a means of understanding contemporary problems concerning subjectivity. But given that our own society differs widely from Freud's in many relevant respects, there arises the question of which elements of his theory retain their pertinence and which should be adapted or rejected. The answer to this question lies in a careful genetic reconstruction of Freud's conception of the conflict between subjectivity and culture so as to be contrasted with our own present situation.

Key words: subjectivity, culture, discontentment, civilisation, Freud

A problemática

O mito de Édipo e da esfinge pode ser interpretado, plasticamente, como o encontro dramático do homem consigo mesmo. O "monstro" que o interpela é o outro de si mesmo refletido no espelho de um ser de feições híbridas – humanas e animais –, portador de linguagem e que pergunta pelo enigma de um ser que remete claramente a sua constituição fundamental de historicidade e finitude. Decifrar-se, interpretar-se é o único caminho que se lhe abre para não ser devorado pelo absurdo.

O mito, narcisicamente, glorifica Édipo e mata a esfinge, mas ela, na realidade, não morre. Podemos considerar todo o desdobramento da filosofia grega, até nossos dias, como uma tentativa sempre inacabada de responder intelectual e existencialmente a essa "pergunta que não quer calar": quem ou o que é o homem? Daí a cadeia de discursos sobre o humano, articulando-se em torno de uma constelação semântica que foi se enriquecendo na história milenar da filosofia: psique, daimon, logos, nous, pneuma, anima, pessoa, consciência, mente, razão, pensamento, espírito, eu, cogito etc.

A partir da modernidade, os discursos se estruturaram em torno do significante "sujeito", que ganhou uma sobredeterminação de significados, beirando a equivocidade. Não é por acaso que Freud não se utiliza desse termo nos seus escritos. Não é apenas por não ser filósofo, mas precisamente por discordar de um significado que tinha se tornado comum na nossa cultura a partir de certa compreensão filosófica: sujeito como sinônimo de consciência, indivíduo autocentrado e livre, uma substância permanente, fiadora de um núcleo identitário resistente ao fluir do tempo.

Para contornar certa visão substancialista que o termo carrega inclusive etimologicamente (*sub jectum*), passou-se a utilizar a palavra "subjetividade", evocando menos uma coisa e mais um topos, um lugar, uma morada, um "campo" interior – uma "outra cena" diz Freud, onde as experiências do sujeito são necessariamente confrontadas com a corporalidade e a intersubjetividade. Mesmo assim, aquele substantivo abstrato, ao perder o peso da concretude, não incorporou necessariamente as idéias de descentramentos, processos, construções e desconstruções hoje tão comuns nos discursos sobre esse tema, graça também às contribuições da teoria psicanalítica.

O significante "subjetivação" – do verbo subjetivar-se, fazer-se sujeito, construir-se – permite melhor se distanciar do perigo substancialista e incorporar à noção de sujeito aquela de processo, de "possibilidade de singularização".

Freud, porém, prefere outro "jogo de linguagem": objetiva o sujeito num "aparelho da alma" cuja estrutura e funcionamento descreveu progressivamente em sua metapsicologia: do *Projeto*, ao capítulo VII da *Interpretação dos sonhos* (1900), ao *O ego e o id* (1923), passando pelo famoso artigo sobre "O inconsciente" de 1915.

Uma leitura apressada dessa literatura psicanalítica pode dar a falsa impressão de que, ao questionar a primazia da consciência e da autodeterminação, a psicanálise freudiana reduza o psiquismo (a subjetividade) à interioridade do inconsciente, da vida das pulsões, da busca do próprio desejo, em suma, a um certo solipsismo. Freud, no entanto, foi um pensador lúcido que soube articular como ninguém a relação de conflito entre desejo e cultura. Pode ser situado na seqüência dos grandes médicos da alma que se compadeceram do sofrimento humano. À diferença, porém, de Buda, Epicuro ou Schopenhauer para citar apenas alguns, Freud soube situar a infelicidade humana também numa dimensão histórico-cultural: o mal-estar na cultura.

É verdade que esse mal-estar parece ser mais o da e na modernidade e que hoje vivemos num novo contexto cultural. Todavia, há um "mal-estar pós-moderno" que dificilmente pode ser compreendido sem que seja pelo menos confrontado com o mal-estar de que ele nos fala. Se este era decorrente de certa renúncia a uma maior liberdade em troca do benefício da segurança, será o da pós-modernidade decorrente de uma renúncia à segurança em favor de uma maior liberdade? Ou teríamos apenas acrescentados novas formas de sofrimento àquelas herdadas da modernidade?

Responder a essas perguntas exige retornar aos textos freudianos que de uma maneira mais direta tematizam as relações entre os indivíduos-sujeitos e grupos ou exigências culturais. É o que podemos chamar de discurso metacultural de Freud, na medida em que focaliza não tanto apenas aspectos isolados da cultura, mas ela mesma como um todo, como o grande Outro ao qual o indivíduo-sujeito está de tal forma "assujeitado" a ponto de comprometer seriamente sua saúde física e psíquica.

Nesse sentido, destacamos especialmente os textos *Moral sexual "civilizada" e doença nervosa moderna, Totem e tabu, Psicologia de grupo e análise do Ego* e *O mal-estar na civilização.*

Uma abordagem genética dessa literatura nos permite compreender melhor o pensamento freudiano sobre a cultura, na medida em que a reformulação nos fundamentos de seu edifício teórico – a metapsicologia – exigiu reestruturações nos andares superiores, cujos marcos principais podem ser condensados e visualizados na metáfora do "piquenique psicanalítico", no mito "científico" do pai primevo, na parábola dos porcos-espinhos e na dramaturgia da luta de gigantes.

A teoria freudiana da cultura

O piquenique psicanalítico

O primeiro texto, de 1908, se abre e fecha de uma maneira significativa ou casual com as citações das idéias de um professor de filosofia, Christian Von Ehrenfels. Preferimos destacar o fato ao ignorá-lo pela simples razão da conhecida aversão habitual do fundador da psicanálise para com a filosofia e os filósofos. Espero que essa inesperada "afinidade eletiva" entre psicanálise e filosofia anime nossa reflexão sobre alguns pontos de interesse comum.

Modernidade, filosofia e psicanálise

Moral sexual "civilizada" e doença nervosa moderna deve ser lido na seqüência do projeto iluminista. Trata-se de um texto ao mesmo tempo filho e consciência crítica da modernidade.

Ele é fruto da modernidade pelo discurso construtivo-reformador que o perpassa. A razão, a ciência liberta. O novo saber produzido pela psicanálise sobre a sexualidade humana, a partir do estudo das neuroses, pode libertar os neuróticos de seu sofrimento e a cultura de sua irracionalidade.

É consciência crítica por tratar-se de uma análise-denúncia, um discurso crítico-desconstrutivo da repressão excessiva exercida pela cultura sobre a sexualidade, ao mesmo tempo em que revela o duplo descentramento e assujeitamento de cada ser humano ao "outro" do mundo pulsional por uma sexualidade polimorfa que o domina e do mundo cultural com suas exigências, ideais e interdições.

Após ter criticado o excessivo moralismo que normatiza a polimorfia da sexualidade humana, era de se esperar que Freud, em nome da ciência psicanalítica, apontasse algumas alternativas. O texto, porém, se encerra um pouco abruptamente, não reconhecendo ao médico a atribuição de propor reformas, mas apenas de defender a necessidade de tais reformas, considerando que a "moral sexual civilizada" é responsável pelo aumento da "doença nervosa moderna".

Mas, afinal, o que há de tão escandaloso nessa análise e nessa proposta? Por que a psicanálise foi acusada de ser uma "inimiga da cultura"?

A problemática da sexualidade na cultura

Aparentemente, nada há de excepcional para legitimar uma resistência da cultura à psicanálise. Freud fala em "reformas" na seqüência do professor de filosofia Von Ehrenfels, a quem tinha anteriormente caracterizado como alguém animado "por amor à verdade e zelo reformador". No entanto, é exatamente esse "amor à verdade" que leva Freud a propor indiretamente uma nova ética sexual, aparentemente menos elevada, mas certamente mais honesta, na medida em que sugere que os indivíduos seriam mais saudáveis se lhes fosse possível serem menos bons (Freud 9, p. 197).

Ao questionar uma instituição como o matrimônio monogâmico, tão cara à religião e à sociedade burguesa, Freud retira a sexualidade do registro moral da obediência aos usos e costumes de uma determinada comunidade e a inscreve no campo da ética e de uma dupla história: a das vicissitudes das pulsões sexuais na pequena história de cada indivíduo e a das interdições na grande história da cultura. Isso pode dar a impressão de que no conflito entre norma e desejo, obediência e transgressão, proveito cultural e satisfação sexual, Freud advogue em defesa do homem sofredor contra a "óbvia injustiça" da cultura que "exige de todos uma idêntica conduta sexual". Não estamos condenados a escolher apenas entre desejo insatisfeito, infidelidade, neurose, perversão e hipocrisia. O amor à verdade e o zelo reformador nos podem libertar.

Além da hipocrisia e intolerância

A metáfora que pode caracterizar essa primeira teoria freudiana da cultura é a do piquenique no campo de "senhoras e cavalheiros de bom convívio social" de que nos fala em *As perspectivas futuras da terapêutica psicanalítica* (Freud 10, p. 134), um texto nascido da euforia da expansão do movimento psicanalítico.

As senhoras tinham combinado entre si que a senha para ir satisfazer suas necessidades fisiológicas seria a expressão "ir colher flores". No entanto, um sujeito malicioso descobriu o segredo, mandou imprimir e fez circular no grupo o seguinte aviso: pede-se às senhoras que desejam ir à toalete que anunciem que vão colher flores. O que vai ocorrer diante dessa revelação? As senhoras admitirão com naturalidade suas necessidades fisiológicas e nenhum homem estranhará. Moral da estória: o piquenique representa a cultura; a senha, a hipocrisia neurótica; a pessoa maliciosa o psicanalista que a desmascara. Com o crescimento da autoridade social da psicanálise (aumento da transferência positiva), não era um sonho utópico acreditar que a neurose pudesse ser erradicada da cultura e a sexualidade ser vivenciada de uma maneira menos "civilizada" e mais "natural".

Teses ultrapassadas?

Diante da revolução sexual que se operou no séc. XX com a invenção da pílula, o avanço do feminismo, as mudanças culturais proporcionadas pela própria psicanálise na área da sexualidade e tendo presentes os desdobramentos posteriores da teoria psicanalítica da cultura, poderia parecer legítimo abandonar esse texto a uma mera curiosidade histórica. As resistências à psicanálise, hoje, não se dão por ela ser uma "jovem ciência", mas por ter envelhecido, na medida em que pensou o indivíduo e seu mal-estar numa sociedade monogâmica e de capitalismo industrial, diferente da nossa, com novas formas de laços sociais muito mais diversificadas e flexíveis.

No entanto, além da proposta ética acima explicitada, há uma atualidade inegável. A "revolução sexual" talvez não tenha sido nem tão profunda, nem tão ampla, nem tão douradora se considerarmos as críticas dirigidas a Freud por ter abandonado indevidamente a tese da sedução real, o recrudescimento no cenário cultural norte-americano, especialmente a partir das últimas décadas, de um neomoralismo tanto de direita de cunho religioso quanto de esquerda relacionado com o movimento feminista[1], a transferência da problemática sexual de um sistema normativo para o de mercado (Rouanet 19, pp.135-64).

De qualquer maneira, se há, de fato, certa visão "otimista", não vai demorar em se alterar quando Freud se defrontar, em *Totem e tabu*, com o assassinado do Pai da horda primitiva.

"No princípio era o Ato"

É com essa frase de Göethe que Freud encerra sua ousada incursão nas origens da cultura, em *Totem e tabu* (Freud 11). O ato, nesse caso, é o crime de parricídio efetivamente praticado pelos filhos que integravam a horda primitiva, trágico ato fundador da sociedade, da moral, da religião, da arte, e que deixou marcas indeléveis na história humana.

Sujeito e cultura: uma confrontação

Nesse texto de 1913, a teoria freudiana da cultura parece tornar-se mais sombria; todavia, há um aspecto que não pode ser menosprezado quando a confrontamos com os textos anteriores sobre o assunto.

---

[1] Cf. Rouanet 20

Se, de fato, em *Moral sexual "civilizada" e doença nervosa moderna* Freud situava a origem do mal-estar fora dos indivíduos, na cultura com suas exigências excessivas de renúncia das pulsões de seus membros, agora, apenas quatro anos depois, a renúncia e o "mal-estar" se inscrevem na própria estrutura do sujeito como efeito de culpabilização pelos desejos incestuosos e parricidas. Na primeira teoria da cultura, o sujeito que sofre, o neurótico, é percebido como vítima de uma cultura má, excessivamente exigente. Torna-se necessária uma reeducação e uma reforma da cultura à luz das descobertas da psicanálise a respeito do inconsciente e da sexualidade. Já na segunda, é o sujeito com suas pulsões eróticas e agressivas o perigo número um, e a cultura é vista positivamente. Graça aos seus mecanismos de recalque e sublimação, a altura poderá neutralizar e canalizar tais pulsões para o bem do sujeito e da própria comunidade.

Entretanto, é preciso reconhecer que, por certos aspectos, *Totem e tabu* projeta sobre toda a história da cultura a sombra sinistra da experiência de um mal-estar, de um negativo de difícil transposição: crime (parricídio), castigo (culpa) e renúncia cultural, pelo recalque, às pulsões eróticas e agressivas.

Essa leitura de *Totem e tabu* é possível e legítima, mas seria tendenciosa se ignorássemos o lado luminoso que encerra, a ponto de – parafraseando Agostinho – podermos dizer do crime praticado pelos irmãos: *Oh, felix culpa!* Esse aspecto não está evidenciado e tematizado em *Totem e tabu,* mas na correspondência com Einstein, *Por que a guerra?* (Freud 14).

Função paterna e função fraterna

Ao retomar essa "estória", Freud nos diz que, nessa horda primitiva, a força bruta do pai foi esmagada pela união dos filhos. E como seria possível essa união sem Eros? Como divinizar o pai se, aninhado no ódio, não se escondesse um sentimento de amor, nem que seja na forma de identificação com aquele que podia realizar sem restrições seus impulsos sexuais e agressivos? Antes, portanto, do crime, da violência contra o pai, há uma erótica filial, junto com uma erótica fraternal de natureza homossexual – diz Freud – e uma erótica incestuosa que os incita na conquista de suas próprias mães e irmãs.

Na realidade, para Freud, esse erotismo talvez não seja o único elemento que anima essa revolta, ao postular também a invenção de uma nova arma. Todavia, é possível discordar dele e afirmar: no princípio não era o Ato, mas o Eros (Dadoun 6, p. 410-20). Não haveria, portanto, um "crime horrendo" na origem desse acontecimento pré-histórico, mítico ou fantasiado, mas um processo de erotização criador capaz de fazer história, de encontrar outras saídas que vão além da mera compulsão à repetição de uma condição humana vivida sob o signo da tirania, da castração despótica, da exclusão do grupo. É essa função fraterna que é preciso também ter presente para pensarmos nossa história e cultura (Kehl 17).

Em *Totem e tabu*, essa função fraterna é celebrada no banquete totêmico que consolida a comunhão dos irmãos pela vitória sobre o pai assassinado, figura temida, mas também intensamente desejada e incorporada. A sociedade de irmãos, portanto, se equilibra e sustenta na igualdade fundamental, na medida em que a todos é interditado ocupar o lugar do *pai assassinado* para não reeditar o despotismo das origens. Ao mesmo tempo, trata-se de uma igualdade na diferença, na medida em que a figura do pai morto, representante dos valores, ideais, leis indispensáveis à civilização, possibilita que cada um possa construir um destino próprio nos limites do campo simbólico delimitados por ele.

Trata-se, porém, de um pacto civilizatório frágil. Há um resíduo, um núcleo duro de resistências à nova sociedade e à cultura nascente. Persiste o desejo de ocupar o lugar interditado do pai assassinado, desejo que se torna mais perigoso para a cultura quando coincide com a demanda de proteção dos outros. Freud vai retomar esse tema alguns anos mais tarde, em *Psicologia de grupo e análise do ego* (Freud 12, pp. 89-90).

A parábola dos porcos-espinhos

Espremido entre *Totem e tabu* [1913] e *O ego e o id* [1923], o "pequeno livro" de 1921, *Psicologia das massas e análise do ego*, não teve a mesma ressonância. No entanto, possui peculiar importância, não apenas pelos aspectos políticos do texto. Ao explicar a psicologia das massas a partir da psicologia da mente individual, o livro se constitui um ponto de convergência dessas teorias e de antecipação de uma nova tópica que começa a se delinear para explicar a estrutura e o funcionamento do aparelho psíquico (id, ego, superego).

A tese de Freud é que a massa se organiza e se estrutura a partir de um duplo processo: instalação de um mesmo objeto externo – o líder do grupo – no lugar de seu "ideal do eu" e identificação recíproca. Nesse sentido, a transformação psíquica do indivíduo na massa é produto de uma redução do narcisismo de cada um dos membros em função da instalação do mesmo líder como "ideal do eu" e do vínculo amoroso que se estabelece entre os pares, funcionando como compensação pela renúncia narcísica.

E, finalmente, acrescentando o que Freud vai desenvolver a partir do capítulo IX: o indivíduo na multidão regride, de alguma maneira, a um modelo infantil e arcaico de funcionamento, na medida em que o homem é "um animal de horda, uma criatura individual numa horda conduzida por um chefe" (Freud 12, p.147).

O homem: animal gregário ou de horda?

Se perguntarmos pela continuidade ou descontinuidade desse texto com os anteriores sobre a cultura, a resposta freudiana seria certamente pela continuidade. A sociedade humana – e, dentro delas, os inúmeros grupos ou multidões que venham a se constituir de uma forma espontânea ou institucional – é um desdobramento no tempo daquela primeira experiência originária descrita em *Totem e tabu*. Trata-se de uma "herança filogenética", um traço constitutivo da dimensão social do homem, de modo que os vários agrupamentos sociais são uma regressão à estrutura da horda, uma reedição daquela experiência.

Assim como há uma continuidade fundamental entre a mente do homem primitivo, do neurótico, da criança e, de alguma maneira, do homem dito normal, também é possível reconhecer na vida grupal (micro, macro, espontânea e institucional) do homem contemporâneo a "persistência" da horda originária. Há, sim, uma estrutura comum que perpassa essas formações sociais, porque – conforme a formulação lapidar de Freud – "o homem é um animal de horda".

Teoria reacionária ou crítica?

O que mais se recrimina em Freud é a insistência em privilegiar o eixo vertical para compreender o social e o político, desconsiderando outros modelos. Não seria possível uma teoria do poder do grupo sem chefe? Ao afirmar a primazia do laço afetivo com o líder sobre aquele mantido entres os membros da multidão, parece que Freud simpatiza com a teoria do poder do chefe sobre o grupo.

Talvez esse paradigma não dê conta das variadas e novas formas de lideranças e expressões democráticas surgidas na contemporaneidade, até como forma de contestação desse tipo de autoridade, mas vale para entendermos as razões de certa nostalgia ou forte desejo por um líder salvador, messiânico, que nos proteja de todas as diferenças e de todos os diferentes que já foram chamados de bárbaros, selvagens, negros, judeus, comunistas, imperialistas e que hoje atendem pelo nome de terroristas.

Não podemos reduzir a hermenêutica de um texto às intenções do autor, mas trata-se de um elemento do qual não podemos prescindir, especialmente nos escritos de Freud, um pesquisador que testou sobre si próprio (auto-análise) as hipóteses explicativas da psicanálise e tentou pautar-se por elas na sua conduta. Nesse sentido, pode ser mera coincidência – mas que não deixa de ser significativa – o fato de que na cartinha a Romain Rolland, em 4.3.1923, que acompanha a remessa do livro *Psicologia das massas e análise do* ego, ele tenha escrito:

> Grande parte do trabalho da minha vida [...] foi passada [na tentativa de] destruir as minhas ilusões e as da humanidade. Mas se essa esperança não puder pelo menos em parte ser realizada [...] que espécie de futuro nos aguarda? Certamente é bem difícil manter a continuação da nossa espécie no conflito entre a nossa natureza instintiva e as exigências da civilização. (Freud 13, pp.398-9).

É legítimo, portanto, supor que também nesse livro Freud se tenha proposto a missão iluminista de libertar os indivíduos e a humanidade da ilusão para devolver-lhes a difícil tarefa de assumir sua singularidade sem perder-se na alienação da massa.

Afinal, afirma com todas as letras que é uma *ilusão* – algo da ordem do desejo – o que leva os membros de um grupo, multidão ou instituição a acreditar que são amados de modo igual e justo pelo líder Pai. O ser social do homem é vivido na massa como um sonho acordado. Há uma vida libidinal que regride às experiências arcaicas do indivíduo (infância) e da espécie (filogênese). Pai da horda originária, Pai da infância e Líder acabam se sobrepondo, se confundindo e nos infantilizando. Há um desejo que perpassa os grupos e que é um desejo de autoridade. A multidão, dirá Freud, é ávida, tem sede de autoridade e, conseqüentemente, de submissão.

Diante do poder sedutor, quase hipnótico, do líder e das massas, "depósito herdado da filogênese da libido humana", parece que não há como pensar a liberdade e a singularidade. No entanto, a descrição freudiana da estrutura dessa massa-sociedade, fundada e mantida na ilusão, permite criticar justamente os valores que ela mais preza (o chefe e a autoridade) evidenciando os aspectos críticos e propositivos presentes na análise freudiana do fato social.

O outro (alteridade) e o eu (singularidade)

À massa ou ao indivíduo enredado no seu desejo ilusório, Freud contrapõe uma *singularidade* animada por um inconformismo que pode chegar à revolta para atingir sua liberdade. A passividade, a resignação, o conformismo, a obediência não são um destino ao qual estamos condenados na nossa vida em grupo, a despeito de nossa "identidade" se constituir do precipitado de inúmeras identificações.

Para não correr o risco de fazer dizer a Freud o que é mais nosso desejo do que fidelidade ao texto, registramos, antes de tudo, a seguinte afirmação inequívoca:

> Cada indivíduo, portanto, partilha de numerosas mentes grupais – as de sua raça, classe, credo, nacionalidade etc. – podendo também elevar-se sobre elas, na medida em que possui um *fragmento de independência e originalidade.* (Freud 12, p. 163, grifo meu).

Além de afirmações isoladas e casos pessoais, Freud nos oferece também uma psicologia individual, presente mais no "Pós-escrito" do que nos onze capítulos precedentes.

O sujeito singular, que Freud opõe à multidão deve ser procurado do lado da revolta dos irmãos, onde se encontra a possibilidade da emergência de singularidades livres. Esse processo de individualização, de singularização, passa, na análise de Freud, pelo mito, pela poesia, pela figura do herói. O indivíduo que primeiro emerge da psicologia do grupo é o poeta-herói que, por meio de sua imaginação, conta suas façanhas do assassinato do Pai como se tivesse sido uma empresa solitária.

Talvez, como seqüela desse primeiro poeta-herói, capaz de verbalizar e dar sentido à ação, se abra para os membros de qualquer grupo, associação, multidão ou instituição o espaço de certa solidão heróica que lhe permita ser ao mesmo tempo *si mesmo* e *com os outros*, naturalmente mais como uma tarefa infindável do que uma conquista permanente. Afinal, a ilusão que alimenta os grupos, por ser filha do desejo, partilha da indestrutibilidade do pai que a gerou. Nesse sentido, esse modelo aristocrático de sujeito não resiste ao desafio real da comunidade humana, simbolizada na famosa alegoria dos porcos-espinhos.

Os impasses

Freud simpatiza com o apólogo schopenhaueriano (Freud 12, p. 128 e nota 1). Certamente simpatiza menos com a compaixão para com o outro de que fala o "solitário de Frankfurt", se considerarmos as duras críticas dirigidas ao mandamento do amor ao próximo. Essa parábola ilustra o drama – para não falar a tragédia – que perpassa o laço social entre os homens. Esse drama é necessário, porque o desamparo individual e grupal frente à insensibilidade do mundo o exige; é dolorido, porque nada garante que o grupo humano consiga encontrar um equilíbrio entre as exigências de felicidade individual e as exigências comunitárias, tal como figurado em *O mal-estar na civilização*, na bonita imagem do planeta que roda em torno de um corpo central, ao mesmo tempo em que gira em torno de seu próprio eixo (Freud 13, pp.165-6). Nesse sentido, talvez seja até possível sonhar com uma convivência menos trágica dos porcos-espinhos sem precisar renunciar a seus espinhos nem utilizá-los para se espetar uns aos outros de uma maneira sádico-masoquista. Trata-se, naturalmente, de um sonho entendido mais como horizonte do que como meta histórica, porque, afinal, há uma luta de gigantes em curso, com desfecho imprevisível.

A luta de gigantes

No famoso texto de 1929-30 – *O mal-estar na cultura* – Freud retoma uma série de temas culturais já anteriormente abordados e os articula em torno da busca das causas que determinam nosso descontentamento e infelicidade na civilização.

A resposta é formulada através de um duplo discurso, que se articula inicialmente com a figura mítica de Eros e, depois, com a de Thánatos. O primeiro gira em torno de uma erótica. O mal-estar decorreria das proibições da cultura ao incesto e à sexualidade polimorfa e perversa, bem como das restrições à própria sexualidade genital, de fato mais tolerada do que permitida. As tensões entre indivíduos e cultura são reais, mas não parecem totalmente intransponíveis. A partir do capítulo V, com a introdução, a partir do cap. V, do mandamento absurdo de amar o próximo, que irrompe o irracional da agressividade e da destrutividade. A pulsão de morte, uma "pulsão original e auto-subsistente", ameaça irremediavelmente a possibilidade de felicidade dentro da cultura. O mal-estar é o preço que se deve pagar para que a civilização se torne possível e se desenvolva; decorre de um sentimento de culpa inconsciente, filho de uma agressividade que a cultura, pelo superego cultural, consegue colocar a serviço de Eros, devolvendo-a contra o próprio indivíduo.

Em suma, Freud mostra-nos que a felicidade não está inscrita nos planos da criação e que o destino do homem está mais próximo da infelicidade, cujas causas devem ser procuradas num mundo sem Providência, numa cultura sem tolerância e na natureza das próprias pulsões sem satisfação plena possível.

O mundo desencantado, porém, não é apenas um mundo vazio de Deus e da consolação que o acompanha. É também o mundo habitado por um mal radical evidenciado pela pulsão de morte. Daí resulta o caráter dramático da existência humana. A luta para se manter na existência e na coexistência não é apenas contra uma realidade cega chamada Destino, mas também contra uma realidade que atende pelo nome de Agressividade, Destrutividade, Crueldade, Ruindade.

Sem deuses, abandonados ao desamparo fundamental que caracteriza a existência humana, é no campo da ética que se trava a batalha decisiva da civilização. A ética é a tentativa terapêutica de lidar com o ponto mais doloroso dessa existência, o das relações entre seres humanos. No entanto, Freud se recusa a apontar saídas ou levantar-se como um profeta diante de seus semelhantes. Cada um terá que encontrar sua própria salvação para enfrentar a dureza da vida e ninguém pode garantir que Eros leve a melhor sobre Thánatos.

Essa visão não conduz Freud a uma revolta metafísica ou a uma cansada resignação, mas a um verdadeiro engajamento ético. Algumas pistas podem ser inferidas do texto de *O mal-estar*. Freud não é um asceta, nem um moralista, nem um anárquico. Entre a lei e o desejo, coloca-se em defesa do desejo, mas não contra a lei. Sugere, porém, que se diminua rigidez do superego cultural e, conseqüentemente, das exigências éticas, para que se tornem mais compatíveis com a realidade do psiquismo humano. Parodiando uma célebre frase dele – "onde havia id deve advir Ego" (Freud 14, p. 102) – poderíamos resumir a proposta freudiana em *onde havia superego cultural deve advir o ego.*

Essa leitura "afirmativa" que fizemos tanto de *O mal-estar na cultura* quanto dos textos correlacionados é legítima porque a virtualidade dos textos a possibilita. Mesmo assim, surge naturalmente a pergunta sobre a validade das análises e dos prognósticos psicanalíticos freudianos para a nossa "modernidade líquida" (Bauman 2).

Considerações finais: O mal-estar na atualidade

Em todos os escritos analisados, há um fio vermelho que os perpassa e os ilumina ou, se preferirmos outra metáfora, um *leitmotiv* que se repete qual bolero de Ravel: a horda primitiva, a tirania do Pai da horda, a revolta dos irmãos, o assassinato do pai, o complexo de culpa, o recalque do crime, a divinização do Pai, o estabelecimento dos dois principais tabus morais – parricídio (recalque das pulsões agressivas) e incesto (recalque das pulsões sexuais) – compõem, enfim, o nascimento da sociedade com suas instituições básicas – a religião, a moral, o sistema de trocas das mulheres, a arte (narrações, figurações, representações da saga da horda).

Dessa maneira, o complexo de Édipo parece se constituir como a construção teórica que resolveria todos os problemas da existência humana. Trata-se de construção teórica sem dúvida fascinante e sedutora. No entanto, o modelo do recalque e o paradigma edipiano – na opinião de alguns psicanalistas – chegaram a certo impasse para poder explicar as nossas formas de sofrimento e de subjetivação (Costa 5, pp.7-30) ou, nas palavras de Joel Birman, a psicanálise sofre de "certa insuficiência de instrumentos interpretativos" para dar conta das novas modalidades de inscrição das subjetividades no mundo atual (Birman 4, pp.15-6).

O que mudou do tempo de Freud para o nosso para se poder colocar em questão o que ele considerava uma das "pedras fundamentais" da psicanálise?

Se aceitarmos a divisão proposta pelo historiador Eric Hobsbawm (16) para o nosso "breve século XX", os textos de Freud sobre a cultura foram escritos num período que ele denomina de "Era da catástrofe" (1914-45), à qual sucedeu a "Era de ouro", uns vinte cinco ou trinta anos de extraordinário crescimento econômico e transformação social. Aos anos dourados, sobreveio a "Era da crise e da incerteza" (1970-91).

Nas últimas décadas, de fato, o mundo conheceu macromudanças político-econômico-culturais que desaguaram no fenômeno complexo e ambivalente da globalização. Junto com a produção e circulação de bens materiais e simbólicos sem precedentes, gerou-se uma sociedade de excluídos, com suas manifestações depressivas e/ou agressivas conforme o sentimento de impotência ou de revolta vivenciados por cada um.

Fala-se de uma cultura narcísica (Lasch 18) e do espetáculo (Debord 7), de uma "subjetividade rasa", de uma sociedade depressiva que prefere curar as doenças do espírito por uma terapia medicamentosa, de um mal-estar na pós-modernidade (Bauman 1), de um mal-estar na atualidade (Birman 4).

Ao lado do discurso médico-científico das neurociências, a sociedade de massa e de consumo veicula seu próprio discurso redutor da subjetividade à exterioridade corporal; também se fala da intensidade e transitoriedade das sensações e relações afetivas (Bauman & Medeiros 3). A paranóia terrorista e os interesses de governos e grandes corporações parecem reduzir cada vez mais o espaço de privacidade, tornando os sujeitos cada vez mais vigiados e normatizados. Nossas democracias liberais e de mercado, enfim, proclamam a autonomia econômica, jurídica, política e simbólica do sujeito, mas com a perda de referências e esgotamento dos discursos legitimadores (religioso, político, ideológico), somos intimados a nos inventar, criar e recriar, ser si próprios e livres dentro de uma cultura que parece não mais oferecer grandes modelos identificatórios consensuais.

Talvez seja por causa disso tudo que a pergunta pelo humano se recoloca com toda sua dramaticidade. Os psicanalistas se interrogam e buscam as alternativas teórico-clínicas que dêem conta das novas demandas. A psicanálise, na virada do século e do milênio, foi como que obrigada a deitar-se no divã, que ela própria inventou, para falar de si mesma e de suas inquietações, especialmente relativas a uma provável resistência – agora – da psicanálise à cultura (Derrida 8).

A "psicanálise aplicada" de que falava Freud cedeu lugar à psicanálise clínica. Rouanet se pergunta se a psicanálise aplicada não seria agora a que se pratica nos consultórios, enquanto a primária e essencial deveria ser a que analisa as patologias coletivas que, em grande parte, determinam as neuroses individuais tratadas nos consultório.

Essa inquietação entre os psicanalistas deu origem, nos últimos anos, aos Estados Gerais de Psicanálise, cujo segundo encontro mundial se realizou no Brasil em outubro de 2003.[2] Muitos desafios teórico-clínicos foram evidenciados.

Pensar o racismo, a discriminação, os massacres contra as minorias étnicas, lingüísticas e religiosas, as guerras imperialistas, o terrorismo inclusive de estado, a tortura, a pena de morte e a violência em geral, onde a pulsão agressiva individual se confronta com as estruturas de poder, elas também portadoras de uma violência institucionalizada.

Pensar a sexualidade na era da pílula, do amor livre, da pornografia na internet, de novas formas de amar, do movimento gay e lésbico, de novas formas de procriar (bebê de proveta e clonagem); a família e as novas formas de laços sociais; os problemas das afirmações radicais das identidades ou das diferenças, na contramão do pensamento universalista de Freud, mais preocupado em derrubar barreiras do que em levantar muros entre os homens.

Pensar o mal-estar, a dor, o sofrimento, a tragédia numa sociedade interligada por uma rede de comunicação que transforma em espetáculo para os privilegiados a "dor dos outros", causando, muitas vezes, apenas uma indignação emocional, sem mostrar como aquele mundo desumano pode estar perversamente conectado com o bem-estar e gozo do próprio telespectador (Sontag 21).

Pensar o ressurgimento de fundamentalismos de todos os matizes, não apenas islâmico, mas também o judaico e o cristão (basta pensar em certas correntes do protestantismo norte-americano e suas cruzadas contra o comunismo, feminismo, homossexualismo etc), junto com a proliferação surpreendente de seitas após a proclamação da "morte de Deus", desmentindo o modesto otimismo freudiano quanto ao "futuro de uma ilusão".

Responder a essas questões, porém, é também o desafio de sociólogos, cientistas políticos, economistas, médicos e, principalmente, dos profissionais da filosofia. É provável que nenhum discurso, tomado isoladamente, consiga dar conta da complexidade dos fenômenos

---

[2] Cf. os textos do evento no site www. estadosgerais.org/mundial_rj

envolvidos, mas todos eles podem lançar alguma luz para compreender melhor nosso mal-estar contemporâneo. É nesse sentido que, ao encerrar sua fala no II Encontro Mundial de Psicanálise, Rouanet propunha um "retorno a Freud" num sentido diferente do lacaniano: um retorno ao Freud que se preocupava também com o futuro da civilização, que apostava no iluminismo (mesmo que a aposta não estivesse garantida de antemão), mas que jamais veria na aliança com a pulsão de morte uma estratégia legítima para solucionar os conflitos entre os homens.

Penso que voltar aos mitos trágicos, antigos ou novos, de que nos fala Freud (Édipo, Narciso, o Pai assassinado, Eros, Ananke, Thánatos) é um exercício salutar para nossa atividade filosófica. Esses mitos podem e devem ser "desconstruídos", mas continuam a nos relembrar a difícil e inalienável tarefa ética de construir – intelectual e existencialmente – uma vida "boa", com os outros, com todos os outros, em instituições justas, num mundo ecologicamente respeitado e compartilhado, com nossa geração e com as gerações futuras.

Referências bibliográficas

1. BAUMAN, Zygmunt. *O mal-estar da pós-modernidade*. Rio de Janeiro: Jorge Zahar, 1998.
2. ——. *Modernidade líquida*. Rio de Janeiro: Jorge Zahar, 2001.
3. ——. *Amor líquido*. Rio de Janeiro: Jorge Zahar, 2004.
4. BIRMAN, Joel. *Mal-estar na atualidade*. Rio de Janeiro: Civilização Brasileira, 1999.
5. COSTA, Jurandir Freire. "Playdoier pelos irmãos". In KEHL, M. R. (Org.). *Função fraterna*. Rio de Janeiro: Relume Dumará, 2000.
6. DADOUN, R. *Freud*. Lisboa: Dom Quixote, 1986.
7. DEBORD, Guy. *A sociedade do espetáculo*. Rio de Janeiro: Contraponto, 1997.
8. DERRIDA, Jacques. *Estados-da-alma da psicanálise. O impossível para além da soberana crueldade*. São Paulo: Escuta, 2001.

9. FREUD, S (1908). *Moral sexual "civilizada" e doença nervosa moderna.* Vol. IX da ESB.

10. ———. (1910) *As perspectivas futuras da terapêutica psicanalítica.* Vol. XI da ESB-Edição Standard Brasileira das Obras Completas de Sigmund Freud. Rio de Janeiro: Imago, 1986.

11. ———. (1913) *Totem e Tabu e outros trabalhos.* V. XIII da ESB.

12. ———. (1921) *Psicologia das massas e análise do ego.* V.ol XVIII da ESB.

13. ———. (1930) *O mal-estar na Civilização.* Vol. XXI da ESB.

14. ———. (1933) *Por que a guerra?* Vol. XXII da ESB.

15. ———. *A dissecação da personalidade psíquica.* In Vol. XXII da ESB.

16. HOBSBAWM, Eric. *A era dos extremos*: o breve século XX: 1914-1991. São Paulo: Companhia das Letras, 1995.

17. KEHL, Maria Rita (org.). *Função fraterna.* Rio de Janeiro: Relume Dumará, 2000.

18. LASCH, Christopher. *A cultura do narcisismo.* Rio de Janeiro: Imago, 1984.

19. ROUANET, Sérgio Paulo. "O impacto da psicanálise na cultura e da cultura na psicanálise". In: ____. *Interrogações.* Rio de Janeiro: Tempo Brasileiro, 2003.

20. ———. *Psicanálise Cultura.* Disponível em:< http://estadosgerais.org/mundial_rj/port/cb_c_rounet.htm >. Acesso em: 27.10.2004.

21. SONTAG, Susan. *Diante da dor dos outros.* São Paulo: Companhia das Letras, 2003.

Ontologia negativa em psicanálise:
entre ética e epistemologia

Christian Ingo Lenz Dunker

Professor do Instituto de Psicologia
da Universidade de São Paulo (USP)
e do Mestrado em Psicologia da Unimarco

Ontologia negativa em psicanálise: entre ética e epistemologia

O objetivo deste artigo é explorar algumas relações teóricas e clínicas decorrentes das concepções de real e realidade na obra de Lacan. O argumento central é de que a disparidade entre estas duas noções se desdobra em uma importante tensão, a ser mantida, entre ética e epistemologia, no quadro da apreensão filosófica do tratamento psicanalítico. Salienta-se como a perspectiva assumida pelo programa de uma ontologia negativa permite traçar uma linha de diálogo entre diversos projetos clínico teóricos da psicanálise contemporânea, bem como situar alguns marcos significativos na relação entre psicanálise e filosofia. O artigo levanta ainda duas questões que surgem como significativas para os desdobramentos de uma ontologia do negativo em psicanálise: (1) a sua relação com o paradigma da subjetividade melancólica, que caracteriza o surgimento histórico da psicanálise na modernidade; e (2) a sua relação com os traços distintivos que marcam o pensamento sobre o real nas filosofias do século XX.

Palavras-chave: psicanálise, filosofia, ontologia, clínica

Negative ontology in psychoanalysis: between ethics and epistemology

This paper deals with the relationships between theoretical and clinic instances deriving from Lacan's conception of the *real* and of *reality*. It's main argument is that the disparity between the latter notions is the spring of the insurmountable tensions between *ethics* and *epistemology*, one that a philosophical regard shows to be constitutive of the psychoanalytical practice. Lacan's program of a negative ontology allows us to establish connections between different trends in psychoanalytical thought and practice as well as in general between psychoanalysis and philosophy.

Key words: psychoanalysis, philosophy, ontology, clinic

Por que separar o real da realidade?

Na obra de Freud é possível separar, com razoável precisão, os momentos de teorização metapsicológica dos momentos de teorização clínica. O mesmo não se dá em Lacan. Suas considerações sobre o método de tratamento e suas ilustrações clínicas combinam-se ao longo da obra com uma seqüência de debates e incorporações cruzadas da metapsicologia com a ciência, a filosofia e a arte. Efeito desse cruzamento é o que poderíamos chamar de migração clínica de conceitos. Ou seja, noções tradicionalmente ligadas à teoria do conhecimento são gradualmente trazidas para a prática clínica, assumindo, finalmente, um determinado valor ético, a partir do qual se desdobram em procedimentos clínicos. Por exemplo, em alguns momentos de sua obra Lacan pretende apresentar de forma sintética o trajeto da cura analítica. É o caso de *Além do princípio de realidade* (1936), onde encontramos a seguinte passagem:

> Sua ação terapêutica [do psicanalista], ao contrário, deve ser essencialmente definida como um duplo movimento pelo qual a imagem, a princípio difusa e fragmentada, é *regressivamente assimilada ao real*, para ser *progressivamente desassimilada do real* (interpretação?), isto é *restaurada em sua realidade própria*. Ação que testemunha *a eficiência dessa realidade*. (Lacan 19, p. 89)

O trajeto de *assimilação regressiva ao real* pode ser compreendido como intrínseco ao movimento da transferência. Reforça essa idéia a proximidade estabelecida por Freud entre a transferência e a noção de atualização, como um dos sucedâneos da repetição (Freud 13). Esta não parece ser uma tese concernente aos primeiros momentos do ensino de Lacan, pois ela reaparece em 1964, no contexto de um esforço definicional em torno da transferência, que é concebida então como "a atualização da realidade inconsciente" (Lacan, 1964, p.139).

No segundo momento, encontramos o trabalho de *desassimilação progressiva do real.* Aqui parece tratar-se do esforço empreendido pela interpretação que se apóia na desassimilação ou na separação pela qual se extrai um saber sobre o equívoco da transferência.

O terceiro momento do tratamento psicanalítico é representado, na citação acima, por uma *restauração da realidade própria* da imagem, ou seja, o momento em que essa realidade é reconhecida como simbólica, dotada então de uma certa eficiência. Salientemos que tal desdobramento da noção de realidade encontra-se já em Freud, tanto como um operador metapsicológico, que permite distinguir entre a realidade psíquica e a realidade histórica (Freud 15), quanto como operador clínico:

> Os neuróticos se caracterizam, portanto, por colocar a realidade psíquica (*psychiche Realität*) acima da realidade factual (*faktishe Realität*), reagindo a pensamentos da mesma forma como pessoas normais regem apenas a realidades (*Normalen nur auf Wirklichkeiten*). (Freud 13, p. 89)

Salientemos, na passagem, o uso diferencial de três acepções de realidade: a realidade psíquica, aquela que se mostra em ato na transferência, *a* realidade factual, determinada por consenso ou verificação empírica, e a realidade como efetividade (*Wirklichkeit*). Entre o segundo e o terceiro tipo há uma diferença importante: eles parecem opor uma realidade pensada a partir de seus modos de representação à realidade pensada a partir de seus modos de produção. A solução mais trivial consiste em absorver a realidade psíquica do primeiro caso, confirmando, assim, um certo idealismo na apreensão do inconsciente.

Entre os comentadores de Lacan, essa solução redundou na tese de que há uma oposição simples e irreversível entre realidade e real. Contudo, poucos atentaram para a natureza não simétrica dessa oposição:

> É assim que nós podemos conhecer os fenômenos, mas o ser permanece incognoscível. A tese de Lacan é outra coisa. Certamente Lacan opõe a realidade ao real. [...] o real é estranho à questão do conhecimento, tanto negativamente (não se o conhece), quanto positivamente (ele não é também incognoscível). (Badiou 1, p. 67)

A realidade seria um conceito fraco, de extração epistemológica, signo do intuitivo e do diverso sensível. Toda a sua complexidade e importância presente no texto de Freud (Freud 14) seria, assim, transferida para o conceito de real. Esse esvaziamento da noção de realidade, sua dissociação em relação à noção de real, trai, como pretendemos mostrar, o núcleo mais original da reflexão lacaniana sobre a questão. Ao identificar a realidade com o universo dos fenômenos (a encarnação da estrutura) e o real com a própria estrutura, acaba-se por transformar o pensamento de Lacan em uma espécie de kantismo sem liberdade, ou por hipertrofiá-lo em um estruturalismo ontológico; como afirmou Deleuze, "um real sem atual, um ideal sem abstrato", puro reservatório capaz de engendrar pelo jogo de suas posições e lugares a diferenciação, a seriação e a causação (Deleuze 7, p. 269). Nessa leitura, a realidade psíquica singular é apenas uma atualização do real da estrutura.

Ocorre que a realidade psíquica, se a apreendemos no quadro das transformações propostas por Lacan, examinadas anteriormente, inclui esse traço de realidade efetiva, ou seja, de atualidade. Atualidade, existência, ou ainda atividade, são formas de concepção do real que primam pela asserção de sua positividade. Contrastam com formas de apreensão do real pela negatividade, o que se costuma associar à tradição representacionalista de abordagem do problema e, coextensivamente, a categorias como possibilidade, potência e aparência.

Vê-se, pela asserção de Lacan, que há uma espécie de cruzamento entre as duas séries em sua definição de real. É um argumento central deste artigo que o real em Lacan é abordado intensionalmente pelas vias da negatividade e, no entanto, aproxima-se extensionalmente da realidade como produção de efetividade. Nosso intuito será o de mostrar como esse problema é, simultaneamente, uma questão de interesse filosófico e de relevância clínica. Nosso argumento começa pela idéia de que a noção de realidade esteve no centro das cogitações clínicas de Lacan do início ao fim de seu ensino; ele termina por dizer de que a noção de realidade produz uma espécie de encruzilhada entre ética e epistemologia, cuja solução será mimetizada pela categoria de real.

Da etificação de categorias epistemológicas

Na conferência *Simbólico, imaginário e real* (Lacan 21) encontramos novamente a noção de realidade como ponto de orientação terminal para o tratamento. Aqui Lacan discrimina onze momentos do tratamento psicanalítico, pela combinatória entre as categorias de real, simbólico e imaginário, tomadas duas a duas, e divididas entre ações (simbolizar, imaginarizar e realizar) e ordens (o simbólico, o imaginário e o real). O projeto genérico parece ser o de refazer a *Fenomenologia do espírito* (Hegel 17) na chave da experiência psicanalítica. O momento conclusivo do tratamento, que retoma a estrutura de seu momento inaugural, é assim apresentado como equivalente da realização do simbólico:

> sR [realização do simbólico]: que é, em suma, a finalidade de toda e qualquer saúde, que não é (como se crê) adaptar-se a um real mais ou menos bem definido, ou bem organizado, mas fazer *reconhecer sua própria realidade; em outras palavras, seu próprio desejo.* (Lacan 21 p. 104)

Note-se, nessa passagem, como as referências ao real e à realidade parecem invertidas. O real é sinônimo de uma totalidade organizada e definível ao qual o sujeito não deve ser colocado em relação de adaptação. A realidade aparece ligada ao campo do reconhecimento e ao desejo. Mais do que a tensão entre ideologia e crítica, devemos atentar para a distinção entre uma atividade (a simbolização) e o campo sobre o qual recai ou que se produz nessa atividade (o real). Há aqui um protocolo de subjetivação, aludido pela expressão *reconhecer sua própria realidade*. Ou seja, não é o real como expressão da identidade (*idem*), mas como expressão da propriedade (*proper*), que está em questão. Nessa medida, não haveria lugar para o Um, no sentido da totalidade do Ser, mas apenas para o um, como operatividade ordenadora no contexto da estrutura subjetiva. A unidade ontológica opõe-se assim à efetividade lógica da operação de contagem.

Nesse ponto, a doxa lacaniana acabou por reunir à leitura idealista da noção de realidade psíquica um acréscimo relativista. Desconsiderando, na obra de Lacan, a recorrência do tema do universal em sua tensão com o exame da gramática das formas de negação, há uma interpretação corrente de que o real que interessa à psicanálise não depende nem exige qualquer referência que não a verificada no contexto da transferência.

Afinal, qual a serventia da noção de realidade para a clínica psicanalítica, uma vez que sempre que se trata de final de tratamento vem à tona a noção de realidade ou de real? Isso nos remete a uma virtual teoria da realidade em psicanálise, seu caráter ontológico ou ôntico, e ao problema da natureza das causas que definem tal realidade. Antes que um enfrentamento direto desse problema, o que se observa na teorização clínica de Lacan é que o par de termos real-realidade aparece associado a uma seqüência de noções congêneres de natureza epistemológica: saber, verdade, conhecimento, desconhecimento.

Porém, tais noções, uma vez trazidas para a clínica, rapidamente perdem sua dimensão ligada ao conhecimento e assumem uma dimensão ética. O saber, por exemplo, não está a serviço do conhecimento, apreensão ou representação da realidade, mas da relação intersubjetiva. Por exemplo, o conceito de "sujeito suposto saber", que define a concepção lacaniana de transferência, é utilizado por Lacan em aberta referência à sua extração metafísica aristotélica (Lacan 24). O termo sujeito (*hypokeimenon*) alude alternativamente ao substrato (suposto), aquilo que permanece na transformação, e ao termo lógico sobre o qual se pode atribuir predicados (saber) mas nunca tomado como um predicado (sujeito). Ou seja, a expressão *sujeito suposto saber*, virtualmente, é uma tradução que põe em seqüência os sentidos do termo *hypokeimenon*. Como assinalou Porchat Pereira (30, p. 285) tal termo possui uso ambíguo em Aristóteles, pois designa tanto ser em sentido absoluto quanto ser algo. Ocorre que em Aristóteles essa noção possui a importante função de conectar uma teoria sobre a substância a uma determinada concepção de conhecimento. O sujeito suposto saber lacaniano, ao contrário, é uma noção totalmente inútil do ponto de vista epistemológico. Ele define um modo de relação ético, uma certa experiência amorosa, de desconhecimento ou alienação, mas também um modo de *produção* da realidade, que ultrapassa inclusive as formas ou objetos nos quais tal realidade pode ser reconhecida, simbolizada ou elaborada pelo sujeito. Ou seja, mantém-se a questão do substrato, elimina-se sua função epistemológica e se a substitui por uma atividade ética. É nesse sentido que a transferência é afirmada como conceito pragmático: "Esse pragmatismo é justificado. É que esse manejo da transferência é idêntico à noção dela, e por menos elaborada que seja esta na prática, ela só pode se incluir nas parcialidades da teoria"(Lacan 22, p. 609)

Em outras palavras, a transferência faz equivaler seu conceito à própria ação que a constitui como tal. Ou, ainda, a concepção que se tenha da transferência, por mais falsa ou equivocada que seja, faz parte do próprio fenômeno da transferência, chamemo-la por este nome ou não. Assim, ela inclui uma espécie de ilusão epistemológica (sujeito suposto saber) e a própria realidade que esta traz consigo, mas ela não é em si mesma cognoscível nem incognoscível. Disso resulta a dificuldade de sua integração teórica.

Um mapa da psicanálise

A afinidade entre o tema da realidade e o projeto clínico envolvido no tratamento psicanalítico reaparecerá na obra de Lacan no artigo "Da psicanálise e suas relações com a realidade" (24). Por que Lacan teria empregado a palavra realidade nesse momento de sua obra, em que a noção de real aparece tão bem delineada e, supostamente, em oposição simples e direta com a noção de real? A tese do artigo é de que o tratamento envolve uma experiência que se desdobra em uma tripla divisão subjetiva: saber, verdade e gozo. Essa divisão, uma vez *realizada*, marcaria o final do tratamento.

> Quanto à realidade do sujeito, sua imagem de alienação, pressentida pela crítica social, se revela enfim por desenrolar-se entre o sujeito do conhecimento, o falso sujeito do "eu penso", e este resíduo corporal em que penso haver encarnado suficientemente o Dasein para chamá-lo pelo nome que ele deve a mim: ou seja, o objeto *a*. (Lacan 25, p. 357)

Estamos em um momento no qual Lacan está delineando mais claramente sua estratégia com relação ao tema da realidade. Há, por um lado, o falso sujeito, o sujeito do conhecimento; de outro, a questão do objeto e do ser. Sobre esse par aplica-se uma gramática particular da negatividade, uma negação da universalidade que não é proporcional à negação existencial: não sou onde penso, penso onde não sou. Contudo, há uma leitura simplesmente dualista desse resultado, uma leitura pela qual se afirmará simplesmente a incomensurabilidade entre duas "não-substâncias". Desejo e gozo, sujeito e linguagem, saber e verdade são figuras que podem ser absorvidas nesse dualismo. Ocorre que é precisamente nesse ponto que Lacan reafirmará seu monismo materialista com o conceito de real. O real não é a contradição ou mistura dessas duas não-substâncias, mas a negatividade que se deduz logicamente da apreensão da realidade. O real não se opõe nem ao sensível nem ao inteligível, mas os presume.

Essa é a direção sugerida pelo trabalho de Ménard (29), que situa a negatividade como caminho para a saída da ontologia. É pela análise das estratégias de negação da realidade, pela distinção entre formas boas e ruins de negação, pelo exame dos modos próprios e impróprios de exclusão, que o problema da ontologia poderia ser contornado em psicanálise.

> A negação não tem relação com o não-ser, ela tem relação com a diferença entre ser excluído e existir. Perguntar-se-á se ainda existe um denominador comum entre a abordagem filosófica da questão do ser, a abordagem lógica da questão da existência e a abordagem psicanalítica do real. (Menard 29, p. 194)

Havendo ou não solidez ou consenso sobre um denominador comum, fato é que se poderia traçar um mapa da psicanálise contemporânea tendo em vista a partilha em torno do problema da realidade e os critérios sugeridos acima. De forma muito breve, e apenas para criar um cenário circunstancial, distingo algumas posições relevantes:

(a) *Narrativismo*: esta linha de reflexão coloca que a questão da realidade está esgotada para a psicanálise e que podemos prescindir de qualquer referencialismo. Com uma boa concepção pragmática de linguagem é possível dar cabo da tarefa clínica. Um antecendente importante aqui é a crítica de Spence (33) ao predomínio da narrativa investigativa em psicanálise e sua metáfora dominante baseada na lógica da descoberta, em detrimento da lógica da invenção. Nota-se uma substituição da confiança epistêmica e do realismo ingênuo pelo reconhecimento do caráter metafórico da teoria psicanalítica e do caráter construtivista de sua prática. Freire Costa (10; 11), por exemplo, tem se apoiado na concepção pragmática de Wittgenstein e Davidson para sugerir um projeto clínico que abandone os traços essencialistas representacionais e fundacionistas da clínica psicanalítica, buscando, em seu lugar, um entendimento da clínica como atividade de redescrição e reformulação de crenças e desejos. Em uma direção homóloga, mas de outra natureza, os trabalhos de Gabbi Jr. (1994, 1999) têm mostrado a possibilidade de compreender a obra de Freud, mormente em seus momentos seminais, como desnecessariamente ligada à procura de uma referência; também põe em evidência o caráter prescindível do referencialismo face a sua substituição por uma teoria do sentido ou da racionalidade lingüística, pragmática ou não. Estamos aqui no plano da análise lógico-lingüística (não estrutural) do problema da existência. Observe-se que, para os narrativistas, o problema da realidade em psicanálise é substituído, inteiramente, pelo problema da lógica ou racionalidade interna à produção de sentido.

(b) *Refundacionismo*: aqui se argumenta que é possível extrair da psicanálise uma verdadeira lógica da descoberta. A realidade à qual esta se endereça pode ser sustentada positivamente, quer na contraprova neurológica, quer em alguma estratégia transcendental de construção de objetos. Argumenta-se aqui que uma boa teoria da mente, seja ela de extração lingüística, social ou biológica, seria suficiente para dar conta não só da legitimidade epistemológica da psicanálise, mas de sua tarefa clínica. Muito mais interessante do que essa estratégia, que na verdade representa uma espécie de refundacionismo epistemológico, é a tentativa de alguns autores de pensar a psicanálise como a refundação, ou a instalação mesma, de uma experiência. Poderíamos falar, então em uma espécie de refundacionalismo ético. Luís Claudio Figueiredo (8; 9) e Nelson Coelho Jr. (6) têm se dirigido para essa perspectiva, assumindo a fenomenologia de Husserl a Merleau-Ponty como referência. Aqui o problema da realidade é vertido no conceito de experiência e abordado pelas vias de uma espécie de ontologia regional, não apenas no sentido do seu fundamento perceptivo, mnêmico ou historial, mas também tendo em vista a regionalidade própria de certas constituições subjetivas, tendo em vista principalmente seu nível pré-reflexivo. Winiccott e em geral os autores da psicanálise que orientam-se para a investigação das experiências primitivas da constituição da subjetividade e da objetividade tornam-se aqui referências significativas.

(c) *Criticismo*: para esta posição, o tema da realidade deve ser abordado pelas vias da negatividade. Isso implica uma certa separação metodológica entre as considerações ontológicas e o plano de apreensão metodológico da realidade a ser considerada em psicanálise. São autores que se dedicam a rever criticamente problemas como o da temporalidade e da ficcionalização, conjugando, principalmente, a experiência clínica (notadamente as noções de construção e sublimação) com a literatura e com o campo genérico da estética. Nelson da Silva Jr. (31) tem trabalhado nessa direção, baseando-se na hermenêutica crítica. Joel Birman (3; 4) parece representar outra faceta dessa posição, neste caso com apoio dos estudos de Foucault. No fundo, o criticismo corresponde a uma espécie de deslocamento estratégico do problema da realidade para o problema das condições de possibilidade acerca de sua representação, o que tradicionalmente redunda em uma epistemologização da realidade. Mas se poderia pensar, como parece propor essa posição, que a experiência estética nos forneceria uma espécie de modelo alternativo – um modelo crítico e com base nas formas de negatividade, e não de positividade, na apreensão do real.

(d) *Ontologia negativa*: neste caso o problema da realidade em psicanálise é mantido em tensionamento com a noção de real. Trata-se de mostrar como os modos de subjetivação na clínica lacaniana são fundamentalmente estruturas de reconhecimento de uma negação ontológica que se manifesta de maneira privilegiada na confrontação entre sujeito e objeto, como postula Safatle (32). Para esta posição, seria preciso recuperar a noção de pulsão no quadro de uma dialética negativa e fora da lógica de identidade e da substancialização. A referência fundamental aqui é Hegel, mas também Adorno e pensadores pós-lacanianos contemporâneos, como Zizek e Badiou.

O narrativismo nos traz uma importante reflexão sobre a importância do caráter pragmático da linguagem e sobre a historicização dos modos de subjetivação empreendidos pela psicanálise. Sua crítica ao ontologismo baseia-se, contudo, em uma oposição ao ontologismo positivo, reificador e essencialista. O criticismo, por sua vez, considera tal oposição desnecessária, sobretudo porque enfatiza os modos negativos de tratamento do real, constituindo-se o real, todavia, em uma espécie de idéia reguladora ou de conjectura necessária. Em contrapartida, o refundacionalismo, principalmente em sua versão mais elaborada, procura uma solução integradora pela via de uma acepção de real que possa ser deduzida dos fracassos dos modos de representação e subjetivação. Há, portanto, uma divisão entre aqueles que aceitam a necessidade ética de uma teoria psicanalítica do real (refundacionalismo e criticismo) e aqueles que a consideram inútil e perigosa (narrativismo). Por outro lado, há uma divisão entre aqueles que aceitam a primazia da negatividade em termos epistemológicos (narrativismo e criticismo) e aqueles que a refutam (refundacionalismo).

A ontologia negativa poderia situar-se, assim, como uma espécie de síntese disjuntiva (para usar a expressão sugerida por Ménard) entre o realismo ético e a epistemologia da negatividade. Síntese disjuntiva designa aqui não a reunião dessa tensão numa integração resolutiva, mas uma concepção baseada no caráter irredutível e necessário dessa tensão. Daí suas duas noções-chaves o real e o ato. Trata-se, em outras palavras, de uma teoria sobre a impossibilidade de epistemologização da ética e uma teoria sobre a impossibilidade de etificação da epistemologia. Talvez a ontologia negativa não seja uma posição independente das demais, mas apenas uma tentativa de elaborar suas diferenças, tendo assim um papel decisivo para manter o potencial crítico e renovador que se espera da partilha sobre a noção de realidade.

Voltemos ao nosso problema: como uma ontologia baseada exclusivamente na negatividade pode servir aos propósitos de uma orientação clínica do sujeito que não se dilua no reconhecimento de uma heteronomia radical, cujo potencial ideológico não se pode deixar de pôr em questão. Em outras palavras, se consideramos o percurso de um tratamento analítico como um progresso de desencantamento de ideais, de elaboração do luto fundamental e de reconhecimento da falta constitutiva – em todas as figuras que a castração pode assumir –, como distinguir esse processo da mera absorção de uma teologia negativa, ou de uma ética da resignação infinita, como sugeriu Deleuze?

A questão pode ser enunciada em um formato criticista, para lembrar o trabalho de Silva Júnior (31): a libertação de si e a abertura para um passado imprevisível são suficientes para nos livrar de um niilismo depressivo? Seriam o apelo à sublimação e à construção, como estratégias para a ficcionalização de si, suficentes para nos distanciar da ética da renúncia?

Ou ainda, na chave da pesquisa de Safatle (32): será que a destituição subjetiva e a travessia do fantasma, critérios lacanianos do final do tratamento, pensadas no quadro de uma ontologia negativa, não nos levariam a um saldo cínico irremediável, uma espécie de perversão adaptada, cujo principal traço seria a apatia?

Nestas versões do problema, há uma espécie de pressentimento de que uma adesão extensiva ao real como pura negatividade não precisa, necessariamente, nos conduzir a uma eticidade baseada apenas em critérios negativos na relação do sujeito com a verdade, como quer o narrativismo.

O realismo epistemológico não comporta a mesma espessura teórica e clínica do realismo ético. Reenunciemos nossa questão: a psicanálise seria de fato uma atividade orientada apenas pela *via de levare*, cujo horizonte é a reconciliação entre o ser e o *dever* ser, ou será que ela nos promete algo também na *via de pore*, cujo horizonte é a criação de algo entre o ser e o *poder ser*, como parecem sugerir Figueiredo

(9) e Birman (4). Nessa medida, o narrativismo e o criticismo estão preocupados em valorizar, na psicanálise, a lógica da invenção, enquanto refundacionalismo e a ontologia negativa preocupam-se em manter, dentro de certos limites, a lógica da descoberta.

Veja-se que o que está em questão novamente é o caráter adaptacionista da psicanálise, não mais como nos apontava a crítica de Lacan à psicanálise da década de 1950, baseada na adaptação do eu à realidade, mas uma adaptação "negativa", baseada na "aceitação" da comensurabilidade da *verdade da falta* com a *negatividade do real*.

Impasses da negatividade: a subjetividade melancólica

Habermas (16) tem chamado nossa atenção para Hegel como um autor-chave no processo de destranscendentalização do sujeito moderno. O principal argumento para essa interpretação reside na introdução da *linguagem*, do *trabalho* e das *relações de reconhecimento* como categorias críticas ao mentalismo kantiano e também como *meios* pelos quais o sujeito fixa sua relação com o mundo e com os outros. A partir de então, a problemática da intersubjetividade não poderá mais ser separada de sua dupla referência: a) a subversão do objeto do conhecimento como categoria epistemológica; b) a subversão do Outro como alteridade ética e mediador universal.

A descoberta da noção de mediação, como estrutura anterior e determinante das relações entre sujeito e objeto, como articulador entre meios e fins, ou ainda como juntura entre o particular e universal, permite a Hegel desidentificar o sujeito cognoscente do Eu. O preço dessa desidentificação é uma relativa dispersão das formas de entendimento da reflexividade no nível do sujeito. Trabalho, linguagem e reconhecimento podem ser lidos, na esfera da constituição do sujeito, tanto em uma chave positiva – o que nos remeterá virtualmente a uma antropologia – quanto em chave negativa – o que nos remeterá a uma ontologia. Observe-se que as absorções teóricas que marcam o percurso de Lacan têm sempre a marca deste segundo aspecto: a dialética com ênfase negativa, de Kojéve; a linguagem considerada como sistema de elementos sem positividade própria, em Saussure e Lévy-Strauss; a função axiomática do zero e do conjunto vazio na lógica de Frege; a escrita do não-todo extraída da matemática de Cantor e Gödel. Contudo, é preciso salientar que esse esforço de destranscendentalização do sujeito (pela via do negativo) é acompanhado da reflexão ontológica em torno do objeto (teoria do gozo e da sexualidade, concepção do objeto *a* etc).

Trabalho, linguagem e reconhecimento: *grosso modo*, são também estas as tarefas que se poderia esperar de um tratamento psicanalítico: rememoração (nomeação pela linguagem), elaboração (*Durcharbeiten*, trabalho com o objeto), subjetivação (progressão na dialética do reconhecimento). Tal experiência (*Ehrfahrung*) se orienta para duas realizações subjetivas:

(1) a constatação de uma certa negatividade, inconsistência ou impossibilidade no nível do Outro.

(2) a redução do potencial de alienação contido em um objeto que suporta a fantasia do sujeito.

Objeto e *Outro* – são os dois critérios-limite da análise, critérios que procedem de campos originariamente distintos: a reflexão sobre o objeto nasce na epistemologia moderna; a noção de Outro, por sua vez, procede da reflexão ético-política do Ocidente.

Note-se como, ao descobrir o papel epistemológico do trabalho, da linguagem e do reconhecimento, o autor da *Fenomenologia do espírito* está, simultaneamente, acumulando funções distintas para a noção nascente de Outro. Ou seja, ao ler em chave intersubjetiva a noção aristotélica de *particular*, Hegel sobrepõe ética e epistemologia no mesmo movimento em que estipula o lugar em que verdade e real devem se reconciliar:

> Hegel é o primeiro a correlacionar os três aspectos da lógica tradicional com os três aspectos nos quais os indivíduos socializados se reconhecem reciprocamente: a saber, como pessoas *em geral*, que se igualam às outras pessoas em aspectos essenciais; como membros *particulares* de uma comunidade, que compartilham peculiaridades de sua comunidade de origem; e como indivíduos, que se distinguem de todos os demais *indivíduos*. (Habermas 16, p. 196)

Está aqui a tradução intersubjetiva e ética das noções aristotélicas de *genus, species e ens singularis*. Está aqui também o projeto que marcará a contradição entre universalismo simbólico e particularismo imaginário. É daí que se precipitará, também historicamente, a idéia de que a única forma de apreensão intersubjetiva do real reside na *singularidade* – singularidade que se realizaria paradoxalmente com a negativização do próprio sujeito na forma do espírito absoluto.

Esse programa é herdado por Lacan e trazido para a psicanálise. Já em *Da psicose paranóica e suas relações com a personalidade* (18), Lacan contesta, na concepção freudiana de narcisismo, justamente sua indistinção entre uma acepção *epistemológica* e uma acepção *psicológica* de sujeito. Lembremos que a introdução da noção de personalidade teria por finalidade restituir ao sujeito sua incidência ética, indexada em atributos como responsabilidade e realização social de ideais. Portanto, antes mesmo de sua freqüência aos seminários de Kojéve, Lacan parece enredado pelas relações problemáticas entre ética e epistemologia. Isso se explicita em uma primeira concepção ética de desejo que gira em torno de categorias epistemológicas, tais como conhecimento, desconhecimento e reconhecimento. O que essa curiosa combinação tem por efeito é uma articulação possível entre desejo e sujeito que possa dotar ambos de um certo grau de realidade e, ao mesmo tempo, marcar suas vias de relação com o signo da negatividade (a ação negadora do desejo, a palavra como morte da coisa etc).

No artigo sobre o estádio do espelho (Lacan 20), vemos essa presença singular, negativa e real do sujeito ser indicada da seguinte maneira:

> (...) a matriz simbólica em que o *Je* se precipita numa forma primordial, antes de se objetivar na dialética da identificação como o outro e antes que a linguagem lhe restitua no universal, sua função de sujeito. (Lacan 19 p.97)

Entre o particular de uma *forma primordial*, dada, digamos, por sua comunidade de origem – por figuras prestativas, segundo Freud (12) –, e o *universal abstrato* da linguagem, nesta posição intervalar, mas única realmente concebível, ali está o sujeito. Em outras palavras, o sujeito é essa negatividade ontológica, essa *beànce*; o sujeito em seu retorno contínuo a si e em separação constante de si. Mas, afinal, *quando* real e racional se reconciliam na experiência psicanalítica? *Quando* o sujeito será restituído no universal? Ou, ainda, *quando* o sujeito superará a dialética da identificação com o outro? A pergunta só faz sentido se identificamos, por analogia, o fim da história com o final da análise. Para aqueles que pensam que Hegel é um episódio de juventude em Lacan, basta verificar como o Seminário XVI (Lacan, 1967) chamado, justamente, de um *Outro ao outro*, mantém, no essencial, a mesma problemática relação entre o objeto e o Outro. Agora, em vez de desconhecimento e reconhecimento, a questão se coloca entre saber e verdade, ou ainda, como quero propor, entre epistemologia e ética.

Fato é que se reconhecemos em Hegel a descoberta da intersubjetividade e se localizamos em Freud a condição de experiência *intersubjetiva* do inconsciente (negatividade que é real) e a experiência "*interobjetiva*" das pulsões (real que é negatividade), podemos assinalar uma série de traços dessa experiência: sua separação, perda ou descentramento de si, seu exílio, sua indeterminação, sua forma sem qualidades, seu efeito sem causa, sua liberdade sem autonomia.

Todos esses traços combinam com o que Calligaris (2004) chamou de *subjetividade melancólica*, subjetividade cuja reconstrução histórica na modernidade nos tem feito reencontrar sempre no núcleo do sujeito essa experiência de perda e seu luto incurável. Seria este o único real ao qual o sujeito considerado pela psicanálise deveria admitir e se conformar? É esta a verdade final do desejo ao qual a ética trágica da psicanálise viria a recompor, unindo o que *é* ao que *deve ser*? Será preciso demonstrar que a ontologia negativa, que aqui apresentamos, pode dar conta dessa objeção.

A paixão pelo real e seus desatinos

O paradigma da subjetividade melancólica não está presente apenas na psicanálise, muito menos na psicanálise de extração lacaniana. Várias das afinidades entre psicanálise e marxismo – que nunca se sabe bem como combinar – e também das homologias entre a psicanálise e a ontologia heideggeriana, ou ainda das congruências entre psicanálise e teoria crítica, podem ser atribuídas a essa partilha entre o real, a negatividade e o sujeito. Como afirmou Olgária Matos ,ao lembrar as origens pascalianas da razão crítica,

> (...) o espanto metafísico do homem frente ao espetáculo de um mundo aberto e sem limite no tempo e no espaço, e, sobretudo, de um mundo privado de centro e de sentido, no qual o destino é tão somente errância e o homem, alguém que perdeu seu lugar, seu lar. Não há mais neste mundo ponto fixo, mas apenas pontos de vista. (Matos 28, p. 324)

Se o destino é somente errância e se não há mais lugar para o sujeito em sua própria morada (ou na morada do Outro), a única forma possível de real estará marcada pela negatividade, pela renúncia, pelo assujeitamento. Mas essa subjetividade, na qual a sombra do objeto caiu sobre o sujeito, deve antes ser caracterizada como uma resposta do que como uma pergunta. A pergunta que lhe cabe é uma pergunta apenas e tão somente concebível em termos éticos, uma pergunta cuja enunciação é uma paixão: a paixão pelo real.

Sem procurar fazer aqui uma reconstrução do percurso dessa paixão, que de certa forma corresponderia ao próprio trabalho crítico de exame, arqueologia ou desconstrução das condições de possibilidade dos modos de subjetivação da modernidade, podemos dizer, com Badiou (2), que trata-se de uma paixão a quatro termos aparentemente inconciliáveis. Primeiro, é a paixão impossível pela *revolta* e insubmissão ao destino, paixão delirante de autonomia, como aponta Lacan na abertura do seminário sobre a ética da psicanálise (Lacan 23). Em segundo lugar, é uma paixão pela *coerência*, expressa pelo desejo de justificação e conciliação entre memória e história; desejo de incorporação de uma experiência de fragmentação, acaso e ambigüidade. Terceiro, como toda paixão, a paixão pelo real aspira a sua *universalização*, procura desesperadamente superar o particular do qual ela depende e encontrar o equivalente geral de sua experiência. Finalmente, e este é o quarto traço diagnóstico desta paixão pelo real, trata-se de uma esperança na *aposta*, de um gosto pelo acaso e pela contingência, que essa paixão moderna tende a enfrentar pelas exigências de fidelidade a um evento.

Ocorre que essa paixão pelo real acaba por criar seu próprio descontentamento com a verdade que lhe cabe. Nerval dizia que o melancólico vê as coisas como elas *realmente* são. Esse desejo de ver as coisas como elas realmente são está na raiz de inúmeras ambições clínicas da psicanálise. Isso explica como as noções de verdade, saber, realidade e, no conjunto, a questão do real, gradualmente são incorporadas como categorias clínicas. Esse processo já está agudamente presente no último Freud, para quem a própria neurose se define, cada vez mais, como um duplo processo de *fuga da realidade* e de *fuga para a realidade*. Em ambos os casos, a neurose incide como uma verdadeira *alienação da realidade*, tanto no sentido de "não se reconhecer em" (realidade psíquica) quanto no sentido de "negar a" (realidade operativa – *Wirklichkeit*). Ocorre, então, que a neurose define-se cada vez mais em relação à noção de realidade.

Note-se que tal conclusão não é nem exclusiva nem original em Lacan; já a psicanálise do eu, com uma versão sociológica de realidade, Winnicott, com uma revisão própria da "realidade da ilusão", e Klein, com sua teoria da "realidade das relações de objeto" (interna e externa), conduziram-se, teoricamente, de maneira semelhante. No fundo são todas elas concepções que giram em torno da realidade precária do objeto. Isso levou, durante algum tempo, ao descaminho de imaginar que, no fundo, o que se deveria esperar da metapsicologia era uma espécie de teoria do conhecimento psicanaliticamente orientada, responsiva aos critérios de *coerência* e *universalidade* mas refratária aos critérios formais da *aposta* e da *revolta*.

No mesmo período vimos também a proliferação do equívoco inverso, qual seja, o de imaginar que a produção de uma "experiência verdadeira", no sentido de autêntica, sincera, engajada e reparadora, poderia nos dar o norte ético da ação do analista. Neste caso, é a noção etificada de verdade que se impõe à de realidade. Assim se satisfazem as exigências de *aposta* e *revolta*, presentes na paixão pelo real, mas ao preço de um relativismo ético, de um irracionalismo teórico e do desconhecimento da realidade própria no nível do Outro. Aqui, as exigências conceituais de *universalidade* e *coerência* ficam de fora.

Meu argumento é que, no fundo, para manter a paixão pelo real sem responder a ela apenas com uma ética da renúncia, implicando instalação irrefletida no quadro da subjetividade melancólica, é preciso manter em relação de negatividade mútua a vertente ética e a vertente epistemológica na consideração da própria ontologia para a psicanálise. Clinicamente, isso se traduz pela síntese disjuntiva entre dois projetos clínicos: (1) a demonstração da falta ou inconsistência no nível do Outro; e (2) a experiência com o objeto "sensível de um além do princípio de realidade", próprio da travessia do fantasma (Lacan 24, p. 356).

Neste ponto, há um retorno deslocado da "integração" hegeliana. O Outro como meio universal, ordem simbólica – com ou sem face – parece se desconectar do objeto (sistema simbólico e semblante real) do qual ele supostamente seria uma decorrência. A relação do sujeito com os objetos não é simétrica nem proporcional à relação do outro com o sujeito. Estamos aqui no núcleo problemático das relações entre a matriz epistemológica e a ética de teorização da clínica psicanalítica.

Como vimos, o amplo espectro de projetos clínicos em psicanálise poderia se dividir entre uma tendência epistemologizante e outra de perfil etificador. O mais comum é que encontremos formas combinadas e tentativas de resolver, na especificidade do âmbito clínico, exigências sentidas como antagônicas no interior da paixão pelo real e sua resposta histórica: a subjetividade melancólica.

Conclusão

Partimos de uma problematização acerca da oposição simples entre as noções de realidade e real em Lacan. Vimos que essa oposição deveria ser tomada de maneira mais complexa, de modo a incluir uma distinção inicial entre a noção epistemológica e, no entanto, clínica, de realidade, e a noção não epistemológica de real. Vimos em seguida que a noção de transferência representa uma verdadeira objeção à captura do outro como objeto de conhecimento, e uma conseqüente instabilidade na noção de realidade assim presumida.

Defendemos que o posicionamento diante do problema da realidade em psicanálise é útil tanto para dirimir diferenças em termos de projetos clínicos como para firmar uma rede de relações possíveis entre psicanálise e filosofia. Tais relações passam tanto pela assimilação de uma concepção sobre o ser quanto pela abordagem lógico-lingüística da existência. É no quadro dessa relação que se pode julgar a procedência e relevância de uma ontologia para a psicanálise.

De fato, tendo em vista tal problema, pudemos reler diferentes projetos clínicos teóricos da psicanálise contemporânea e também localizar algumas de suas questões estratégicas. Defendemos, neste contexto, a possibilidade e relevância de uma ontologia em psicanálise, apoiados principalmente no trabalho de Safatle (32). Entendemos que tal perspectiva pode oferecer uma alternativa crítica para as formas canônicas de leitura de Lacan, que postulam quer uma espécie de kantismo lacaniano (que toma a linguagem por transcendental), quer uma ontologia da estrutura ou do gozo. Além disso, tal perspectiva sugere um diálogo mais próximo com outros projetos teóricos na psicanálise contemporânea, não apenas de extração lacaniana.

Argumentamos que um ponto central no projeto de uma ontologia negativa da psicanálise é a síntese disjuntiva entre a vertente epistêmica e a vertente ética de consideração do tratamento e da teorização psicanalítica. Sugerimos que Hegel tem um papel importante nessa tarefa.

Em seguida, abordamos duas objeções que se poderia levantar contra tal posição: (1) a imersão da ontologia negativa em uma espécie de teologia negativa, cujo produto histórico correspondente seria a subjetividade melancólica; (2) a dificuldade em apreender todas as exigências históricas colocadas pela noção de real, em termos dos modos de subjetivação que lhe seriam correspondentes.

Referências bibliográficas

1. BADIOU, Alain "Lacan e o real". In Garcia, Célio (org.). *Conferências de Alain Badiou no Brasil.* Belo Horizonte: autêntica. 1999.

2. —— "Situação da filosofia no mundo contemporâneo". In *Para uma Nova teoria do sujeito.* Rio de Janeiro: Relume-Dumará, 1994.

3. BIRMAN, Joel. – *Por uma estilística da existência.* São Paulo: 34, 1996.

4. —— *Estilo e modernidade em psicanálise*, São Paulo: 34, 1997.

5. CALLIGARIS, Contardo. Comunicação oral no Centro de Estudos Psicanalíticos. São Paulo, 2004.

6. COELHO JR. Nelson; Figueiredo, Luís Claudio – *Ética e técnica em psicanálise*, São Paulo: Escuta, 2000.

7. DELEUZE, Gilles. "*Como reconhecer o estruturalismo*". In Chatelet, F. (org) *História da Filosofia* Vol. IV: o século XX.. Lisboa: Dom Quixote, 1995.

8. FIGUEIREDO, Luís Cláudio. *Escutar, recordar, dizer* – encontros heideggerianos com a clínica psicanalítica. São Paulo: Escuta/Educ, 1994.

9. ——— *Elementos para a clínica contemporânea*, São Paulo: Escuta, 2003.

10. FREIRE COSTA, Jurandir. "Pragmática e processo analítico: Freud, Wittgenstein, Davidson, Rorty". In *Redescrições da psicanálise*. Rio de Janeiro: Relume-Dumará, 1994.

11. ——— *A face e o verso*. São Paulo: Escuta, 1995.

12. FREUD, Sigmund. "Projeto de psicologia científica para neurólogos (1895)". In *Sigmund Freud Obras Completas* V. I. Buenos Aires: Amorrortu, 1988.

13. ——— "Recordar, repetir, elaborar (1914g)". In *Sigmund Freud Obras Completas* V. XII. Buenos Aires: Amorrortu, 1988.

14. ——— "A perda da realidade na neurose e na psicose (1924 a)". In *Sigmund Freud Obras Completas* V. XIX. Buenos Aires: Amorrortu, 1988.

15. ——— "Moisés y la religión monoteísta (1939a)". In *Sigmund Freud Obras Completas* V. XXIII. Buenos Aires: Amorrortu, 1988.

16. HABERMAS, Jürgen. *Verdade e justificação*. São Paulo: Loyola, 2004.

17. HEGEL, Georg. W. F. *Fenomenologia do espírito*. Petrópolis: Vozes,1992.

18. LACAN, Jacques. *Da psicose paranóica e suas relações com a personalidade* (1932). Rio de Janeiro: Forense, 1988.

19. ——— "Além do princípio de realidade (1936)". In *Escritos*. Rio de Janeiro: Jorge Zahar, 2000.

20. ——— "O estádio do espelho como formador da função do eu tal como nos é revelado na experiência psicanalítica". In *Escritos*. Rio de Janeiro: Jorge Zahar, 1998.

21. ——— "S.I.R" (1953). In *Cadernos Lacan* – Parte 1. Porto Alegre: Associação Psicanalítica de Porto Alegre, s.d.

22. ——— "Direção do tratamento e os princípios de seu poder (1958)". In *Escritos*. Rio de Janeiro: Jorge Zahar, 1998.

23. LACAN, Jacques. *O Seminário, livro VI: A Ética da Psicanálise*, Rio de Janeiro: Jorge Zahar, 1987.

24. ——— "Da psicanálise em suas relações com a realidade (1967)". In *Outros escritos*. Rio de Janeiro: Jorge Zahar, 2003.

25. ——— "Proposição de 9 de outubro de 1967 sobre o psicanalista de escola (1967)". In *Outros escritos*, Rio de Janeiro: Jorge Zahar, 2003.

26. ——— *O Seminário, livro XVI:* de um Outro ao outro (inédito).

27. ——— *O Seminário, livro XI:* Os quatro conceitos fundamentais da psicanálise. Rio de Janeiro: Jorge Zahar, 1988.

28. MATOS, Olgária C. F. – *Os arcanos do inteiramente outro* – a escola de Frankfurt, a melancolia e a revolução. São Paulo: Brasiliense, 1989.

29. MENARD, Monique D. "A negação como saída da ontologia". In Iannini, G. et al (org), *O tempo, o objeto e o avesso*. Belo Horizonte: Autêntica, 2004.

30. PORCHAT PEREIRA, Oswaldo. *Ciência e dialética em Aristóteles*. São Paulo: Unesp, 2000.

31. SILVA, Jr, Nelson.*Modelos de subjetividade em Fernando Pessoa e Freud*. Da catarse à abertura de um passado imprevisível. Campinas: Mercado das Letras, 1998.

32. SAFATLE, Vladimir. *A paixão do negativo* – modos de subjetivação e dialética na psicanálise lacaniana (no prelo).

33. SPENCE, Donald P. *A metáfora freudiana* – para uma mudança paradigmática da psicanálise. Rio de Janeiro: Imago, 1992.

Sobre o prazer excedente:
de Marcuse a Aristóteles

Edgardo Gutiérrez

Docente e investigador das cátedras de Estética e Filosofia contemporânea na Facultad de Filosofía y Letras de la Universidad de Buenos Aires; professor adjunto da cátedra de Estruturas narrativas audiovisuais na Facultad de Arquitectura, Diseño y Urbanismo de la Universidad de Buenos Aires; professor titular das cátedras de Fundamentos teóricos da producão artística e Filosofia e estética no Instituto Universitario Nacional de Artes

Sobre o prazer excedente: de Marcuse a Aristóteles

A vida psíquica no interior da civilização está, como Freud mostrou de maneira convincente, marcada pela falta de gratificação. O desejo impulsiona o sujeito a uma completude sempre insatisfeita; e o prazer é apenas um estado passageiro entre dois momentos de desprazer. Mas, como observou Marcuse, na civilização, temos o prazer excessivo como complemento compensatório em relação ao desprazer. A repressão dos impulsos sexuais parciais e o superdesenvolvimento da genitalidade permitem o prazer intensificado.

Em Freud, o prazer é pensado como preenchimento de uma falta prévia. Ele é prazer em movimento, resultado de um processo de geração. Contudo, há uma alternativa a essa noção de prazer. Segundo tal teoria alternativa, teríamos uma possibilidade de pensar o prazer puro, despojado de todo elemento metafísico. Assim completar-se-ia o projeto, iniciado por Marcuse, de uma crítica materialista da psicanálise. Tal teoria poderia redefinir o prazer liberando-o do conceito de excedente. Na *Ética a Nicômaco,* Aristóteles fornece os elementos que permitiram pensar o prazer em termos pós-freudianos.

Palavras-chave: prazer, excesso, repressão, Marcuse, Aristóteles

On excessive pleasure: from Marcuse to Aristotle

As Freud convincingly shows, civilised political life is a source of constant uneasiness. Desire propels the subject towards an end that remains unfulfilled and pleasure is reduced to a transition from one moment of displeasure to another. Freud conceives pleasure as suppression of an absence, as the result of a process. Marcuse in his turn showed that excessive pleasure works as a counterbalance for displeasure, the repression of sexual impulse and the hypertrophy of the genitalia producing intense pleasure. A post-Freudian theory of pleasure would complement Marcuse's materialist critique of psychoanalysis by learning to conceive pure pleasure (with Aristotle's Nichomachean Ethics) in a non-metaphysical way, segregated from the notion of superfluity.

Key words: pleasure, superfluity, repression, Marcuse, Aristotle

Como se sabe, Freud estabeleceu uma distinção entre o princípio de prazer e o princípio de realidade. O primeiro corresponde a um funcionamento primário do aparelho anímico, que está submetido permanentemente a um processo de aumento e diminuição de excitações. O prazer aumenta, afirma Freud, quanto mais os movimentos psicofísicos se aproximam da estabilidade completa. O aparelho anímico responde a uma forte tendência que leva a conservar a quantidade de excitação no nível mais baixa, possível, ou mesmo em um nível constante. O princípio de prazer está fundado na constância. Conforme tal princípio, tudo o que tende a elevar a excitação é sentido pelo psiquismo, e também pelo organismo, como disfuncional, como desprazeroso (Freud 3). Mas, como tal princípio é altamente perigoso para a auto-afirmação do organismo frente às dificuldades do mundo exterior, ele deve ser substituído, sob o influxo do instinto de conservação do eu, pelo princípio de realidade, que, sem abandonar uma consecução final do prazer, exige e logra o adiamento da satisfação e a renúncia de algumas possibilidades de alcançá-la. Isso força o sujeito a aceitar pacientemente o desprazer durante o longo desvio necessário para chegar ao prazer. O indivíduo chega à traumática compreensão de que é impossível a gratificação total e indolor de suas necessidades. Essa frustração é paralela à constituição do novo princípio do funcionamento mental. O princípio de realidade invalida o princípio de prazer, na medida em que o homem é obrigado a aprender que deve substituir o prazer momentâneo, que pode conduzi-lo à autodestruição, por um prazer diferido e restrito, muito embora "seguro", uma vez que se trata de um prazer aceito socialmente. O ajuste do prazer ao princípio de realidade implica na subjugação e no desvio das forças de gratificação instintiva, incompatíveis com as normas e as relações sociais estabelecidas.

No curso de sua reflexão, Freud indica por alto que "os detalhes do processo pelo qual a repressão transforma uma possibilidade de prazer em fonte de desprazer ainda não foram bem compreendidos ou não se pode descrevê-los claramente"(Freud 3, p. 2509). Esses "detalhes" são o centro de interesse da análise dos pensadores de Frankfurt, que se propuseram a investigar a gênese sócio-histórica da civilização científico-técnica.

Na *Dialética do esclarecimento*, Adorno e Horkheimer (1) desenvolveram uma exposição das origens da repressão do prazer em correspondência com as origens da razão instrumental, da civilização baseada na técnica e da relação entre domínio e trabalho, a partir da expressão poética daquelas origens que remontam à Grécia Antiga. O canto XII da *Odisséia* é, segundo esses filósofos, o lugar apropriado para pensar tal gêneses. Homero narra ali a astúcia de Ulisses diante das sereias. O canto das sereias é uma promessa de prazer irresistível que se anuncia e é escutada. De acordo com a interpretação proposta, o pensamento de Ulisses conhece somente duas possibilidades de saída: a que prescreve a seus companheiros, tapando-lhes os ouvidos com cera para impedi-los de escutar o canto e obrigá-los a remar com todas as suas energias; e a que escolhe para si mesmo: amarrar-se ao mastro para ouvir impotente a suave e atrativa música. Assim, as sereias mantém-se distantes da práxis e a tentação que o canto exerce é neutralizada ao convertê-lo em puro objeto de contemplação estética. Como os futuros ouvintes modernos, Ulisses acorrentado assiste a um concerto. Desse modo, a arte, a saída da pré-história, separa-se do trabalho e só é tolerada, assim como é tolerado o prazer, na medida em que se mantenha excluída da práxis e renuncie a valer como conhecimento. A duvidosa virtude de Ulisses é, pois, aquela que resiste ao prazer, aquela que renuncia. Dito de passagem, já nos tempos dos gregos, em um trecho das *Enéadas (I, 6, 8)* Plotino tomava Ulisses por exemplo do asceta: "Ulisses, que escapa da maga Circe e de Calipso, não consente ficar prisioneiro delas, apesar dos prazeres dos olhos e de todas as belezas sensíveis que encontrava ali".(4)

Marcuse, em *Eros e civilização*, a partir da interpretação crítica da metapsicologia de Freud, segue a mesma direção de Adorno e Horkheimer. No primeiro momento, admite, junto a Freud, que o princípio de realidade sustenta o organismo no mundo exterior. Porém, no caso do organismo humano, o mundo exterior é um mundo histórico. O mundo exterior enfrentado pelo ego em desenvolvimento é uma organização sócio-histórica específica da realidade, que afeta a estrutura mental por meio de agentes sociais específicos. O conceito freudiano de princípio de realidade omite esse fato, convertendo as contingências históricas em necessidades biológicas, de modo que generaliza sua análise da transformação repressiva dos instintos sob o impacto do princípio de realidade, convertendo uma forma histórica específica da realidade na realidade pura e simples. Certamente a organização repressiva dos instintos, afirma Marcuse, permanece sob todas as formas históricas do princípio de realidade na civilização; no entanto, a organização repressiva dos instintos (com sua impossibilidade de reconciliação entre o princípio de prazer original e o princípio de realidade) expressa, ao mesmo tempo, o fato histórico de que a civilização tem progredido como dominação organizada. Justamente por isso, o desenvolvimento histórico assume a dignidade e a necessidade de um desenvolvimento biológico universal. Assim, segundo Marcuse, o caráter histórico dos conceitos freudianos contém os elementos de seu oposto e exige uma duplicação dos conceitos. Os termos introduzidos por Marcuse são os de *mais-repressão*, isto é, as restrições provocadas pela dominação social, diferenciada da repressão básica ("modificações" dos instintos necessárias para a perpetuação da espécie humana na civilização); e o *princípio de desempenho*, que é a forma histórica prevalecente do princípio de realidade.

A dominação agrega mais-repressão à organização dos instintos sob o princípio de realidade. O princípio de prazer foi destronado, não só porque enfrentava o progresso na civilização, mas também porque punha em perigo a própria civilização, cujo progresso perpetua a dominação e o esforço. O amadurecimento do organismo implica o amadurecimento normal e natural do prazer, mas o domínio dos impulsos instintivos pode ser empregado contra a gratificação. Por efeito, na história da civilização, a repressão básica e a mais-repressão têm permanecido entrelaçadas inextricavelmente, e o progresso normal para a genitalidade tem sido organizado de tal maneira que as pulsões parciais e suas "zonas" foram dessexualizadas por completo para adaptá-las às exigências de uma organização social específica da existência humana. Segundo Marcuse, a contenção dos impulsos sexuais parciais e o progresso para a genitalidade pertencem a esse cimento básico da repressão, que torna possível, em uma compensação paradoxal, a existência de um prazer excedente centrado na genitalidade.

Marcuse observa que a partir do desenvolvimento das sociedades civilizadas, os sentidos imediatos sucumbiram frente aos tabus rigidamente protegidos contra os prazeres corporalmente muito intensos. O olfato e o gosto fornecem um prazer não sublimado, como também um desgosto não reprimido. Portanto, têm a propriedade de relacionar e separar os indivíduos imediatamente, sem a intervenção das formas convencionais da consciência, a moral e a estética. Tal imediatez parece ser incompatível com a efetividade da dominação organizada. O prazer fundado nos sentidos imediatos atua nas zonas erógenas do corpo, e o faz somente pelo gosto do prazer. Se um prazer dessa natureza se desenvolvesse sem repressão, erotizaria o organismo em um grau tal que atuaria contrariamente à dessexualização do organismo, necessária para o uso social desse organismo como instrumento de trabalho.(Marcuse 4, cap. II)

Contudo, os elementos idealistas contidos na teoria metapsicológica de Freud não estão somente vinculados à errônea metonímia antropológica que toma a parte (a civilização européia) pelo todo (a humanidade). Tais elementos também aparecem na psicologia e até na biologia freudiana, que tem por base uma fisiologia com princípios platônicos. Vejamos. De fato, como se pode verificar no capítulo VI de *Para além do princípio de prazer*, Freud cita expressamente a conhecida passagem d'*O banquete* de Platão em que se trata da gênese do impulso sexual. Se o leitor pudesse se perguntar até que ponto Freud está convencido do que se desdobra do mito platônico, a resposta seria um "nem isto nem aquilo": "nem guardo uma convicção plena de sua certeza, nem trato de inspirar a nada". Mesmo assim, a partir do que Freud afirma mais tarde, poderíamos pensar que existe afinidade entre seu pensamento e o do filósofo poeta. O positivista que habita em Freud faz com que se volte rapidamente aos fatos, pois alega que a afirmação do caráter regressivo dos instintos repousa sobre material observado. Porém, a atração exercida pelo mito platônico é irresistível. Freud afirma que se sente motivado pela curiosidade científica quando se entrega a uma reflexão e a segue para ver até onde nos conduz. Talvez nesse caso, uma vez que não se trata de uma teoria científica construída conforme as regras do método, mas de uma fantasia poética, possa se supor que exista algo mais do que a mera curiosidade.

O feitiço do mito platônico tem bastante peso na fundação da doutrina psicanalítica. Lacan, a outra grande autoridade da disciplina, propôs evocar, para imaginar os primórdios da humanidade, a mesma fantasia do andrógeno descrita por Aristófanes n'*O Banquete*. Assim como na divisão em dois seres sexuados estabelecida por Zeus, o recém-nascido encontra-se separado de si mesmo ao ser arrancado das membranas internas da mãe e, por conseqüência, ao nascer, perdeu seu complemento anatômico. A pulsão traduz a falta deste complemento. Porém, enquanto os limites do corpo estabelecem um obstáculo, essa pulsão é canalizada pelas zonas erógenas, válvulas abertas para o exterior. Em Lacan, assim como em Freud, a pulsão é uma qualificação erótica da necessidade. O desejo põe em movimento o aparelho psíquico, orientando-o para a percepção do agradável ou do desagradável. Segundo Lacan, o desejo é conseqüência da falta essencial experimentada pela criança separada de sua mãe.

Desde então, o sujeito da psicanálise se definirá pela falta. A hipótese da falta é o axioma da doutrina. O sujeito é um sujeito desejante e está marcado por uma carência constitutiva. Ainda que se diferencie expressamente da necessidade, que tenha traços meramente biológicos, o desejo adotou, como em Platão, a forma da carência. A vida psíquica está assinalada pela incompletude, e o prazer não é mais do que um estado passageiro entre dois momentos de desprazer. O desejo é impulsionado por uma incompletude sempre insatisfeita.

Como veremos em seguida, existe, sem dúvida, uma alternativa para pensar o prazer como preenchimento de uma falta anterior. Seguindo essa teoria alternativa até suas últimas conseqüências, encontraríamos, segundo nossa hipótese, uma possibilidade de pensar o prazer puro, a partir de uma perspectiva empírica, despojada de todo elemento metafísico. Com isso, se completaria o projeto, iniciado por Marcuse, de uma crítica materialista da psicanálise.

Uma teoria do prazer alternativa à que deriva da psicanálise suporia redefinir o prazer de modo que fique liberado do conceito de excedente. Para isso retornaremos à teoria formulada por Aristóteles na *Ética a Nicômaco*(2). O texto do estagirita fornece, a nosso juízo, os elementos que permitiriam pensar o prazer em termos pós-freudianos.

Com efeito, a vida psíquica no marco da civilização está, como Freud explicou convincentemente, marcada pela falta de gratificação. Como dissemos anteriomente, o desejo impulsiona o sujeito a uma completude sempre insatisfeita, e o prazer é tão somente um estado passageiro entre dois momentos de desprazer. No entanto, conforme a observação de Marcuse, na civilização temos prazer excessivo como complemento compensatório ao desprazer. A repressão dos impulsos sexuais parciais e o superdesenvolvimento da genitalidade tornam possível o prazer intensificado.

De acordo com a tese platônica, o prazer, por sua própria natureza, seria excessivo e, ademais, mal. Frente a essa tese, pelo contrário, temos a argumentação de Aristóteles. O excesso não é, para eles, devido à natureza do prazer. Aristóteles entende que o excesso só é possível em uma classe de prazer: o que precede de uma dor. E este não é prazer no sentido próprio da palavra. Afirma Aristóteles:

> Os prazeres sem dor não têm excesso, e estes são produzidos por coisas agradáveis por natureza e não por acidente. Denomino agradável por acidente o que cura: pois o fato de ser curado por certa ação da parte que permanece sã é a razão pela qual esse processo parece agradável; e denomino agradável por natureza o que produz uma ação própria de tal natureza.(Aristóteles 2, 1154b)

A distinção entre coisas acidentalmente prazerosas e naturalmente prazerosas (agradáveis) é posta a serviço da explicação do prazer excessivo. Este é possível somente naquelas coisas que são prazerosas *per accidens*: o prazer na restauração de um estado natural. Prazerosas naturalmente são as coisas que estimulam a atividade de uma natureza dada. Assim, se o prazeroso acidentalmente produz só uma forma derivada do prazer, poderia se concluir que o excesso não pertence propriamente à natureza do prazer.

No Livro X, Aristóteles discute o argumento de Platão segundo o qual o prazer é ilimitado por admitir o mais e o menos. Aristóteles pode concordar, mas não sem modificar essencialmente a teoria: o prazer admite o mais e o menos caso se considere o ato de gozar. Porém, isto poderia valer tanto para o gosto quanto para a virtude: na medida em que um indivíduo está mais predisposto que outro, a prática da justiça e a virtude em geral admitem o mais e o menos, não menos que o prazer. Em outras palavras: uma pessoa, por natureza, gozará mais e antecipadamente em relação a outra, mas isso não significa que a natureza do prazer propriamente seja ilimitada. É mais do que isso: uma condição tal como a saúde também admite o mais e o menos nesse sentido – nem todos estão saudáveis da mesma maneira. Quando adoecemos não perdemos nossa saúde, em sua totalidade, de uma, só vez. Pode-se dizer que o prazer admite o mais ou o menos caso se considere o fator tempo: em um momento sentimos mais prazer que em outro.(Aristóteles 2, 1173a a 15-8)

Aristóteles modifica a análise de Platão do mais e o menos do prazer introduzindo um ponto de vista não-individual e diacrônico: uma pessoa goza mais, outra menos, e em um momento o prazer é maior que em outro. O estagirita não aceita que exista um mais e um menos no interior do próprio prazer. Assim, para Aristóteles o prazer não é em si mesmo excessivo. O excesso só é possível no prazer em movimento. Contudo, prazer não é um movimento.

> Pois a rapidez e a lentidão parecem ser próprias de todo movimento [...] mas estas qualidades não pertencem ao prazer [...] é possível entrar em um estado de prazer rápida ou lentamente, mas não é possível estar em atividade em relação ao prazer de maneira rápida ou lenta, ou seja, gozar.(Aristóteles 2, 1173a a 32-1173b 5)

Portanto, o excesso não é inerente à natureza do prazer propriamente.

Platão considerava o prazer puro quando era totalmente livre de sua contrapartida. Então, essa condição só poderia ser cumprida no caso do verdadeiro prazer, porque aí a falta anterior foi suficientemente pequena para causar dor. Portanto, em Platão, os critérios da pureza e do prazer verdadeiro coincidem. Aristóteles, pelo contrário, assume implicitamente um argumento hedonista: caso haja prazer presente, será sempre puro. Ainda que acompanhe dor, a pureza do prazer não é abolida. No contexto aristotélico, todo prazer é puro.

É certo que, conforme Aristóteles, exista uma diferença na pureza entre diferentes atividades e, por conseqüência, também entre os prazeres que acompanhem tais atividades. Afirma que ver é mais puro que tocar, e ouvir e cheirar mais puros que degustar (Aristóteles 2, 1175b 36-1176 a 3). A norma para esta distinção parece ser o grau em que uma atividade é capaz de captar a forma e separá-la da matéria; assim o prazer puro parece ser aquele que está separado de coisas materiais. Este alcança sua mais elevada realização no prazer de Deus, completamente livre da matéria[1]. O mesmo vale para o ser humano, enquanto possui um elemento divino, que é o intelecto. Isso porque uma vida de acordo com o intelecto é a realização da atividade humana mais elevada, que automaticamente produz o prazer puro e mais estável. Isto implicaria que, embora em um contexto diferente, em Aristóteles os critérios de pureza e verdadeiro prazer convergem, como ocorria em Platão. Desse modo, se encontrariam alguns pontos fracos na teoria de Aristóteles, segundo indica acertadamente Gerd Van Riel(5), pontos ligados à estreita relação estabelecida com o *Filebo* de Platão.

Não obstante, acreditamos, pode-se constatar também que se encontram os elementos de sua superação. Com efeito, vejamos a postura de Aristóteles cara ao prazer em movimento. Em princípio, a interpretação de Aristóteles, do termo "processo" ou "geração" parece ser bastante estreita, caso se veja como "movimento para um fim externo", como uma classe de atividade que não é um fim em si mesmo, mas que apenas serve para alcançar algo mais (como no caso da construção de uma casa). Não há dúvidas, que há atividades que, embora sejam essencialmente um processo, sejam executadas por sua própria causa. O prazer considerado nessa classe de atividades não pode ser localizado no resultado final, e ninguém pode dizer que consista na satisfação de uma falta. Aristóteles fornece um exemplo ilustrativo: o prazer de escutar música. Este não é o afeto que acaba quando o processo chega ao fim, muito menos é a satisfação de uma falta. Pelo contrário: escutar música é um processo executado por causa própria e no qual a própria ativida-

---

[1] Aristóteles 2, 1154b 26-8; *Metafísica*, XII, 1072b 24 - 5.

de é essencialmente (não acidentalmente) prazerosa. Além disso, o prazer intelectual, considerado por Aristóteles como o mais elevado, pertence a essa classe em alguns casos: por exemplo, não temos prazer no estado alcançado por ler, mas no processo, na próprio leitura.

Desse modo, embora Aristóteles admita a possibilidade do prazer entendido como satisfação da necessidade, tal como se apresenta no caso dos prazeres da nutrição, essa espécie de prazer não é própria ao prazer propriamente dito. Com efeito, pode-se compreender a existência de dor quando houver privação do que é conforme a natureza, e prazer quando houver satisfação do que é conforme a natureza. Quando se necessita de alimento, produz-se dor; se essa necessidade é satisfeita, produz-se prazer. Nesse caso, existe um impulso natural do organismo para o prazer. A afecção é ostensivamente corporal, e o prazer é prazer buscado. Seria o caso dos prazeres sobre aquilo que é agradável, de acordo com a classificação estabelecida por Kant. Há interesse, manifestamente, na existência do objeto. E no prazer da nutrição, certamente, como observa Kant, a fome é a melhor cozinheira.

Todavia voltemos a Freud. O desejo, enquanto marcado pela falta, é pensado em termos de pulsão, impulso, movimento para um estado hipotético neutro regido pelo princípio de prazer. O prazer seria o resultado da satisfação desse movimento, supressão do processo de aumento e diminuição das excitações psíquicas, estado de nirvana, anulação da dor que domina a existência. O prazer é satisfação de um processo de geração. Porém, como vimos ao seguir Aristóteles, isso não é o que ocorre em todos os prazeres. O prazer de aprender, por exemplo, não é precedido pela dor. E o mesmo se pode dizer a respeito das sensações, "as do olfato e muitos sons e visões, e também recordações e esperanças, não são precedidos pela dor". Nesses prazeres não há geração, porque "não houve necessidade de nenhuma coisa da qual possam ser a satisfação"(Aristóteles 2, 1173b).

Talvez se objete, mediante o uso da dialética materialista, que esse prazer seja dado somente ao senhor ocioso, e que o discurso de Aristóteles não seja mais do que a legitimação filosófica da classe dominante da Grécia Clássica. Se retornarmos à passagem da *Dialética do esclarecimento* citada anteriormente, poderemos convergir com Adorno e Horkheimer. De fato, assim como Ulisses, que goza do canto das sereias sem trabalhar enquanto os marinheiros remam com os ouvidos tampados, Aristóteles se satisfaz com as sensações não precedidas pela dor, enquanto seus escravos trabalham sem gozar. Liberados os remadores do trabalho alienado, mediante talvez um motim a bordo, liberado o senhor de sua condição de opressor, poderiam todos gozar da música, agora sem perigo de morte, pois o prazer, nesse caso, seria o prazer que se experimenta no som em si mesmo, produzido pelo canto, prazer despojado da busca de qualquer outra coisa além da satisfação de uma falta, prazer desinteressado, prazer puro, sem excesso.

Referências bibliográficas

1. ADORNO, Theodor; Horkheimer, Max. *Dialéctica del iluminismo*. Buenos Aires: Sudamericana, 1987.
2. ARISTÓTELES. *Etica a Nicómaco*. Madrid: Planeta De Agostini, 1997.
3. Freud, Sigmund. *Más allá del principio del placer*. Buenos Aires: Hyspamérica, 1988.
4. MARCUSE, Herbert. *Eros y civilización*. Madrid: Sarpe, 1983.
5. VAN RIEL, Gerd. "Aristotle's Definition of Pleasure: a Refutation of the Platonic Account". In *Ancient Philosophy*, vol. XX, n.1, Spring 2000.

O estatuto do inconsciente é ético

Bruno de Almeida Guimarães

Professor da Faculdade de Filosofia do Instituto Santo Inácio
(Centro de Estudos Superiores da Companhia de Jesus)

O estatuto do inconsciente é ético

O objetivo deste trabalho é discutir esta afirmação de Lacan para mostrar não só que a "realidade" do inconsciente é problemática e, portanto, deve ser abordada a partir de um estatuto ético, mas que a própria prática psicanalítica também pode ser pensada a partir desse estatuto. Ou seja, que podemos pensar a psicanálise como uma ética do real, uma ética do encontro traumático, do encontro com o impasse, ou do encontro com o inassimilável.

Palavras-chave: psicanálise, ética, real, paradoxos do gozo, impasses, "saber fazer com"

The ethical status of the unconscious

The aim of the paper is to discuss Lacan's phrase in the title so as to show not only that the reality of the unconscious is problematic and requires an ethical approach but also that such an approach is recommended to psychoanalytical practice in general. Psychoanalysis would then be conceived as an ethics of the real – of the encounter with the traumatic, the critical or the unassimilable.

Key words: psychoanalysis, ethics, real, rejoice, crisis

I

Em seu seminário de 1959-60, dedicado à ética da psicanálise, Lacan se propõe a extrair "as conseqüências éticas gerais que a relação com o inconsciente, tal como foi aberto por Freud, comporta" (Lacan, 12, p.350). Os parâmetros para progredir nesse domínio se articulariam, segundo Lacan, "por meio de uma orientação do referenciamento do homem em relação ao real". Para conceber isso, seria preciso "ver o que ocorreu no intervalo entre Aristóteles e Freud" (Lacan,12, p.21).

Antes, porém, talvez fosse oportuno extrair desses dois pontos extremos uma comparação. Ao definir o princípio de realidade freudiano como aparelho de retificação responsável por uma atividade de retorno e retenção, Lacan se pergunta se a aposta num princípio retificador não seria próximo daquilo que se lê na *Ética a Nicômaco* (Lacan,12, p. 41). Afinal, de modo semelhante ao que Freud articula sobre o princípio de realidade, não é difícil reconhecer, em Aristóteles, a sugestão de que um prazer postergado, que causa uma dor momentânea, pode permitir o acesso a um bem maior e mais duradouro. Para Aristóteles, a questão seria, propriamente, saber reconhecer o verdadeiro bem e orientar-se em direção a ele. O problema é justamente que, em Freud, esse princípio retificador, o princípio de realidade, falha diante de algo que não é acessível aos processos do pensamento.

Contudo, voltando ao que teria ocorrido no intervalo entre Aristóteles e Freud, Lacan destaca o declínio da "função do mestre" e a conversão, ou reversão utilitarista, no início do século XIX. Ela pressupõe não só o corte da revolução científica, com sua recusa da imutabilidade das "idéias eternas", mas também a rejeição, por princípio, da figura do antigo sábio supostamente capaz de conhecer o bem – ou, ao menos, da rejeição do conhecimento de um bem que não seja prosaico e referido a um cálculo estritamente instrumental.

O verdadeiro desafio seria seguir, com Freud, toda uma exploração da ética, incidindo não sobre o domínio do ideal, mas, ao contrário, sobre um aprofundamento da noção de real (Lacan,12, p.21). Nesse ponto, segundo Lacan, encontraríamos um traço bastante distintivo do projeto de Freud também em relação aos idealistas da tradição filosófica, pois, se os idealistas não contestam exatamente a chamada realidade, acabam por domá-la, já que encontram em nós mesmos uma medida para ela. A posição de Freud, por outro lado, não seria tão reconfortante, pois, ao perceber como é precário o acesso à "realidade", compreendeu por que seus mandamentos são tão tirânicos (Lacan, 12, p. 43).

Será que podemos supor que Lacan pretende extrair disso a conclusão de que a ética da psicanálise deveria se fundar numa tirania da "realidade"? Afinal, Lacan estaria convencido de que essa tirania era suficiente para justificar um ataque à ética do idealismo alemão, desprezando as considerações conseqüentes sobre a fragilidade de uma ética fundada num fato empírico existente?

Penso não ser esse o caso. Ao contrário, além de encontrarmos no seminário da ética a sugestão de que é exatamente a ausência de ontologia na obra de Freud que exige a construção de uma ética freudiana, Lacan afirmaria, no seu *Seminário XI*, que "o estatuto do inconsciente é ético, e não ôntico" (Lacan, 13, p. 37).

Mas de que real estaria Lacan falando, então?

É nesse ponto, e não na defesa do bem empírico capaz de servir ao maior número de pessoas, que a referência ao utilitarismo faz sentido para a psicanálise. Com Jeremy Bentham, aprenderíamos a situar o real, por oposição ao *fictitious*, no centro da discussão ética.

Bentham teria chegado à noção de ficção analisando uma série de entidades necessárias ao discurso jurídico que não possuíam nenhuma realidade substancial. Noções como "contrato social" e "pessoa jurídica", que têm um estatuto ontológico problemático, são ficções pressupostas sem as quais o Direito não funciona. Disso, concluiria que, apesar de serem criadas e nomeadas pelo espírito humano, as entidades ficcionais são capazes de produzir uma série de efeitos na realidade.

Assim, Bentham nos ajuda a perceber que a realidade é simbolicamente constituída. Sem o discurso ela perde consistência[1]. Tal conclusão levaria Lacan a situar toda a experiência freudiana num movimento de báscula entre ficção e real.

O real, nesse contexto, seria aquilo que é impossível de simbolizar, ou o que não se submete à "virtualização". Ele coincidiria com o ponto irredutível à tradução completa do inconsciente para torná-lo consciente de que falava Freud em 1920, ao introduzir o conceito de pulsão de morte como algo "além do princípio do prazer"[2]. Por outro lado, "em Freud, a característica do prazer, como dimensão do que encadeia o homem, encontra-se totalmente no lado do fictício. O fictício efetivamente não é, por essência, o que é enganador, mas, propriamente falando, o que chamamos de simbólico" (Lacan, 12, p. 22).

Freud teria apresentado a noção de pulsão de morte para caracterizar a ação no aparelho psíquico de um mecanismo que funciona para além do princípio do prazer, mas Lacan lembra que a lei moral se afirma igualmente contra o prazer. Isso nos leva à tese fundamental do seminário da ética, que é demonstrar "que a lei moral, o man-

---

[1] Lacan lembra que, em Bentham, o *fictitious* está longe de ser o ilusório ou enganador. O termo não poderia ser propriamente traduzido por fictício, a menos que entendêssemos que "toda verdade tem uma estrutura de ficção" (Lacan 12 , p. 22).

[2] Freud relata como, após vinte e cinco anos de prática, ele haveria de se deparar com esse limite que não pode ser reintegrado ao campo do sentido. Segundo ele, "o objetivo que [antes] fora estabelecido – o de que o inconsciente deve tornar-se consciente – não era completamente atingível", pois "o paciente não pode recordar a totalidade do que nele se acha reprimido, e o que não lhe é possível recordar pode ser exatamente a parte essencial" (Freud 4, p. 31).

damento moral, ou mesmo a presença da instância moral, é aquilo por meio do qual o real se apresenta na prática analítica estruturada pelo simbólico" (Lacan, 12, p. 31).

II

A demonstração dessa tese supõe que a situemos no contexto dos paradoxos do gozo sacrificial da consciência moral que aparecem na reformulação teórica de Freud posterior ao *Além do princípio do prazer*.

Em "*mal-estar da civilização*", Freud se pergunta de que modo a civilização consegue barrar a pulsão desagregadora e agressiva. A resposta poderia estar na instalação do sentimento de culpa. A civilização exige renúncias, fazendo com que a agressividade seja recalcada. Sendo assim, a pulsão agressiva seria internalizada e "volta para o lugar de onde veio" (Freud, 5, p. 146). Uma parte do ego se encarregaria dessa agressividade. Daí a origem do superego, que, desse momento em diante, irá dirigir toda a agressividade recalcada contra o próprio ego na forma de sentimento de culpa ou necessidade de punição.

Partindo do pressuposto de que não há, para nosso aparelho psíquico, uma distinção entre satisfazer um desejo proibido e desejar, Freud propõe que, ao menor sinal de desejo, o processo repressivo é acionado. Um círculo vicioso faz com que as tentações sejam aumentadas pelas frustrações constantes. Quanto mais frustradas são nossas tentativas de realizar desejos, mais tentados ficamos e mais punição vamos sofrer por parte do superego. Portanto, "quanto mais virtuoso um homem é, mais severo e desconfiado é o seu comportamento, de maneira que, em última análise, são precisamente as pessoas que levam mais longe a santidade as que se censuram da pior pecaminosidade" (Freud, 5, p. 149).

Lacan esclarece na *Ética* que Freud escreve *O mal-estar na civilização* para nos dizer que tudo o que passa do gozo à interdição vai no sentido de um reforço sempre crescente da mesma. "Todo aquele que se aplica em submeter-se à lei moral sempre vê reforçarem-se as exigências, sempre mais minuciosas e mais cruéis de seu supereu" (Lacan, 12, p. 216). Contudo, para insinuar também que a interdição alimenta o próprio gozo, Lacan se pergunta se não poderíamos dizer que ocorre o mesmo no sentido contrário:

> Não é absolutamente o caso que aquele que avança na via do gozo sem freios, em nome de qualquer forma que seja de rejeição moral, encontra obstáculos cuja vivacidade sob inúmeras formas nossa experiência nos mostra todos os dias, e que, talvez, não deixam de supor algo único na raiz? É nesse ponto que chegamos à fórmula de que uma transgressão é necessária para aceder a esse gozo, e que – para reencontrarmos São Paulo[3] – é muito precisamente para isso que serve a Lei. A transgressão no sentido do gozo só se efetiva apoiando-se no princípio contrário, sob as formas da Lei. (Lacan, 12, pp. 216 - 217)

Aqui encontramos, em Lacan, uma inversão dialética digna de Hegel, pois até mesmo a revolta e a transgressão deixam de ser pensadas como exteriores à ordem para se mostrarem diretamente solicitadas por ela como o Outro necessário a sua própria sustentação. A inversão lacaniana aparece aí para mostrar que, se desde Freud o superego é um imperativo que exige um sacrifício sempre maior, se ele é um imperativo que exige o gozo da dor, a Lei não barra o gozo, ela o produz. Daí o famoso jogo homofônico em "subversão do sujeito": "viesse a Lei a ordenar 'Goza' (*jouis*) o sujeito só poderia responder a isso com um 'Ouço' (*j'ouïs*), onde o gozo não seria mais do que subentendido" (Lacan, 7, p. 836).

---

[3] A referência a São Paulo é esclarecida numa frase logo abaixo, em que Lacan complementa: "Foi preciso que o pecado tivesse tido a Lei para que ele, diz São Paulo, se tivesse tornado – nada diz que ele consegue, mas pôde entrever tornar-se – desmesuradamente pecador" (Lacan. 12, p. 217).

Assim, percebemos que a exigência do devo pode extrair sua energia da própria exigência da pulsão agressiva, revelando um dever anterior à ordem do superego. O masoquismo moral deixa de ser incompreensível para se tornar apenas a manifestação de uma pulsão que encontra satisfação através do sintoma. O gozo a que se renuncia só serve para alimentar ainda mais o superego; a renúncia ao gozo nutre o gozo da renúncia do superego. Eis o paradoxo: o imperativo de gozar se mostra absolutista. Com o superego goza-se de um jeito ou de outro. Se não há renúncia, o sujeito goza; se há, o sujeito goza de renunciar.

Portanto, a tese de Lacan segundo a qual a lei moral, ou a presença da instância moral, é aquilo por meio do qual o real se apresenta na prática analítica significa que um dos destinos do real da exigência imperiosa de nossas pulsões se expressa através da atuação do superego. Resta saber se haveriam outros destinos possíveis, ou seja, se existiriam outras formas de gozo capazes de nos apresentar o real. Penso ser essa a questão-chave para se entender a continuidade das futuras elaborações teóricas de Lacan com o *Seminário VII*.

Sabemos que Lacan procura caminhos alternativos no próprio *Seminário VII*, mas não acreditamos que ele tenha encontrado soluções efetivas naquele momento. Voltaremos a isso, mais adiante, para mostrar que a solução trágica apresentada ali pode ser entendida como um impasse na sua teorização. De qualquer modo, o que esse impasse da formulação trágica parece ter ensinado ao próprio Lacan é que o grande desafio ético da psicanálise é saber se o gozo masoquista do imperativo moral pode ser substituído por algum outro gozo, sem que isso implique numa reviravolta para o outro extremo da perversão[4].

---

[4] E curioso observar que Lacan já havia assinalado alguns problemas no próprio *Seminário da ética* que mais tarde o levariam à retificação de sua posição. A princípio, ele observa não ter conseguido, após todo seu progresso teórico, levar a psicanálise a algum novo tipo de perversão. (Cf. Lacan, 12, p. 25). Mais adiante, sugere uma proximidade entre a formulação ética de Kant e a de Sade, ao constatar que é na pureza da moral kantiana, isto é, na eliminação de todo aspecto patológico e sentimental que o mundo sadista é concebível. (Cf. Lacan, 12, p. 101). Contudo, ao comentar "dimensão trágica da experiência psicanalítica" e o desejo a ser encontrado no término da análise, que prepara a

III

No "Compte Rendu" escrito ao final de *Seminário da ética*, Lacan diz que:

> [Freud] partiu, ou tornou a partir, do antigo passo da filosofia: ou seja, que a ética não pode derivar da obrigação pura. O homem tende, em seus atos, para um bem. A análise volta a privilegiar o desejo como princípio da ética. Até a censura, a princípio, a única a figurar aí como moral, extrai dele toda sua energia. Não existe outra raiz da ética. (Lacan, 8, p. 8).

Vale aqui a sugestão de Rajchman, em *Eros e verdade*, de que, na terceira revolução ética operada por Freud, diferentemente do que foi submeter o dever à finalidade da virtude (Aristóteles), ou fazer girar o bem em torno do princípio supremo da obrigação (Kant), teríamos a tarefa de descobrir qual é a melhor maneira de levar a vida (daí a idéia prosaica de tender ao bem), unindo a questão ética do "que fazer?" ao *pathos*, sem, contudo, retornar a um suposto conhecimento do Bem aristotélico. (Rajchman, 17, p. 41).

Há um dever que nasce da exigência de responder ao encontro traumático com nossas pulsões. É interessante observar que Lacan fala do encontro traumático, no *Seminário XI*, como a repetição de um encontro com o que é da ordem do acaso (*tiquê* (Lacan, 13, p. 56-7). Acho que isso está em sintonia com a fala (de ontem) de Monique David-Ménard sobre a "repetição inventiva" como uma repetição sem um evento primeiro, e é curioso que esteja também em sintonia

---

torna analista, é no "desejo puro" que Lacan reconhece a exemplaridade da personagem Antígona. (Cf. Lacan, 12, p. 342). Finalmente, no *Seminário XI*, Lacan retifica sua posição ao afirmar que "a Lei moral, examinada de perto, não é outra coisa senão o desejo em estado puro" e que "o desejo do analista não é um desejo puro" (Cf. Lacan, 13, p. 260).

com o *Ética* de Badiou, principalmente quando estabelece algumas aproximações de sua teorização com a ética do desejo de Lacan, esclarecendo que, "ao falar de desejo, Lacan fala aí do não-sabido subjetivo" (Badiou, 2, p. 67). O não "ceder de seu desejo" poderia ser entendido como a ética de um "não ceder naquilo que não se sabe de si" (*ibidem*, 2, p. 59).

No que diz respeito à passagem do *Seminário XI* em que Lacan afirma que "o estatuto do inconsciente é ético", a questão pode ser referida ao *wo Es war, soll Ich werden* e à necessidade de um "saber fazer com" o sintoma, para que Freud pudesse dar uma resposta ao encontro inesperado que teve com a histeria. Lacan afirma que

> o estatuto do inconsciente, que eu lhes indico tão frágil no plano ôntico, é ético. Freud, em sua sede de verdade, diz – *O que quer que seja, é preciso chegar lá* – porque, em alguma parte, esse inconsciente se mostra. E isto ele diz dentro de sua experiência daquilo que era para o médico, até então, a realidade mais recusada, mais coberta, mais contida, mais rejeitada, a da histeria, no que ela é – de algum modo, de origem – marcada pelo signo do engano. (Lacan, 13, p. 37)

Assim, responder a esse encontro inesperado representou um saber fazer com isso que era tão problemático, com a realidade mais recusada até então pelos contemporâneos de Freud.

Em "O engano *(La meprise)* do sujeito suposto saber", Lacan reafirma esse caráter frágil ao observar que a questão do inconsciente é a mais mal apreendida até hoje. Ele observa que supor no inconsciente uma mensagem cifrada é diferente de crer na possibilidade de reduzir o escrito enigmático a um único sentido. Mas como ter acesso ao saber inconsciente, então? A resposta de Lacan, nesse caso, seria: "é por tratar-se de um lugar que difere de toda apreensão [*prise*] do sujeito que um saber é liberado, já que ele só se entrega por meio do que, para o sujeito, é mal apreendido [*méprise*]" (Lacan, 9, p. 337). Isso é fundamental, pois Lacan descobre que o inconsciente é um saber que só se libera a partir do "engano". Temos aí algo que só se dá a conhecer de viés, que só se revela efetivamente no momento em que deixamos de ter a pretensão de dominá-lo.

Já no *Seminário XXIV*, Lacan observa que, apesar de entender que a psicanálise revele um tipo de saber, este não se confundiria com a apreensão conceitual do inconsciente, como a filosofia faria com seus objetos. O saber alcançável numa psicanálise seria apenas o *savoir y faire*, o "saber fazer com", que é diferente de saber o que fazer. Isso significa saber "se virar" (*se débrouiller)*, mas esse "fazer com" indica que não se apreende realmente a coisa, em suma, em conceito"[5].

O título desse seminário *L'insu que sait de l'une-bévue s'aile à mourre*, que nos apresenta uma tradução indecidível ao situar o inconsciente (*l'Unbewusstsein,* em alemão) nesse "um engano" – *l'une-bévue* – que levanta vôo ou se sustenta de um jogo de azar, mas que ecoa também a proximidade homofônica do sustentar-se do amor ou até mesmo da morte, já nos dá uma pista de qual é o novo paradigma lacaniano da ética do "savoir y faire" e da ética do bem-dizer. Joyce é o exemplo de um "desabonar o inconsciente", de um saber fazer com a dimensão impositiva da ordem simbólica que coincidiria com esse saber fazer do *sinthome.*

Joyce "*sait y faire – C'est le sinthome*" (Lacan, 15, 16/03/1976), diz Lacan no *Seminário XXIII,* ou seja, ele sabia fazer com isso. Joyce é o *sint-homem* que sabia fazer cair seu "mandaquinismo" (Lacan, 15, 18/11/1975), seu são-thomas-d'aquinismo[6] e, portanto, é um herói-ético, herético (*heréthique* com h), um pobre *heréthique* que sabia que a única arma contra o sintoma é o equívoco (Lacan, 15,

---

[5]"Savoir y faire, c'est autre chose que de savoir faire. Ça veut dire se débrouiller. Mais cet 'y faire' indique qu'on ne prend pas vraiment la chose, en somme, en concept." Para as citações dos seminários inéditos de Lacan, como neste caso, passaremos a indicar a data da lição em que foi feita a afirmação, da seguinte maneira: Lacan, 16, 11/01/1977.

[6] Cf. ainda a seguinte passagem de Joyce, o sinthomem I: "Só há santo a se renunciar à santidade" (Lacan, 11, p. 563).

18/11/1975). Lemos ainda que ele "soube usar seu sinthomem até atingir seu real" (Lacan, 15, 18/11/1975), o mesmo real que Lacan, em *Televisão*, anuncia ser o "que permite desatar efetivamente aquilo em que consiste o sintoma, ou seja, um nó de significantes" (Lacan, 10, p. 515).

A descoberta de que o inconsciente talvez não se preste à interpretação é contemporânea da descoberta de que o sintoma, apesar de produzir um gozo que não traz benefícios ao sujeito, também não pode ser inteiramente desfeito. No *Seminário XX*, Lacan demonstra que o gozo que nos acomete de um jeito ou de outro – "esse gozo próprio do sintoma. Gozo opaco, por excluir o sentido" (Lacan, 11, p. 566) – torna inteligível o sintoma como a expressão de um querer diferente do cálculo utilitário. O sintoma produz um gozo que "não serve para nada", diz Lacan (Lacan, 14, p. 11).

> Vocês vêem a relação de tudo isto com a utilidade. É utilitário. Isso torna vocês capazes de servir para alguma coisa, e isto por falta de saber gozar de outro modo que não o de ser gozado, ou jogado, [homofonia do *être jouis/être jouet*] pois é justamente o gozo que não deveria, que não seria preciso (Lacan, 14, p. 84).

Nessa formulação, o sintoma apresenta algo de paradoxal. Já não é apenas um "estofo", ou um "nó de significantes", capaz de proporcionar a satisfação secundária de uma identificação narcísica ao atribuir ao sujeito uma significação dentro de sua estrutura sócio-simbólica, como era no Lacan até o final dos anos 1950. No momento em que se opõem ao útil e já não servem para nada, os significantes que representam o sujeito deixam de se prestar ao sentido. O sujeito mostra-se não inteiramente assujeitado ao Outro e à significação, embora seu gozo continue a se sustentar de um determinado uso da linguagem.

Portanto, ao seguirmos a elaboração lacaniana posterior ao *Seminário da ética*, constatamos que o próprio Lacan reproduz, em relação a sua teorização, a virada necessária ao saber fazer com o impasse.

Partiu-se de uma constatação: o real nos é inacessível, há um gozo aí, mas não é possível apropriar-se dele com o sentido. Diante disso, Lacan se pergunta se existem outras vias de acesso ao real. Inicialmente, pensou que talvez um forçamento, uma beleza transgressora como a de Antígona pudesse, no limite, apontar para ele. Então, Lacan descobre que o gozo não precisa se prestar necessariamente ao sentido: ele poderia funcionar também como uma espécie de resistência. Ali o sujeito encontraria satisfação sem estar inteiramente assujeitado ao Outro. Toca-se o real indiretamente. No novo paradigma literário já não temos a beleza trágica de Antígona, mas o *savoir y faire* de Joyce com a língua. Seu gozo, apesar de não produzir transgressões é igualmente impermeável ao sentido, já que o operar com a ordem simbólica continua a ser a via de acesso a uma satisfação pulsional. Lacan descobre ser possível fazer algum uso da dimensão impositiva de ordem simbólica sobre nós para extrairmos uma satisfação sem a finalidade de produzir sentido.

Não estaria aí a resposta para a ética lacaniana? Se Lacan se queixa no *Seminário VII* de não ter conseguido, após todo seu progresso teórico, levar a psicanálise a algum novo tipo de perversão (Lacan, 12, p. 25), a nova perspectiva que se abre ao final de seu ensino o levaria a abandonar definitivamente a solução transgressiva. Para entender essa ética não transgressiva basta aproximar, tal como o próprio Lacan muitas vezes o fez, a dimensão impositiva da palavra à ação da lei sobre nós. A verdadeira solução estaria não no mecanismo perverso da desconsideração da lei, mas, antes, na capacidade de reconhecê-la em seu aspecto essencial e fazer um outro uso dela. Isto é, utilizá-la para produzir arranjos que não visem a produção do sentido. O único problema de se tomar essa elaboração final como uma ética é que esse "*savoir y faire*" não é um saber o que fazer, no sentido de um saber conceitual capaz de orientar o caminho em direção ao bem e nem um "conhecimento" das regras do dever.

IV

Afinal, se a psicanálise pode ser entendida como uma ética, será que somos capazes de adquirir um *logos* sobre nossas vidas? Se pensarmos no que ocorreu com o próprio desenvolvimento da teorização psicanalítica no confronto com seus impasses, talvez seja possível reconhecer aí uma lógica minimalista do tipo "um saber fazer com o impasse". Pensamos, por exemplo, num tipo de "lógica" de que o "erro é a solução invertida", que está por trás da atitude em Freud de substituir a teoria da sedução pela teoria da fantasia; a mesma coisa seria verdade a propósito da descoberta de Lacan de que um pequeno deslocamento de perspectiva é suficiente para reconhecer que "o obstáculo já é a solução", a propósito do real do gozo. De qualquer modo, essa lógica só poderia ser reconhecida *a posteriori* (*aprés coup*), pois, *a priori*, não saberíamos como exercê-la, já que nada podemos adiantar antes do confronto com o impasse, isto é, do encontro com o real.

Referências bibliográficas

1. ARISTÓTELES. *Éthique à Nicomaque*. Paris: Vrin, 1959.
2. BADIOU, Alain. *Ética: um ensaio sobre a consciência do mal*. Rio de Janeiro: Relume-Dumará, 1995.
3. BENTHAM, Jeremy. *Théorie des Fictions*. Paris: Éditions de l'Association Freudienne Internationale, 1996.
4. FREUD, Sigmund. "Além do princípio do prazer". In *Edição Standard Brasileira das Obras Psicológicas Completas de Sigmund Freud*, vol. XVIII, Rio de Janeiro: Imago Editora, 1987.
5. ——. "O mal-estar na civilização". In *Edição Standard Brasileira das Obras Psicológicas Completas de Sigmund Freud*, vol. XXI, Rio de Janeiro: Imago Editora, 1987.
6. KANT, Immanuel. *Crítica da razão prática*. São Paulo: Martins Fontes, 2002.

7. LACAN, Jacques. "Subversão do sujeito e dialética do desejo no inconsciente freudiano [1960]". In *Escritos*. Rio de Janeiro: Jorge Zahar Ed., 1998.
8. ———. "Compte rendu avec interpolations du Séminaire de l'Ethique". [1960 [1968] In *Ornicar? – Revue du Champ freudien*. vol. 28, Janvier 1984.
9. ———. "O engano do sujeito suposto saber [1967]". In *Outros Escritos*. Rio de Janeiro: Jorge Zahar, 2003.
10. ———. "Televisão [1974]". In *Outros escritos*. Rio de Janeiro: Jorge Zahar, 2003.
11.———. "Joyce, o sinthomem I [1975]". In *Outros escritos*. Rio de Janeiro: Jorge Zahar, 2003.
12.———. *O seminário, livro VII*. A ética da psicanálise [1959-60]. Rio de Janeiro: Jorge Zahar, 1991.
13.———. *O seminário, livro XI*. Os quatro conceitos fundamentais da psicanálise [1964]. Rio de Janeiro: Jorge Zahar, 1988.
14.———. *O seminário, livro XX*. Mais, ainda [1972-73]. Rio de Janeiro: Jorge Zahar, 1985.
15.———. *Le séminaire, livre XXIII*. Le sinthome [1975-76]. Paris: Éd. Hors Commerce de l'Association Freudienne Internationale, 2001.
16.———. *Le séminaire, livre XXIV*. L'insu que sait de l'une-bévue s'aile à mourre [1976-77]. Paris: Éd. Hors Commerce de l'Association Freudienne Internationale, 1998.
17.RAJCHMAN, John. *Eros e verdade*: Lacan, Foucault e a questão da ética. Rio de Janeiro: Jorge Zahar, 1993.

Da enunciação da verdade ao enunciado do gozo: o mito

Cláudio Oliveira

Professor de Filosofia da Universidade Federal Fluminense (UFF)

Da enunciação da verdade ao enunciado do gozo: o mito

Em seu *Seminário XVII, O avesso da psicanálise*, há duas afirmações de Lacan sobre o mito. A primeira é a de que *o mito é um saber como verdade*; segunda: *o mito é um enunciado do impossível.* Não me parece imediatamente evidente como estas duas afirmações podem ser articuladas. Tentarei, assim, chegar à segunda afirmação partindo da primeira, mas farei também o esforço de mostrar como a passagem de uma à outra é necessária, e como ela se dá ao longo do percurso de Lacan. Nesse percurso serão importantes pequenas passagens por Hegel, Platão e Heidegger. O percurso que se realiza entre as duas dimensões do mito é um percurso que vai da enunciação da verdade ao enunciado do gozo. Para que esse percurso pudesse ser feito, Lacan teve que acrescentar ao par hegeliano, saber e verdade, um terceiro elemento, o gozo – um elemento ausente nos primeiros anos de seu ensino.
Palavras-chave: saber, verdade, gozo, Lacan, Hegel, Heidegger

From the enunciation of the truth to the expression of rejoice: the myth

The aim of the paper is to discuss the compatibility of Lacan's propositions concerning myth posed in *Séminaire XVII*, as "knowledge of the truth" and as "enunciation of the impossible", so as to show that they are connected in the sense that myth is the exposition of a process that links enunciation of the truth with a state of rejoice. Elements of Hegel philosophy play an important role in this intricate arrangement.
Key words: knowledge, truth, rejoice, Lacan, Hegel, Heidegger

Sabemos com que precisão conviria acompanhar essa temática da verdade
e de seu viés no saber – embora princípio, ao que nos parece,
da filosofia como tal.

Jacques Lacan, *Do sujeito enfim em questão*

O começo é um mito. E no começo sempre há um mito. A psicanálise não pôde evitá-lo, não mais que a filosofia. E em seu ensino, em alguns momentos, Lacan teve de tratar do mito. Destaco um desses momentos. Em seu *Seminário XVII, O avesso da psicanálise*, há duas afirmações de Lacan sobre o mito. A primeira é a de que *o mito é um saber como verdade*. A segunda é a de que *o mito é um enunciado do impossível.* Não me parece imediatamente evidente como essas duas afirmações podem ser articuladas. Tentarei, assim, chegar à segunda afirmação partindo da primeira, mas farei também o esforço de mostrar como a passagem de uma à outra é necessária, e como ela se dá ao longo do percurso de Lacan. Nesse percurso serão importantes pequenas passagens por Hegel, Platão e Heidegger.

A primeira afirmação lacaniana deve surpreender. Um saber como verdade é o que, *a priori*, deveria estar fora do ensino de Lacan, na medida em que a verdade, nesse ensino, é o que está excluído do campo do saber ou, mais precisamente, internamente excluído: o que escapa ao saber só aparece, no campo do saber, como falha do saber. Daí que, para entender a importância da afirmação de que o mito é um saber como verdade, um saber que tem função de verdade, precisamos levar em conta que, para Lacan, verdade e saber em geral se opõem. Essa oposição, Lacan a extrai da *Fenomenologia do espírito* de Hegel, do modo como Hegel dá, nessa obra, as determinações do saber e da verdade, tais como elas ocorrem na consciência.

A consciência, nos diz Hegel, distingue algo de si, o objeto, mas ao mesmo tempo se relaciona com isso. Isso quer dizer que o que a consciência distingue de si, ao mesmo tempo, é para a consciência. Esse estar relacionado com a consciência, esse ser para a consciência, Hegel o chama de saber. Só que, desse ser para a consciência, desse ser para um outro, deve-se distinguir o ser em si mesmo. Isso que se relaciona com o saber deve se distinguir dele e se pôr como algo que é, mesmo fora dessa relação. É esse lado do em si que Hegel chama de verdade, tal como a consciência a entende.

Mas Hegel não pára por aí, na medida em que, em sua história, em sua fenomenologia, a própria consciência não pára por aí. Pois se a verdade escapa ao saber, há, no entanto – e a consciência tem de reconhecê-lo – uma verdade do saber. Isso que Hegel chama de verdade do saber poderia parecer que é o mesmo que Lacan chama de saber como verdade, mas não é. O saber como verdade não é a verdade do saber. A verdade do saber, como Hegel a entende, é o que o saber é em si, na medida em que a verdade, tal como a entende a consciência, é esse em si que se opõe ao saber. Se há um em si do saber, se há o que o saber é em si, há uma verdade do saber. Ao investigar o que o saber é em si, o saber se torna objeto de si mesmo, ele é para si mesmo. O que resulta daí é que, no que diz respeito à verdade do saber, o ser em si e o ser para um outro (no caso, para a consciência) são o mesmo, na medida em que tal distinção ocorre no interior da própria consciência: a essência do saber, enquanto sua verdade, é o próprio saber, e não um objeto que ele não seja. Aqui, a verdade está no próprio saber e não fora dele. Nesse caso, ultrapassa-se a separação entre saber e verdade. É isto o que Hegel chama "consciência de si", *Selbstbewusstsein*. Diz ele: "a consciência, por um lado, é consciência do objeto; por outro lado, consciência de seu si mesmo (*seiner selbst*): é consciência disso que, para ela, é o verdadeiro e consciência de seu saber disso" (Hegel 1, p. 77 [2002, p. 79]).

Lacan, por outro lado, ao falar do saber como verdade, o distingue radicalmente do saber da verdade ou da verdade do saber que Hegel chama de *Sebstbewusstsein*, a consciência de si. Ao perguntar "o que é a verdade como saber?", Lacan acrescenta: "Como saber sem saber?" (Lacan 2, p. 39). O saber como verdade, para Lacan, não podemos esquecê-lo, é um saber que não se sabe. Por isso, não se trata, para Lacan, de um *Sebstbewusstsein*, mas de um *Unbewusstsein*. Não se trata, para Lacan, de *Consciência de si*, mas de *Inconsciente*; em outras palavras, Lacan não é hegeliano, mas freudiano.

Isso não o impede, é verdade, de se apropriar da dialética hegeliana entre saber e verdade para dar a ela uma outra resolução que não aquela da consciência de si. Mais precisamente, Lacan não dá à dialética do saber e da verdade nenhuma solução, mas a mantém insolúvel. O que ele quer dela é propriamente a oposição, que ela introduz, entre saber e verdade. O mito, nesse sentido, enquanto saber como verdade, também não resolve essa oposição, antes a encarna.

É o que, para Lacan, distingue o discurso mítico do discurso científico, na medida em que o discurso científico resolve a dialética entre saber e verdade simplesmente abolindo a última. Se o mito é um saber como verdade, a ciência é um saber sem verdade, um saber que já não tem nenhuma relação com a verdade e, por isso mesmo, um saber inteiramente autônomo do saber mítico. A afirmação de que a ciência é um saber sem verdade, um saber que não tem nenhuma relação com a verdade, pode surpreender, ou mesmo chocar. Heidegger também produziu um escândalo semelhante ao afirmar que "a ciência não pensa" (Heidegger 6, p. 115). No entanto, à medida que entendemos o que Lacan entende por verdade, essa surpresa e esse escândalo diminuem. A ciência não tem nenhuma relação com a verdade, na medida em que o discurso da ciência, para Lacan, só se sustenta por uma lógica que faz da verdade um jogo de valores, excluindo radicalmente aquilo que ele chama de sua potência dinâmica:

> Com efeito, o discurso da lógica proposicional é, como se sublinhou, fundamentalmente tautológico. Consiste em ordenar proposições compostas de maneira tal que elas sejam sempre verdadeiras, seja qual for, verdadeiro ou falso, o valor das proposições elementares. Não será isso se livrar do que chamava, há pouco, de dinamismo do trabalho da verdade? (Lacan 2, p. 103)

Esse dinamismo do trabalho da verdade, Lacan o tratou, no início de seu ensino, como "a função da verdade em seu estado nascente" (Lacan 3, p. 13 [1985, p. 11]). Já em seu *Seminário II*, ele se vê às voltas com essa "singular ambigüidade entre saber e verdade" (*ibidem*), que, segundo ele, se vê desde a origem, na medida em que tomemos, por exemplo, Platão como origem. É no *Ménon* de Platão que ele vai, de início, tentar mostrar essa inércia própria ao saber, que o faz perder algo da virtude a partir da qual ele surge e, uma vez surgido, começar a se depositar, "numa evidente propensão a desconhecer seu próprio sentido" (*ibidem*). O que Lacan mostra, aí, é que o saber tem uma origem, a verdade, mas que ele tende sempre a esquecer essa origem, o que quer dizer que ele tende sempre a esquecer sua verdade, como se fosse um saber sem verdade. O mito, ao contrário, trata dessa origem. O mito é sua memória. Como o inconsciente, nos termos de Freud, o mito é a memória do que o homem esquece. E é nesse sentido que o mito tem a ver com a verdade em seu estado nascente. Não esquecê-la é sua função, e é nisso que a psicanálise se aproxima do mito. Como diz Lacan, "nós analistas, que trabalhamos na dimensão desta verdade em estado nascente, não podemos esquecê-la" (Lacan 3, p. 29 [1985, p. 30]).

Toda a meta e o paradoxo do *Ménon* de Platão, segundo Lacan, consistem em mostrar como a *epistéme*, esse saber ligado por uma coerência formal, deixa escapar precisamente aquilo que constitui a virtude, a *areté* da experiência humana: "O que Sócrates destaca é muito exatamente o seguinte – não existe uma *epistéme* da virtude" (Lacan 3, p. 26 [1985, p. 26]). Péricles e Temístocles, que estão aqui enquanto modelos de homens virtuosos, agem em função não de uma *epistéme*, mas, como diz Sócrates, de uma *ortodoxa*, o que Lacan entende do seguinte modo: "existe aí um verdadeiro que não é apreensível num saber ligado" (*ibidem*). Se a constituição de uma *epistéme* é entendida, em geral, como a função de Sócrates, Lacan entende o *Ménon* como o lugar em que Platão deixa claro que "Sócrates não crê que isto seja tudo" (*ibidem*).

O *Ménon* nos dá mostra, segundo Lacan, de que "há em todo saber, uma vez constituído, uma dimensão de erro, que consiste em esquecer a função criadora da verdade em sua forma nascente" (Lacan 3, p. 29 [1985, p. 30]). O trabalho nessa dimensão da verdade é o que, no *Seminário XVII*, Lacan chama de dinâmica da verdade. O discurso analítico não só não pode esquecer tal dimensão, mas também se distingue por formular a pergunta de para que serve essa forma de saber, a ciência, que rejeita e exclui a dinâmica da verdade. A resposta de Lacan é: "serve para recalcar aquilo que habita o saber mítico" (Lacan 2, p. 103 [1992, p. 85]). Ao excluir a dinâmica da verdade que habita o saber mítico, a ciência, no mesmo movimento,

> nada mais conhece dele a não ser sob a forma do que reencontramos nas espécies do inconsciente, quer dizer, como resíduo desse saber, sob a forma de um saber disjunto. O que será reconstruído desse saber disjunto não retornará de maneira alguma ao discurso da ciência. (...) Esse saber disjunto, tal como o reencontramos no inconsciente, é estranho ao discurso da ciência. (*ibidem*).

O que é esse recalcado pelo discurso da ciência que habita o saber mítico? O que é esse resíduo de saber que não pode retornar ao discurso da ciência senão como saber disjunto? O que é essa forma do saber que a psicanálise reencontra no inconsciente, nas espécies do inconsciente, esse estranho ao discurso da ciência?

Esse estranho é o saber como verdade. Enquanto saber disjunto, o saber mítico não é senão o saber que advém no lugar da verdade, o saber como verdade. E o que é o saber como verdade? Segundo Lacan, é um saber que se sustenta como um semi-dizer e tem a forma do enigma (Lacan 2, p. 39 [1992, p. 33]). O enigma é o saber como verdade, na medida em que a própria verdade só se sustenta em um semi-dizer.

Essa idéia de que a verdade só pode ser dita pela metade, de que ela nunca pode ser dita toda, Lacan a extrai de Heidegger. Como ele mesmo diz na última lição do *Seminário XVII*: "Não fui eu quem inventou essa dimensão da verdade que faz com que ela esteja oculta. É a *Verborgenheit* que a constitui" (Lacan 2, p. 216 [1992, p. 179]). *Verborgenheit* é o termo alemão com o qual Heidegger pensa a essência da verdade: a essência da verdade, para Heidegger, é o velamento (*Verborgenheit*). Mas a essência da verdade é o velamento precisamente por Heidegger entender a verdade como desvelamento. É que toda verdade, enquanto desvelamento, enquanto deixar-ser, é, "em si mesmo, ao mesmo tempo, um velar (*Verbergen*)" (Heidegger 5, p. 21 [1979, p. 141]). O velamento, na medida em que se entende a verdade como desvelamento, é o não-desvelamento. E se um velar pertence essencialmente a todo desvelar, é porque a não-verdade pertence à essência da verdade. E o que se vela, em todo desvelamento? A resposta de Heidegger é que o velamento (a *Verborgenheit*) é o velar-se do que é no todo (*Die Verbergung des Seienden im Ganze*). Heidegger assim descreve esse "no todo":

> Este "no todo" aparece à preocupação e ao cálculo cotidiano como o imprevisível e o inconcebível. Este "no todo" jamais se deixa captar a partir do ente que se manifestou, pertença ele quer à natureza, quer à história. Ainda que a tudo constantemente determinando, este "no todo" permanece o Indeterminado, o Indeterminável (...). Este determinante, no entanto, não é um nada, mas um velar-se do que é no todo [*eine Verbergung des Seiende im Ganzen*] (*ibidem*).

O velamento desse "no todo", essa não-verdade original, é, para Heidegger, mais antiga que toda revelação de tal ou tal ente. O velar-se do velado no todo, Heidegger o chama "o Mistério", *Das Geheimnis*, expressão na qual ressoa o jogo freudiano *heimlich-unheimlich*. O que o homem tem de mais próprio é o que ele tem de mais misterioso; o que tem de mais próximo é o que tem de mais estranho. A verdade de cada um é um mistério para cada homem. Por isso, o mistério, enquanto velar-se do velado, domina, segundo Heidegger, o existir do homem.

É dessa reflexão heideggeriana em torno do simultâneo desvelamento e velamento, em jogo em toda verdade, que Lacan chega ao enunciado de que a verdade é não-toda: "O próprio da verdade é isto – a verdade, nunca se pode dizê-la a não ser pela metade" (Lacan 2, p. 39 [1992, p. 34]). Por isso, o semi-dizer é a lei interna de toda espécie de enunciação da verdade, e também por isso, o que melhor a encarna é o mito.

Lacan ilustra isso através do mito de Édipo, mas não através daquilo que, no mito, foi transformado por Freud em complexo. Lacan se refere ao fato de que, nesse mito, a Quimera propõe um enigma a Édipo, e em função da resposta que lhe dá que Édipo se torna Édipo. Aqui aparece a função do enigma, do saber como verdade, como um semi-dizer, a própria Quimera encarnando esse semi-dizer na medida em que se faz aparecer como um meio-corpo.

O mesmo mito também mostra como o saber como verdade define o que deve ser a estrutura do que se chama, em psicanálise, uma interpretação. Para entendê-la, é preciso insistir na diferença que Lacan propõe, desde o início de seu ensino, como uma diferença de nível entre a enunciação e o enunciado.

O enunciado é o que se diz, a enunciação é o que se quer dizer com o que se diz. A enunciação fica abolida no discurso científico, na medida em que, para esse discurso, não há a questão do que se quer dizer, mas apenas a questão do que se diz. No discurso científico, a questão do que se quer dizer fica abolida porque nesse discurso não se quer dizer nada: falta um sujeito que possa sustentar esse querer dizer. Um discurso só é propriamente científico se não quer dizer nada. Por isso, o discurso científico é um discurso constituído apenas de enunciados. Nele não há enunciações, o que é um outro modo de dizer que o discurso científico deixa de fora a questão da verdade. Pois o que insiste no enunciado, como a sua outra metade, a enunciação, é um efeito da verdade sobre o enunciado. Só um enunciado que tem relação com a verdade leva também consigo uma enunciação. O enunciado científico não possui nenhuma enunciação exatamente por não ter nenhuma relação com a verdade. No entanto, se, ao falar, um sujeito faz não apenas um enunciado, mas também uma enunciação, é porque a relação com a verdade já se estabeleceu e já o atravessou. Não existe enunciado da verdade, mas apenas sua enunciação.

Se Lacan introduz a distinção entre o enunciado e a enunciação, o faz, justamente para que a função do enigma ganhe sentido. O enigma é, para Lacan, uma enunciação, diante da qual ficamos encarregados do enunciado. Diante de uma enunciação, diante de um enigma, temos de nos virar, como fez Édipo, e depois sofrer as conseqüências. A fórmula de Lacan é: "O enigma é a enunciação – e virem-se com o enunciado" (Lacan 2, p. 40 [1992, p. 34]). É nesse sentido que o enigma, na medida em que participa do semi-dizer, é o médium sob o qual intervém a interpretação. Lacan lembra que a interpretação é com freqüência estabelecida por um enigma.

Na medida em que descreve o mito de Édipo nesses termos, Lacan muda um pouco o modo como se entende o mito e também como se entende a interpretação. Para Lacan, é a Quimera que interpreta Édipo, e não o contrário, como estamos mais acostumados a pensar. Na medida em que lhe lança um enigma, na medida em que lhe lança uma enunciação, é Édipo que é chamado a dar a essa enunciação um enunciado. O enunciado de Édipo cifra o enigma da Quimera e esta se dissolve em seu próprio mistério. A interpretação da Quimera consiste em dar a Édipo uma enunciação, e não um enunciado. O enunciado, só quem o pode dar é Édipo. O mesmo ocorre, para Lacan, numa análise. O enigma, mesmo colhido, tanto quanto possível, na trama discursiva do analisante, é um enigma no qual a enunciação é produzida pelo intérprete, isto é, o analista. Ao tratar a fala do analisante como enigma, o analista a devolve ao analisante como sua própria enunciação, diante da qual este tem de se virar. Tratar essa fala como enigma é restituir o que ela tem de enunciação: é sobretudo não considerá-la como confissão, isto é, como um enunciado sem enunciação, como um enunciado sem verdade. Não é o analista, nesse sentido, que é colocado na função de sujeito suposto saber, saber desde o qual, supostamente, interpretaria. O analista, como a Quimera, interpreta, mas quem é suposto saber é o analisante. O analista está ali para fazer supor um saber enquanto verdade na fala de seu paciente. A interpretação, para Lacan, tem a estrutura do saber como verdade.

É por isso que, no discurso analítico, o saber advém no lugar da verdade. Contudo, como lembra Lacan, "o que advém aí, no começo, tem um nome – é o mito" (Lacan 2, p. 126 [1992, p. 102]). É o que pode ser visto quando se trata da verdade, daquela verdade primeira, aquela que nos interessa, mesmo que a ciência renuncie a ela, mesmo que a ciência nos dê apenas seu imperativo: *continua a saber*. Nesse campo aberto pelo imperativo da ciência, todavia, há uma certa discordância com algo que nos concerne. E isto é ocupado pelo mito.

Essa dimensão de verdade do mito é o que tentei privilegiar aqui e, ao fazê-lo, acabei por privilegiar sua dimensão de enunciação; mas a segunda afirmação de Lacan que li, no princípio, fala do mito não como enunciação, mas como enunciado. Ela diz: o mito é "um enunciado do impossível" (Lacan 2, p. 145 [1992,. p. 118]). Como entender essa oposição que encontramos nas duas afirmações de Lacan sobre o mito?

Como enunciação, o mito se refere à verdade, mas como enunciado diz respeito ao real. Por isso, Lacan afirma que "entre nós e o real há a verdade" (Lacan 2, p. 202 [1992, p. 166]). O mito possui, portanto, uma dimensão de verdade, a do saber como verdade – pura enunciação –, mas também uma dimensão de real, a de enunciado do impossível – puro enunciado. O mito, nesse sentido, é algo que gera muitas interpretações, seu efeito de enunciação, efeito por sua vez de sua dimensão de verdade. Porém, o mito, enquanto enunciado do real, não tem nenhum sentido. O real, para Lacan, é o impossível, mas também o que não quer dizer nada. O real não tem sentido. É algo traumático. O mito é a memória desse traumático: uma memória enquanto cifra.

Essas duas dimensões do mito aparecem nisso que Lacan pensa como o nó do semi-dizer da verdade e o que dele corresponde à interpretação, e estão ligadas a isso que ele chamou de enunciação sem enunciado e enunciado com reserva de enunciação.

Tais dimensões reaparecem em suas conferências americanas, publicadas em 1975. Aí Lacan fala que a imagem do analista como alguém cujo *métier* consiste em se calar é um erro, um desvio. Lacan insiste na ocasião em que o analista tem coisas a dizer, mas reafirma que o que ele tem a dizer é da ordem da verdade (Lacan 4, p. 42). Lacan retoma então, mais uma vez, a questão do mito, dizendo que o que aproxima o dizer da verdade e o mito é o fato de que verdade tem uma estrutura de ficção. A verdade tem uma estrutura de ficção, segundo ele, porque passa pela linguagem e a linguagem, tem uma estrutura de ficção. Ao mesmo tempo, aproximar a verdade do mito já implica em dizer que não se pode esgotá-la, dizê-la toda. A outra metade da verdade aparece, então, como um certo impossível. O impossível de dizê-la toda é o impossível de generalizá-la, o impossível que ela valha pra todos. Trata-se de uma verdade particular. Mas o que pode particularizar uma verdade, torná-la não toda, senão o real? É nesse momento da argumentação que Lacan introduz a consideração em torno do que há de real no mito: “Digamos, que o real, também ele, pode ser mítico” (Lacan 4, p. 45). Isso não diminui a importância do mito como dizer da verdade, pois “nesta direção está o real” (*ibidem*).

Tudo isso é, para Lacan, profundamente inquietante. Nas suas palavras: "É profundamente inquietante que haja um real que seja mítico" (*ibidem*). Lacan não hesita em atribuir a esse fato, o de que haja um real mítico, a causa de que Freud tenha mantido sua doutrina da função do pai. No *Seminário XVII*, é também por ocasião da análise do lugar do pai no mito que Lacan forja a afirmação de que o mito é um enunciado do impossível. Trata-se, na ocasião, de demonstrar que o pai morto é o gozo e, com isso, não se está mais no nível da enunciação, mas no do enunciado, pois o que Lacan diz, na ocasião, é que "no enunciado do mito de *Totem e tabu*, o mito freudiano é a equivalência entre o pai morto e o gozo" (Lacan 2, p. 143 [1992, p. 116]). Ora, Lacan entende a equivalência entre pai morto e gozo como "sinal do próprio impossível" (*ibidem*). E se o real é o impossível, o mito como enunciado do impossível é um certo enunciado do gozo.

Assim, o percurso que se realiza aqui, entre as duas dimensões do mito, é um percurso que vai da enunciação da verdade ao enunciado do gozo. Para que esse percurso pudesse ser feito, Lacan teve que acrescentar ao par hegeliano, saber e verdade, um terceiro elemento, o gozo – um elemento ausente nos primeiros anos de seu ensino. O que me pergunto é se esse percurso em direção ao gozo poderia ter sido feito sem que o próprio não-todo da verdade se tivesse mostrado a Lacan a partir de Heidegger – em outras palavras, sem que uma modificação da própria noção de verdade se tivesse operado de Hegel a Heidegger, sem que Lacan tivesse se apropriado dessa modificação em seu caminho para um mais além da verdade, cujas coordenadas ele encontra em Freud.

Referências bibliográficas

1. HEGEL, Georg. W. F. *Phänomenologie des Geistes.* Werke 3. Frankfurt am Main: Suhrkamp, 1998. [*Fenomenologia do espírito.* Petrópolis: Vozes/ Bragança Paulista: USF, 2002.]

2. LACAN, Jacques. *Le Séminaire, livre XVII:* L'envers de la psychanalyse. Paris: Seuil, 1991. [*O Seminário, livro 17:* o avesso da psicanálise.Rio de Janeiro: Zahar, 1992.]

3. ____. *Le Seminaire, livre II:* Le moi dans la théorie de Freud et dans la technique de la psicanalyse. Paris: Seuil, 1978. [*O Seminário, livro 2:* o eu na teoria de Freud e na técnica da psicanálise. Rio de Janeiro: Zahar, 1985.]

4. ____. "Conférences et entretiens dans des universités nord-americaines". In *Scilicet,* n. 6/7, 1975.

5. HEIDEGGER, Martin. *Vom Wesen der Wahrheit.* Frankfurt am Main: Vittorio Klostermann, 1997. ["Sobre a essência da verdade". In *Conferências e escritos filosóficos.* São Paulo: Abril Cultural, 1979 (Coleção Os Pensadores).]

6. ____. "O que quer dizer pensar?". In *Ensaios e conferências.* Petrópolis: Vozes, 2002.

Antígona:
heroína da psicanálise?

Phillipe van Haute

Professor da Universidade de Nijmegen, Holanda.

Tradução: Ronaldo Manzi Filho

Antígona: heroína da psicanálise?

Como Heidegger, Lacan lê a *Antígona* à luz da problemática da verdade (do desejo de) do sujeito/Dasein. O privilégio dado à figura de Antígona e a rejeição de Creonte também têm de ser entendidos sobre esse pano de fundo filosófico. Tal privilégio proporciona uma visão de por que Lacan dá a Antígona – e somente a ela – uma significação paradigmática na determinação do foco da análise. Aponta-se para a analogia feita por Lacan entre Tirésias e o analista. A intervenção de Tirésias pode ser entendida segundo o modelo de uma interpretação analítica. Essa intervenção corresponde àquilo que Lacan escreveu sobre o objetivo da análise: ela tem de buscar a passagem à fala verdadeira, que une um sujeito a outro, do outro lado do muro da linguagem.

Palavras-chave: Lacan, Sófocles, Tirésias, analista

Antigone, heroin of psychoanalysis?

Lacan reads Antigone, like Heidegger, in the light of the problematic of the truth (of the desire of) the subject/Dasein. The privilege accorded to the figure of Antigone and the rejection of Creon to which his interpretation bears witness, must also be understood against philosophical background. It also provides an insight into why Lacan gives Antigone – and only Antigone – a paradigmatic significance in the determination of the aim of analysis. we pointed to the analogy made by Lacan between Tiresias and the analyst. the intervention of Tiresias may be understood according to the model of an analytical interpretation. The intervention of Tiresias then also corresponds to what Lacan writes elsewhere about the aim of analysis: The analysis must aim at the passage of true speech, joining the subject to another subject, on the other side of the wall of language.

Key words: Lacan, Sophocles, Tiresias, analyst

Introdução

O texto de Lacan sobre *Antígona* é extremamente complicado e sobredeterminado. Nesse texto (as últimas seis sessões do seu seminário sobre a ética na psicanálise)[1], Lacan tratará, na verdade, de diferentes temas e do modo como eles estão inter-relacionados. Sua leitura de *Antígona* oferece ao mesmo tempo uma teoria do desejo, uma teoria da sublimação e uma teoria (da lógica) do término da análise. A teoria lacaniana (da verdade) do desejo funciona aqui como o agente unificador. Ela forma o centro pelo qual os outros temas são tratados. A teoria lacaniana da sublimação, assim como sua teoria do término da análise, deve ser entendida a partir dos seus *insights* a respeito do desejo (e a sua verdade).

A ambição de Lacan tem um alcance maior: por meio da leitura de *Antígona* ele não quer apenas tratar um número crucial de temas em psicanálise, mas deseja, ao mesmo tempo, fornecer uma luz à essência da tragédia grega (ver Lacan 7, pp. 272-3, 313). Sem dificuldade, alguém poderia ser tentado a encontrar algo frívolo nessa última ambição. Estaria a psicanálise realmente em tal posição de revelar os segredos da tragédia grega? Quanto a essa questão, a história do esforço da psicanálise para lidar com essa problemática não é muito promissora. Muitas vezes, ela não vai muito além de algumas reflexões importunas e tediosas (até fazendo psicologismo delas) que nos

---

[1] As citações das obras de Lacan foram traduzidas da edição original. Indicamos, por isso, duas paginações: a primeira das edições inglesa e norte-americana, que o autor utiliza, e a segunda, das edições em francês. Ambas estão indicadas nas referências bibliográficas.(Nota do tradutor).

ensinam vários tipos de coisas sobre a psicanálise e pouco ou nada sobre a tragédia. Nós estaríamos errados, entretanto, em caracterizar deste mesmo modo os *insights* lacanianos sobre a tragédia, designando-os como marginais, colocando-os precipitadamente de lado. Ele são mais que um mero adorno da atual temática. Nós devemos, ao contrário, nos questionar se o tratamento que Lacan dá aos temas psicanalíticos mencionados e se sua visão sobre a tragédia e o trágico não estão inter-relacionados uns com os outros de um modo intrínseco. Clarificaremos essa questão posteriormente.

Lacan e o significado da tragédia

Para Lacan, não há dúvidas de que Antígona é a verdadeira heroína da tragédia homônima de Sófocles (ver Lacan 7, p. 262, 305). Quem gostaria de negar que Antígona incita admiração em sua resistência perseverante à proibição, ditada por Creonte, de enterrar seu irmão? Contudo, Antígona faz mais que uma mera incitação à nossa admiração: ela nos fascina. Ela é – e Lacan nunca deixa de repetir isto – a única e verdadeira protagonista da tragédia de Sófocles. No entanto, tudo isso é evidente. Há, certamente, uma tradição de leitura e de interpretação de Sófocles[2] que parece concordar com Lacan. Não apenas filósofos como Heidegger, mas também alguns especialistas bem firmados e bem versados da antiguidade seguem o ponto de vista de Lacan: Antígona é a heroína da peça e Creonte não é nada mais que o anti-herói que sofre as conseqüências de sua própria "insensatez". Entretanto, mesmo na antiguidade grega, e mais precisamente desde Aristóteles, tal leitura foi taxada como incorreta. A designação do privilégio da figura de Antígona, por este lado da questão, pressu-

---

[2] Para uma avaliação da interpretação da *Antígona* de Sófocles conferir Oudemans & Lardinois 8, pp. 107-118.

põe, uma completa negligência do enredo, precisamente pelo que a tragédia recebe sua forma segundo Aristóteles[3]. Heidegger e Lacan, ao contrário, asseguram reciprocamente que as tragédias de Sófocles não devem ser entendidas como Aristóteles o fez, ou seja, como uma exposição de ações sucessivas, mutuamente irredutíveis, e de vicissitudes da vida. De acordo com eles, as tragédias não são composições de eventos; elas são, ao contrário, nada mais que o lugar no qual, respectivamente, a verdade do Ser (e do *Dasein*) e a verdade do desejo (do sujeito inconsciente) se tornam visíveis. Na tragédia, escreve Heidegger, "propriamente dizendo", nada acontece: ela começa com uma ruína[4]. Lacan, por sua vez, compara a tragédia ao colapso de uma pirâmide de cartas: a escolha de Antígona determina a sucessão das cenas mutuamente interconectadas que, em si mesmas, fazem a significação e a verdade da escolha original posteriormente explicitada (ver Lacan 7, pp. 265-266, 308-309).

Nós faríamos bem em não perder de vista o contexto filosófico (e mais especificamente heideggeriano) da leitura lacaniana de *Antígona.* Lacan, como Heidegger (e, nesta questão, toda a tradição filosófica desde o idealismo alemão), realmente lê essa tragédia por uma perspectiva da manifestação da verdade do Ser, do desejo do *Dasein* e do sujeito[5]. O privilégio absoluto consentido à figura de Antígona não pode ficar claro se afastado dessa perspectiva. Uma breve comparação entre as leituras heideggeriana e lacaniana sobre Antígona poderá ilustrar este ponto.

---

[3] Ver Aristóteles 1, pp. 2320-2321 (1450a115 – 1450a23) *et passim.*

[4] Ver Heidegger 2, p. 128.

[5] "Il n'y a, dans la tragédie en général, aucune espèce de véritable événement. Le héros et ce que l'entoure se situent par rapport au point de visée du desir. Ce qui se passe, ce sont des effondrements, les tassements des diverses couches de la présence des héros dans le temps." (VII, p. 265, 308)

A leitura de Lacan e Heidegger sobre Antígona

Lacan lê *Antígona* sobre um fundo que nós dificilmente poderíamos chamar de outro modo senão de "o lugar da *Seinsgeschickliche* (historicidade do ser) na psicanálise" (ver Lacan 7, *passim*). Lacan fala explicitamente sobre a possibilidade histórica de fundar uma ética *jenseits* (além) de uma "ética do bem", quer dizer, de uma ética que não busca basear sua legitimidade em valores "econômicos" (por exemplo, no que é o prazer e o desprazer para nós, em que pode ou não nos levar à felicidade). De modo mais amplo, a questão consiste em explorar os limites, e se possível ir além de uma ética conseqüencialista que, de acordo com Lacan, seria responsável pelos horrores que o século XX produziu. Antígona é a figura na qual a confrontação com tais limites recebe uma forma exemplar. Em sua inflexibilidade contra a proibição de Creonte de enterrar Polinice, ela se direciona exclusivamente a um ponto que está além do mundo dos significados da linguagem e mesmo de qualquer possível significação: ela está no lugar onde o sentido ameaça tornar-se não-sentido e onde qualquer cálculo perde sua significação. Ela defende que, como diz Lacan, isto sobre ou que em Polinice não pode ser articulado como uma qualidade na linguagem: quem ou o que quer que tenha sido Polinice (quaisquer que tenham sido suas características que possam ser formuladas na linguagem), ele deve ser enterrado. É deste modo, diz Lacan, que Antígona fixa sua vista para esse *das Ding* que não pode ser expresso por nenhum significado. Antígona é direcionada para "algo" que em si não pode aparecer como uma qualidade próxima a outras e que, assim, escapa ao mundo familiar. Conseqüentemente, ela revela a verdade do desejo inconsciente que resiste a qualquer lógica conseqüencialista.

Qualquer um que esteja de algum modo familiarizado com a filosofia contemporânea provavelmente deve pensar, no contexto da problemática (da transgressão) do limite de uma ética do bem, no famoso ensaio de Heidegger *Über die Linie* (Sobre a linha) que foi igualmente publicado sob o título *Zur Seinsfrage* (Sobre a questão do Ser)[6]. Embora seja mais que provável que Lacan não conhecesse esse texto no momento em que comentava Antígona, as similaridades são notáveis. Heidegger trata do limite do niilismo, quer dizer, da época da tecnologia em que o meio e fim da racionalidade tornou-se predominante. Não se requer muita imaginação para ver no ataque lacaniano à ética conseqüencialista o análogo da interrogação heideggeriana dos limites do niilismo. Não seria a ética conseqüencialista, afinal de contas, a concretização do niilismo no nível ético? Tal comparação ainda permanece num alto grau de generalidade e com pouco compromisso. O que se segue, no entanto, é mais importante: Heidegger discute a figura de Antígona numa série de leituras de 1942 sobre *Der Ister* de Hölderlin, de um modo que concorda perfeitamente com a interpretação lacaniana. Nesse texto, Heidegger retoma e desenvolve com maior profundidade sua leitura da *Antígona* de Sófocles, que havia começado em *Zur Einführung in die Metaphysik* (Uma introdução à metafísica)[7]. Nesta última, Heidegger denomina o homem (*Dasein*) *das Unheimlichste* (para denotar aquilo que é mais incomum). Ele escreve: "o *Da-sein* do homem histórico se diz: ser posto como uma brecha no qual a sobreforça do ser aparece rompida, deste modo esta brecha em-si rompe de modo brusco com o ser"[8]. O *Dasein* é entregue à necessidade de ser e isto para ruir e destruir. Quanto a isto, o *Dasein* somente preserva e protege o mundo familiar cotidiano (que está incrustado nele), a fim de romper com a familiaridade disto, para que esse

---

[6] Ver Heidegger 4, pp. 379-421.

[7] Ver Heidegger 3,(*Idem, An Introduction to Metaphysics.* Trad. Ralph Manheim. New York: Yale University Press, 1959).

[8] *Ibidem*, p. 124 (ed. de Frankfurt), 163 (ed. de New York): "Da-sein des geschichtlichen Menschen heißt: Gesetzt-sein als die Bresche, in die Übergewalt des Seins erscheinend hereinbricht, damit diese Bresche selbst am Sein zerbricht".

Ser possa se dar a nós de um novo modo. Porém, o *Dasein* não faz isto meramente por capricho subjetivo. Ele faz assim porque o Ser o força a abandonar seus bem conhecidos passos, para que ele possa *überhaupt* (de qualquer forma) se dar de um novo modo. Quanto a isto, o Ser não pode aparecer separado de uma atividade "violenta" do homem. O Ser não pode ocorrer sem o *Dasein*, pois em seu ser responde o apelo do Ser.

Em *Der Isters*[9], Heidegger retoma essa análise e dá um passo além: não somente chama o homem ou o *Dasein* de *das Unheimlichste* (o mais incomum), assim como acabamos de descrever, mas afirma que Antígona é o ser que representa o *Dasein* de um modo exemplar. De fato, Heidegger escreve que Antígona é *der unheimlichste Mensch* (o homem mais incomum) porque ela fez a *zu-geschickte Erscheinen* (a aparição da não-entrega) contra, qual ninguém pode fazer nada. Antígona, seja como for, rompe o mundo do ser e, assim, do sentido-dado humano e de suas possibilidades. Ela está naquele lugar onde o mundo aparece como sendo entregue a algo que lhe escapa de um modo radical e que não tem regresso possível: *das zu-geschickte Erscheinen*, quer dizer, o Ser em-si mesmo. Heidegger conclui que a morte de Antígona sela sua aderência ao Ser em-si.[10]

Não é nossa intenção insistir fortemente na inegável proximidade de Heidegger e Lacan com relação a *Antígona*. Para nossa exposição, é mais importante que para Lacan, assim como para Heidegger, Antígona representa de um modo exemplar a verdade do homem em relação a algo que por definição o elude. Para Lacan, Antígona é direcionada ao *das Ding* que não pode ser articulado na ordem dos significados, desconcertando o mundo a que estamos familiarizados. Para Heidegger, Antígona é sujeitada à necessidade

---

[9] Heidegger 3, pp. 117-52 *et passim*.

[10] *Ibidem*, p. 127.

do Ser, que, em essência, está para além de nosso mundo cotidiano familiar. É desse modo que ela representa uma verdade que normalmente nos escapa[11].

Nós sugerimos acima que a teoria lacaniana da tragédia e os temas psicanalíticos de que Lacan trata nesse contexto estão entrelaçados intrinsecamente. Em seguida, ilustraremos esse ponto em relação à problemática do término da análise, assim como ela é tematizada por Lacan em conexão com Antígona. A fascinação de Lacan por Antígona (e algumas pressuposições filosóficas que nós deixamos nu) dá razão a uma visão do propósito da análise que é ao menos discutível. Contudo, nós devemos primeiro explicar brevemente a interpretação lacaniana de *Antígona* antes de tomarmos essa questão com profundidade.

A interpretação de Lacan da Antígona de Sófocles

A história de Antígona é bem conhecida. Ela quer enterrar seu irmão a todo preço. A despeito da proibição de Creonte, a quem é óbvio que, como um traidor do estado e assassino do seu irmão Etéocles, Polinice não merece essa honra, ela irá se esforçar duas vezes para conduzir sua vontade até o fim. Porém Creonte, escreve Lacan, comete um erro. Ele comete a insensatez de defender que mesmo os mortos estão sujeitos à autoridade política (ver Lacan 7, p. 259, 301). Ele é, então, nada mais que um anti-herói (ver Lacan 7, p. 277, 323), um mero momento do estágio a partir do qual Antígona pode revelar sua verdade. Como Antígona coloca mais tarde, Polinice deve ser enterrado porque é *autadelfos*: "morrendo meu esposo, poderia ter outro, / filhos outro homem, perdendo um, poderia dar-me, / mas

[11] É óbvio que esta comparação entre Heidegger e Lacan ainda permanece claramente formal. A fim de "des-formalizar" essa comparação nós devemos, por exemplo, nos perguntar como o *Ding* de Lacan é relacionado ao Ser de Heidegger. Mas isto, entretanto, foge de nosso alcance nesta investigação.

irmão, visto que pai e mãe foram recolhidos à Morte, / jamais será possível que outro floresça"[12]. Em outras palavras, em sua resistência a Creonte, Antígona apela para a singularidade e irreparabilidade de Polinice.

A singularidade de Polinice, pode não ser compreendida, e, entretanto, em termos de qualidade ou expressa em palavras. Foi ele um bom ou um mau homem, foi bravo ou covarde, forte ou fraco? Todas são qualidades que ele compartilha com outros e que tornam possivel que ele seja comparado com outros. A singularidade de Polinice se refere, também a um ponto que leva para além dessas qualidades: como Antígona diz, Polinice pode ter sido quem quer que ele desejasse ser e pode ter feito o que quer que seja, mas isto não muda o fato fundamental de que ele era seu irmão e, como tal, é irreparável. É essa singularidade (que em si não pode mais ser entendida em termos de qualidade, articulada com os significados da linguagem) que Antígona defende e em nome da qual ela continua a oferecer resistência a Creonte, mesmo correndo o risco de perder sua própria vida. De acordo com Lacan, é através da paixão por seu irmão que Antígona renuncia a todos os bens deste mundo e ao que quer que possa uni-la a este mundo: sua relação com Hemon, sua possível maternidade, sua relação com sua irmã Ismênia, sua própria vida. Antígona distancia-se de tudo que normalmente nos dá contento e sentido em nossa existência. Desse modo, seu desejo é direcionado para aquilo que escapa à lei do significado. É "puro" desejo (ver Lacan 7, p. 283, 329). E está purificada de qualquer conexão com o que dá sentido, significação e orientação à nossa existência. É direcionada a algo (*das Ding*) que não pode mais ser recuperado na ordem do sentido. Antígona estabelece-se no limite onde o sentido (que pode ser articulado na linguagem) ameaça tornar-se não-sentido.

---

[12] Sofocles 9, p. 87 (versos 905-912). Nesta tradução utilizamos: a versão para o português Donaldo Schüler. (Porto Alegre: L&PM, 1999). (Nota do tradutor)

Em sua resistência, Antígona apela às leis ctônicas das relações sanguíneas. Pode-se dizer que, com isso, ela sobrevaloriza os laços sanguíneos. Isto é indubitavelmente verdadeiro, mas é dessa maneira que, de acordo com Lacan, ela cumpre o infortúnio (mas também a insanidade), o *atei* da família de Laio. Antígona não é nada mais que um expoente da história incestuosa de Laio e o que determina a história: o oráculo de Delfos, a maldição que Édipo lança sobre seus dois filhos etc. Como Lacan escreve, Antígona é *le noeud central de la parole* (o nó central da fala): ela não é nada menos que o lugar em que as palavras fundamentais que conduzem a história da família de Laio vêm para ser percebidas. Em outras palavras, é precisamente nesse momento que Antígona executa o destino de Laio em seu ultimato extremo – (executando) a cadeia de significados que está no suporte de sua existência e pela qual esta recebe uma forma; é nesse momento que ela alcança o limite onde a coisa indizível aparece – lá onde as "palavras fundamentais" são executadas sem deixar resto, nós alcançamos o ponto em que a linguagem, em sua essência, é insuficiente para fundamentar nossa existência de uma vez por todas. Antígona, então, não é nada mais que "a escória do mundo (...), coisa vazia de toda aparência especiosa"[13]. É deste modo que Antígona revela a verdade de nossa existência como seres desejantes. Esse desejo é o efeito da linguagem que fundamentalmente nos determina e que ocorre sob o fundo de um *Ding* indizível que resiste a todas as nossas tentativas de recuperá-lo à ordem do sentido.

Nós aqui trouxemos brevemente à memória a interpretação de Lacan sobre *Antígona*. Nossa interpretação disto ilustra, uma vez mais, que Lacan tem exclusiva atenção, como na tradição heideggeriana, à verdade (do desejo) do sujeito que é expressa por Antígona de modo exemplar. E é exatamente por Lacan entender o trágico como (confrontação com a) verdade do sujeito desejante (a verdade

---

[13] "(...) n'est plus que le rebut de la terre, le déchet, le résidu, chose vidée de toute apparence spécieuse" (Lacan 6, p. 232, 270).

do Ser, respectivamente) que ele pode dizer, partilhando com Heidegger, que nada realmente acontece na tragédia grega: a tragédia começa com uma ruína do sentido. Todos os outros protagonistas (Ismênia e Hemon, assim como Creonte e Tirésias) são, desse modo, reduzidos a meros elementos de decoração, sem nenhum atributo ou verdade própria. A interação entre tais protagonistas (a intriga a qual Aristóteles atribui tanta importância), conseqüentemente, não representa nenhum papel na leitura de Lacan (ou na de Heidegger). Anteriormente, nós já havíamos indicado que esse empobrecimento é muito menos inocente que parece, visto que tem repercussão imediata no modo como Lacan tematiza em seu texto (mas também noutro lugar) o término da análise. É o que abordarei adiante.

O propósito da análise e o erro de Creonte

Lacan fala que, no final da peça, Antígona não é nada mais que "a escória do mundo (...), coisa vazia de toda aparência especiosa". Desse modo, ela confronta a si com o nada abismal da existência humana. Mas Lacan imediatamente adiciona que essa experiência forma, ao mesmo tempo, o término lógico de uma análise realmente completa. Conseqüentemente, nós devemos, na análise (como Antígona), nos confrontar com o nada último de nossa existência. E o caminho para tal não difere em nada daquele que Antígona percorreu: em análise, espera-se restaurar as palavras fundamentais pelas quais nossa existência recebe sua forma e pelas quais é determinada. Lacan então escreve:

> [...] é por sua própria lei que [...] o sujeito despoja o escrutínio. Essa lei é sempre primeiramente a aceitação de alguma coisa que começou a se articular antes dele na geração precedente e que é, propriamente dizendo, o *Atè*. Este *Atè*, por nem sempre atingir o trágico do *Atè* de

Antígona, não tem por isso menos afinidade com o infortúnio (Lacan 7, p. 300, 347)[14].

Em outras palavras, o desenrolar de nosso destino e a confrontação com *das Ding* aqui também vão de mãos dadas. Na análise, quer-se fazer nada menos que isto: confrontar-nos com um destino sem-sentido que ocorre sob o fundo de um *Ding* indizível. Como na tragédia, a análise é, no sentido mais literal da palavra, um acontecimento-da-verdade.

Será que nós podemos aceitar isto como sendo suficiente? Na análise não se quer produzir uma mudança subjetiva? Não se espera, dos analisados que confiaram em nós, que algo irá mudar em suas vidas, que eles possam de algum modo romper com o poder dos seus destinos para expandir suas vidas de um modo que não eram capazes anteriormente? Deveria o analista somente aspirar à aceitação de um destino sem-sentido, ou ele deveria também tornar possível dizer ao analisando a razão pela qual sua vida teve de tomar o caminho que tomou, a fim de que outras possibilidades se tornar possíveis? Nós já sugerimos acima que a escolha unilateral de Lacan e Heidegger do privilégio da figura de Antígona parece questionável de um ponto de vista filosófico e histórico. Por razões "econômicas" nós não pudemos desenvolver essa questão. Neste momento do texto, entretanto, não podemos mais evitar tal problemática. A interpretação de Lacan não somente nos dirige a conclusões que levantam questões de um ponto de vista filosófico e histórico, como também tais conclusões não são tão óbvias pela perspectiva psicanalítica. Além disso, alguns elementos no próprio texto do Lacan dão origem a uma problematização de sua própria visão.

---

[14] "[...] c'est sa propre loi dont [...] le sujet dépouille le scrutin. Cette loi est d'abord toujours acceptation de quelque chose que a commencé de s'articuler avant lui dans les générations précédenttes, et qui est à proprement parler l'*Até*. Cette *Atè*, pour ne pas toujours atteindre au tragique de l'*Atè* d'Antigone, n'en est pas moins parente du malheur."

Creonte, diz Lacan, é um herói secundário, ou mesmo um anti-herói. Ele não só comete um erro em não querer enterrar Polinice, mas também admite a intervenção de Tirésias pelo medo das conseqüências de suas ações. Ele reconhece suas próprias faltas e se esforça para desfazer suas conseqüências *in extremis*.

O pensamento aristotélico, afirmando que a tragédia faz uma possível catarse através do sentimento de pena e medo, é bem conhecido. De acordo com Lacan, medo e pena são afetos que têm um papel no mundo na medida em que aparecem como familiares e "próprios à pessoa". Nós sentimos compaixão apenas por alguém que se mostra como um igual, alguém em quem podemos nos reconhecer. Medo também sugere um perigoso reconhecimento; nós tememos alguém, por exemplo, porque podemos atribuir motivos e intenções a ele ou a ela que não nos são inteiramente estranhos. Medo e pena, conseqüentemente, têm um papel em nossas relações com o outro na medida em que podemos nos identificar com ele ou ela. Esses afetos intervêm em nossa conduta para com um alter-ego que, como tal, pode aparecer como familiar. Lacan fala que eles pertencem ao domínio do imaginário, quer dizer, ao domínio do mundo ao qual somos familiares e podemos nos vincular.

Disto, Lacan conclui que a catarse, como o sentimento de medo e compaixão tratado por Aristóteles, não pode ser outra coisa senão uma purificação desse imaginário que nos mantém a uma distância da verdade de nossa existência (ver Lacan 7, p. 247, 290). De acordo com Lacan, é precisamente na confrontação com a figura de Antígona que essa catarse (mesmo que por um breve momento) se torna possível ao espectador. Antígona é, afinal, do começo ao fim da peça, "desprovida de medo e de pena". Ela intenta um ponto para além de nosso mundo familiar. Ela é completamente separada de tudo que pode dar contento e sentido a este mundo. Para nós, espectadores, ela torna possível uma confrontação com o "fundo abismal" (Heidegger) de nossa existência (*das Ding*) de tal modo que não perecemos na confrontação com isto.

A posição de Creonte é inteiramente diferente: ao consentir com seus sentimentos de medo, ele retrocede ao mundo imaginário. Antígona nos deixa mudos no sentido mais literal: por separar a pessoa do mundo familiar, as categorias de bom ou mau, de sentido ou não-sentido, com as quais nós julgamos nosso mundo e pelas quais nosso mundo pode aparecer como significável, perdem sua significação. Observando Antígona, nós, assim como o coro no final da peça, nos desorientamos[15]. Antígona é justa ou não, boa ou má? Em conexão com Antígona, uma resposta significativa a essas questões não é mais possível, porque as categorias e pressuposições que poderíamos usar perdem sua relevância e foram como que postas fora de ação (ver Lacan 7, pp. 281, 324-325). Creonte, ao contrário (e este pode ter sido o erro mais sério dele de acordo com Lacan), cede e permite que suas ações possam ser julgadas por categorias que estruturam o mundo cotidiano. É desse modo que ele escapa da confrontação com *das Ding*, que se tornou a única "medida" para as ações de Antígona. Assim como para Heidegger, Antígona pertence ao Ser e Creonte representa nada menos que o esquecimento do Ser. Antígona tem sua vista direcionada a *das Ding* a que, por covardia e medo, Creonte escapa.

Tirésias e a função do psicanalista

No entanto, Creonte é a única figura da *Antígona* de Sófocles que, durante o curso da peça, realmente muda. No final da peça ele assume uma posição subjetiva diferente da inicial. Após a intervenção de Tirésias, ele reconhece suas faltas e assume suas responsabilidades por elas. Ele assume seu passado a em que Antígona é determinada pela história da família de Laio – e muda sua orientação. Antes de condenarmos Creonte por isto, como Lacan claramente o faz, nós devemos nos lembrar do seguinte: ao menos implicitamente Lacan

---

[15] Ver Sófocles 9, verso 801 e os que o seguem.

compara Tirésias a um analista. E, se tal comparação é válida (e nós desejamos destacar, uma vez mais, que nós encontramos essa comparação no texto de Lacan), podemos ainda qualificar, sem dificuldades, a mudança que Tirésias produz em Creonte como o seu erro último? Se levarmos a sério a sugestão de Lacan, a de que Antígona tem um significado paradigmático para a determinação do término da análise, não se deveria então aceitar que a intervenção de Tirésias também proporciona uma reavaliação do significado de Creonte para a análise? Perguntemo-nos primeiramente em qual evidência nos baseamos na analogia entre Tirésias e o analista.

Não é acidentalmente que Lacan diz que os "heróis" da antiguidade são cegos (Édipo, Homero, Tirésias). Nós já apontamos o fato de que o reconhecimento do destino (das palavras fundamentais que são o suporte de nossa existência) vai de mãos dadas com a confrontação com o *Ding* indizível e com a não-fundamentação última de nossa existência. Uma vez que o oráculo de Delfos veio para sua completa realização (a cadeia de significados pela qual a existência de Édipo recebeu sua forma), ele destrói seus olhos: "se ele se separa do mundo pelo ato que consiste em se cegar, é porque somente ele, que escapa das aparências, pode chegar à verdade. Os antigos o sabiam – o grande Homero é cego, Tirésias também" (Lacan 7, p. 310, 357). De acordo com Lacan, a cegueira de Édipo e aquela de Tirésias se referem, conseqüentemente, ao fato de que eles testemunhas de algo que era "insuportável para os olhos humanos"[16], e isto significa claramente para Lacan que eles, assim como Antígona, entraram numa zona entre a vida e a morte onde *das Ding* aparece. Porém, isto não é tudo. Lacan busca tal experiência (se ainda pudermos ao menos usar esta palavra aqui) também como pré-condição para situar a posição do analista: no fim de uma análise, o sujeito deve alcançar e deve saber o domínio e o nível da experiência

---

[16] Ver Sófocles, *Édipo Rei*, versos 1652-1653 (Sófocles 10, p. 583).

de desordem absoluta, quer dizer, a experiência que Antígona (ver Lacan 7, p. 262, 306), mas também Tirésias e Édipo, sofreram.

Essa comparação entre os heróis da tragédia grega e os analistas (lacanianos?) contemporâneos levanta involuntariamente nossas suspeitas. A saber, não se pode senão perguntar como os inevitáveis *efeitos idealizantes* de tal comparação podem se manter em verificação. E mesmo que tenhamos de ser extremamente cuidadosos com tais comentários psicologizantes, pode-se perguntar se o próprio Lacan escapa desses efeitos idealizantes. Em relação a Antígona, Lacan realmente escreve que ela não pode entrar na zona onde *das Ding* aparece sem se descobrir "sozinha e traída" (Lacan 7, p. 305, 353). No mesmo contexto, Lacan chama Antígona de um mártir por sua causa[17]. E pode alguém, aqui, pensar de um outro modo senão na façanha da fundação da *Ecole freudienne de Paris* na qual Lacan escreveu sobre si: "sozinho, como eu sempre fiquei diante da causa analítica (*seule comme je l'ai toujours été devant la cause analytique*)"? Será que Lacan via a si (em analogia a Antígona) como um mártir da causa analítica, como o verdadeiro herói da psicanálise contemporânea?

Antígona, como sabemos, tem, para Lacan um significado paradigmático para a compreensão da análise. Nós havíamos sugerido igualmente que o significado de Antígona deve ser, nesse contexto, explicado em contraste com os de Tirésias e Creonte. Se se pode comparar Tirésias a um psicanalista (e sua intervenção com Creonte como uma interpretação analítica)[18], a figura de Antígona igualmente aparecerá de um modo diferente. Mesmo que aqui falte espaço para desenvolver essa hipótese de modo exaustivo, a seguir, desejamos apontar para alguns elementos que podem dar suporte a isto.

---

[17] "Il n'y a que les martyrs pour être sans pitié ni crainte". (Lacan 7, p. 267, 311).

[18] Em textos anteriores, Lacan havia matizado essa comparação. O analista, afinal, não apenas representa a verdade do simbólico, assim como Tirésias, mas em primeira instância, o "objeto a", em sua impossibilidade.

Antígona versus Creonte

> [...] ao menos um dos dois protagonistas, até o fim, não conhece nem medo nem pena, e esta é Antígona. É por isso que, entre outras coisas, ela é a verdadeira heroína. Ao passo que, no fim, Creonte se deixa atingir pelo medo, e se esta não é a causa de sua ruína, é seguramente o sinal. (Lacan 7, p. 258, 300).

Lacan aqui sugere claramente que Creonte, como Antígona, não conhece nem o medo nem a pena no início da peça. Nós também sabemos que a ausência de medo e de pena, de acordo com Lacan, é uma das características do herói de Sófocles. Ao menos no começo da peça, Creonte nisto se assemelha a Antígona. É com a mesma resistência de Antígona que ele insiste em seu ponto de vista. Mesmo assim, de acordo com Lacan, eles não estão no mesmo nível: Creonte, em contraste a Antígona, comete um erro. Ele, afinal, presume que a lei político-ética da cidade-estado pode também ser aplicada aos mortos. Pode-se não entender esse erro como sendo demasiado racional, como se nós estivéssemos aqui meramente interessados em um desacerto intelectual: com a recusa de permitir que Polinice fosse enterrado, Creonte, diz Lacan, estaria como que desejando atacar Polinice depois de sua morte (natural) (ver Lacan 7, p. 254, 297). Lacan, desse modo, põe Creonte no mesmo nível que Kant, e da pessoa a quem Lacan considera ser a perversa imagem-especular de Kant: Sade.

Para Lacan, Kant é o protótipo de uma ética não-conseqüencialista[19]. Para Kant, o bem moral não tem nada a ver com os propósitos que alguém persegue e com os sentimentos, elevados ou não, que alguém possa ter ao realizá-los. Ao contrário, o bem moral é exclusivamente dominado pela demanda de universalidade que é dada na natureza racional e a qual se espera que sigamos, separado de nossas

---

[19] Para isto, ver Lacan 7, pp. 71-84 *et passim*, 87-102 (*De la loi morale*).

tendências e da tradição de que nós participamos. Subseqüentemente, Lacan escreve que, tomando tal perspectiva, poder-se-ia de fato perguntar a um computador se uma ação corresponde ou não a essa exigência: "nunca aja senão de um modo que sua ação possa ser programada" (Lacan 7, p. 77, 94).

O simplismo ou, ao menos, a parcialidade da leitura lacaniana de Kant não precisa ser tratada por nós aqui. O que é mais importante para nossa discussão é o que se segue: essa leitura põe Lacan numa posição de determinar, sem dificuldade, Sade como a inevitável imagem-especular perversa de Kant. O universo sádico não é, afinal, distinguido pela absolutização de um propósito sensual (por exemplo, o gozo a qualquer preço). Ao contrário, de acordo com Lacan, o universo sádico caminha junto com a viva resolução condizente a uma lei universal e não-conseqüencialista da conduta: "tomemos como máxima universal de nossa ação o direito de gozar do outro seja como for, como instrumento de nosso prazer " (Lacan 7, p. 79, 96). A fim de provar que não se é mais dependente em todos os modos de vinculações e propósitos sensuais ou "naturais" (família... mas também as restrições e leis que parecem ter sido impostas a nós por natureza), o sujeito perverso deve primeiramente aplicar aquela lei de conduta para suas vinculações irracionais. Lacan diz que se percebe desse modo o que Kant, a despeito de si mesmo, tinha em vista em referência à lei moral: seguindo uma lei universal até o extremo, qualquer emoção ou sentimento, juntamente com vínculos naturais, são eliminados do universo sádico.

É dessa perspectiva que se pode iluminar a fantasia sádica: em sua fantasia, o sujeito sádico quer se destacar de tudo que o liga à natureza e ao "natural" como tal. O repúdio à natureza e ao natural (por exemplo, na ordem da sexualidade) tornou-se um fim em si mesmo. Desse modo, o desejo do perverso intenta um ponto para além da ordem da natureza (e da cultura que tem esta ordem em conta) e das restrições que ela impõe a nós. Isso nos traz ao limite em que o natural e o não-cultural, que nos é familiar, ameaçam entrar em colapso. A fantasia originária do sadismo apresenta testemunho disso: é a fantasia do eterno sofrimento que, por assim dizer, deixa a vítima intocada. O objeto é sujeitado às torturas mais horripilantes, mas ao mesmo tempo retém uma rara e intocada beleza. A vitima sofre, mas não morre (ver Lacan 7, p. 261, 303). Fazendo assim, sujeitar-se-ia novamente à lei da criação e da destruição que caracteriza precisamente a natureza a que o sádico deseja escapar. A fantasia sádica nos traz para o limite do que ainda pode ser resgatado na ordem do sentido. Ela nos traz ao limite de onde *das Ding* aparece. É o que podemos colocar agora: o sádico usa a lei (universal) para forçar um acesso ao *das Ding* – àquilo que, por essência, escapa à ordem da lei.

De acordo com Lacan, Creonte põe a si na posição da razão prática kantiana. Ainda melhor: como ponto de partida de suas ações, Creonte toma uma máxima que parece cumprir inteiramente a demanda de universalidade kantiana: não se pode honrar o traidor do estado (Polinice) do mesmo modo que se honram aqueles que, até sua morte, serviram ao estado (Etéocles) (ver Lacan 7, p. 259, 301). Contudo, ao mesmo tempo, Creonte faz mais que isso: ele expande o campo de aplicação dessa lei para além do domínio dos vivos. Ele assume que a lei político-ética da cidade-estado grega ainda se aplica ao falecido Polinice. Ele quer punir Polinice passada sua morte (natural). Lacan diz que Creonte quer um eterno sofrimento a Polinice, um sofrimento ao qual nem mesmo a morte traz um fim (ver Lacan 7, p. 254, 297). Em outras palavras, Creonte usa a lei (uma máxima universalizável) a fim de forçar um acesso, a qualquer preço e apesar de tudo, àquilo que não se pode de modo algum ser visto: *das Ding.*

Creonte se separa de tudo aquilo que deu sentido à sua vida: sua própria felicidade e a de sua família, o bem-estar do estado... tudo isso ele subjuga e abandona em virtude de seu desejo de punir Polinice mesmo depois de sua morte. Creonte, como Antígona, procura um ponto que, por definição, está para além de qualquer vinculação; por isso não devemos ficar surpresos que Creonte, como Antígona, não conheça nem medo, nem pena. De fato, tanto a Antígona quanto

Creonte, procuram este ponto: *das Ding* – cada qual a seu modo. Mas devemos perguntar se não é por esse caminho que eles foram lançados numa certa relação especular *onde ambas as posições determinam mutuamente uma à outra*[20] Trataremos disso adiante.

Que as posições de Creonte e de Antígona sejam mutuamente interconectadas, isto pode ser revelado pelo fato de Creonte, no curso da tragédia, repetidamente apontar para sua impossibilidade em obedecer Antígona *porque ela é uma mulher*. Parece que Creonte não cederá sob nenhuma circunstância a Antígona por medo de se tornar igual a ela. Em outras palavras, ele teme a perda de sua identidade. "Agora, entretanto, homem não serei eu, homem será ela, / se permanecer impune tamanho atrevimento"[21]. Creonte não pode ceder a Antígona sem perder sua masculinidade. Mas em que a ansiedade de Creonte é aqui baseada? Tal ansiedade possivelmente esconde uma identificação que já teve seu lugar num outro nível. Porque, na verdade, enquanto Creonte acredita excluir e rejeitar Antígona e o que ela representa, ele já se subscreveu sem reserva à lógica da ação dela. Afinal, se Creonte tivesse concedido anteriormente, nada teria acontecido. Somente porque (tal como Antígona... ou seguindo seu exemplo?) teimosamente insiste em seu ponto de vista, Antígona pode ser para nós, mas também para Creonte, o que ela é, e fazer o que ela faz. Em outras palavras, Creonte está, sem saber, enfeitiçado por Antígona, ele está fascinado par aquela com quem ele se identifica. Essa identificação (imaginária) lança uma luz esclarecedora sobre a insegurança de Creonte com respeito à sua identidade, assim como sobre o frenesi com o qual ele se segura rapidamente à lei, mesmo lá onde ela não é mais aplicada. Na verdade, é precisamente porque é no nível do imaginário que a identidade de Creonte está em jogo que ele não pode entender num nível simbólico (no nível da lei) que, permitindo a Polinice ser enterrado, ele nem obedece a Antígona

---

[20] "(...) la danse don til s'agit entre Créon et Antigone" (Lacan 7, p. 320, 369)

[21] Sófocles, *Antígona*, versos 484-6.

nem obedece ao morto (e à sua lei). Creonte confunde obediência a Antígona com obediência ao morto. A intervenção de Tirésias lhe permite resolver essa confusão:

> visto que lançaste um dos daqui entre os de lá, / ao encerrares, para vilipendiar, uma pessoa viva numa sepultura, / enquanto preservas aqui um de lá, propriedade / dos deuses infernais, cadáver sem sepultura, ultrajado. / O que fizeste não é permitido nem a ti nem aos deuses lá do alto, / aos quais tu impuseste um cadáver à força.[22]

Creonte reconhece suas faltas e tenta retificá-las. A ansiedade de tornar-se uma mulher não mais o impede de revisar sua posição. Entretanto, ele atinge tal sagacidade muito tarde: Antígona está morta e seu filho Hemon se suicidou à visão do corpo morto dela. Eurídice não pode aceitar a perda de seu filho e também comete suicídio. Nesse momento, Creonte torna-se insano com pesar e somente deseja a morte. Esse desdobramento dramático de eventos não pode nos deixar perder de vista o seguinte: Creonte reconhece sua culpa e adequa sua história. Ele é, e ninguém mais, responsável pelo que aconteceu. Com aceitação de sua própria responsabilidade pelo que ocorreu, Creonte recebe uma *dimensão humana* que faltava a Antígona. Creonte se dá conta de como o que aconteceu aconteceu, e aceita sua própria parte no infortúnio que acometeu a si e à sua família. Essa é uma pré-condição necessária para que uma história se torne possível como algo diferente de uma mera realização de um destino cego.

Lacan reprova Creonte por ele se entregar ao medo das conseqüências e, principalmente, por não ser capaz de evitar tais conseqüências. Deixamos claro, entretanto, que Creonte não somente aquiesce pelo medo dos resultados de sua obstinação, mas também porque Tirésias, como um analista poderia ter feito, visa sua confusão e permite a ele escapar dos efeitos insuportáveis de sua identificação

---

[22] *Ibidem*, versos 1068-1073.

com Antígona. É verdade que, em certo aspecto, a intervenção de Tirésias, assim como a "conversão" de Creonte, veio muito tarde. Mas isso não impede que Creonte seja capaz, na base dessa intervenção, de assumir uma nova posição subjetiva, na base da qual uma nova história talvez possa se tornar possível. Não se pode entender verdadeiramente como essa problemática pode ser deixada fora de consideração se ao mesmo tempo designamos um valor paradigmático à *Antígona* de Sófocles na determinação do telos da análise.

Conclusão: o propósito da análise

Lacan lê Antígona como Heidegger: à luz da problemática da verdade (do desejo) do sujeito/*Dasein*. O privilégio concedido à figura de Antígona e a rejeição de Creonte devem também ser entendidos sob um fundo filosófico. Eles fornecem uma luz sobre a razão pela qual Lacan dá a Antígona, e somente a ela, um significado paradigmático na determinação do propósito da análise. Mesmo que Lacan, como Creonte, não escape à fascinação exercida por Antígona, ainda assim sua interpretação testifica um sensível número de temas que nos permitem diferentes leituras. A esse respeito, nós apontamos a analogia feita por Lacan entre Tirésias e o analista. Disto deduzimos que a intervenção de Tirésias pode ser entendida de acordo com o modelo de uma interpretação analítica. Essa intervenção intenta, em essência, à posição de Creonte na ordem simbólica: Creonte absolutiza injustamente, na base de uma fascinação imaginária por Antígona, a lei do estado. A intervenção de Tirésias corresponde também ao que Lacan escreve noutro lugar sobre o propósito da análise: a análise deve visar à passagem da fala verdadeira, juntando o sujeito a outro sujeito, ao outro lado da barreira da linguagem. Essa é a relação final do sujeito com um genuíno Outro – no caso de Tirésias como o representante de uma ordem da verdade à qual Creonte ainda não tem acesso –, "(...) ao Outro que dá a resposta que não se espera, que define o ponto terminal da análise" (II, p. 246, 288). A fala (*la parole*), devemos concluir, pode dar uma nova vida *jenseits* do destino e do oráculo. A verdadeira inconsciência do sintoma pode ser interpretada e, por esse caminho, pode ser reinscrita no movimento contínuo do mundo. É desse modo que a análise torna possível uma história que é mais que – e também algo diferente de – uma mera repetição de uma determinação recôndita do destino[23].

Finalmente, retornemos brevemente a Antígona. Nós nos perguntamos se uma reavaliação de Creonte e de Tirésias não nos obrigaria a entender a figura de Antígona de um modo diferente do que Lacan o faz. Falta espaço aqui para tratar dessa problemática de modo exaustivo. Nos limitamos, assim, a algumas reflexões breves.

Antígona quer enterrar seu irmão a todo custo. Lacan escreve que, a fim de realizar esse intento, ela está pronta para largar tudo: sua relação com Hemon, sua maternidade etc. Não é curioso que um psicanalista como Lacan mencione admitidamente esse tema mas, posteriormente, não faça nada ou muito pouco com ele? É como se esses temas não tivessem nenhum valor *à mulher que Antígona é também*; como se esses temas não fossem também capazes de nos ensinar algo sobre a posição (simbólica) de Antígona. Meu irmão, diz Antígona, é o que ele é, distante de toda coisa boa ou má que se pode dizer dele, e é por isso que ele deve ser enterrado. Não pode um analista, seguindo as próprias palavras de Lacan[24], também escutar que Antígona se faz ouvir em sua própria mensagem de um modo inverso: "Eu sou meramente sua irmã, eu sou *meramente* sua irmã"? E ele não deveria se perguntar (ou dever-se-ia perguntar a ele) o que a rejeição de Antígona por sua mãe (e por sua maternidade), que Lacan simplesmente ignora, pode significar nesse

---

[23] A questão que devemos pôr (mas que não podemos responder aqui) é obviamente a de como esta posição pode ser reconciliada (e se isto é possível, como é possível) com o pensamento de que a análise é direcionada por uma confrontação com o "fundo abismal" de nossa existência, quer dizer, com *das Ding*.

[24] Ver Lacan 5,pp. 30-113, 237-322.

contexto? Lacan não coloca essas questões. Sua fascinação por Antígona provavelmente preveniu que ela fosse encontrar nele ainda um Tirésias.

Referências bibliográficas

1.ARISTÓTELES. *Poetics*. In *The Complete Works of Aristotle*, the revised Oxford translation. Vol. II. Princeton: Princeton University Press, 1984.

2.HEIDEGGER, Martin. *Hölderlins Hymne 'Der Ister'*: Vittorio Klosterman, Frankfurt am Main. 1983

3 ____ ; *Zur Einführung in die Metaphysik*. Frankfurt am Main: Vittorio Klosterman, 1976

4.____ ; *Zur Seinsfrage*, Wegmarken. Frankfurt am Main: Vittorio Klosterman. 1978

5.LACAN, Jacques. *The function and field of speech and language in psychoanalysis*. In *Ecrits – A Selection*. Nova York: W.W. Norton Publishers, c1977. [*Fonction et champ de la parole et du langage en psychanalyse*. In *Écrits*. Paris : Éditions du Seuil, 1953.]

6.——. *The Seminar of Jacques Lacan Book II*: The Ego in Freud's Theory and in the Technique of Psychoanalysis 1954-1955. Cambridge: Cambridge University Press, c1988. [*Le Seminaire II (1954-1955):* Le moi dans la théorie de Freud et dans la technique de la psychanalyse. Paris: Éditions du Seuil, 1978.]

7.——. The seminars of Jacques Lacan Book VII, The Ethics of Psychoanalysis 1959 – 1960. Londres: Tavisstock / Routledge, c1992. [*Le Seminaire VII (1959-1960):* L'éthique de la psychanalyse. Paris: Éditions du Seuil, 1986.]

8.OUDEMANS, Th.; LARDINOIS, A. *Tragic Ambiguity, Anthropology, Philosophy and Sophocles' Antigone*. Leiden: Brill. 1987.

9.SÓFOCLES. *Antigone*. Loeb Classical Library Vol. 21. Cambridge: Harvard University Press 1994.

10.——. *Oedipus at Colonus*. In The Loeb Classical Library Vol. 21.

Ensaio sobre a sublimação

Tania Rivera

Psicanalista e professora do Departamento de Psicologia Clínica da Universidade de Brasília (UnB)

Ensaio sobre a sublimação

O presente ensaio discute a noção de sublimação em psicanálise, aproximando-a da noção freudiana do Estranho (*Unheimliche*). Ressalta-se a concepção contraditória do sublime no Romantismo para destacar no Estranho a estrutura de arranjo significante contraditório por excelência, sem síntese possível e ligado à possibilidade de se elevar "um objeto qualquer à dignidade da Coisa", segundo a célebre fórmula de Lacan. Propõe-se conceber, em tal elevação, também, um realce da vertente de *in-dignidade* da Coisa.

Palavras-chave: psicanálise, sublimação, Estranho (*Unheimliche*), Coisa (*das Ding*)

On sublimation

The paper discusses the psychoanalytical notion of sublimation from the perspective of Freud's the *Unheimliche*, which is nothing but a structure of contradictory signification without synthesis. The *Unheimlich* is responsible, in Lacan's phrase, for the elevation "of any given object to the *dignity a thing* (*Ding*)". But such a process could also be the occasion for the glancing at the *indignity of a thing*.

Key words: psychoanalysis, sublimation, *das Unheimliche*, *das Ding*

Belo é o que foi um dia sexual, segundo Freud. Na primeira incidência do termo sublimação em sua obra, ele defende que o ocultamento do corpo promovido pela civilização mantém acesa a curiosidade sexual, e que esta pode ser "desviada (sublimada) para a arte" caso o interesse se afaste dos genitais em prol da forma do corpo como um todo. "Parece-me indubitável", afirma ele em uma nota acrescentada em 1915 a esse trecho

> que o conceito do 'belo' enraíza-se na excitação sexual e, em sua origem, significava aquilo que estimula sexualmente. Relaciona-se a isso o fato de jamais podermos achar realmente belos os genitais, cuja visão provoca a mais intensa excitação sexual (Freud 2, p. 148).

Quase quarenta anos antes, a *Origem do mundo,* de Gustave Courbet, já punha em xeque tal posição, ao fazer da crua apresentação da genitália feminina uma obra, não sem causar certo escândalo. Curiosamente, esse quadro pertencerá, várias décadas depois, a Jacques Lacan, que desenvolverá de forma marcante a questão do sublime na psicanálise a partir de Freud. Mesmo nas paredes de Lacan, contudo, a obra de Courbet permanecerá oculta sob uma pintura de Masson, pois, segundo Sylvia, esposa do psicanalista, "o vizinho ou a faxineira não compreenderiam" (Roudinesco 13, p. 195).

Lacan percebe bem essa contradição e faz dela uma definição do sublime, ao afirmar *en passant*, pouco antes de tratar do barroco, em seu *Seminário XX*, que "o sublime é o ponto mais elevado do que está embaixo" (Lacan 8, p. 18). O sublime está, portanto, ligado, no pensamento psicanalítico, ao sexual, ao gozo, a uma *desmedida* que, no famoso ensaio *Tratado do sublime*, escrito em grego nos primeiros séculos de nossa era e atribuído de maneira controvertida a Longuino, deveria ser domada por regras estritas para que se chegasse ao *Grande*. Ainda que o sublime aí comportasse certo risco, sendo, "por sua própria grandeza, escorregadio e perigoso" (Longin 12, p. 121, a tradução é minha) e podendo então levar a falhas, essas seriam suplantadas pela grandeza que contaminaria a obra como um todo, elevando-a.

Em Freud, encontramos a idéia de que a sublimação é um trabalho de transformação e ultrapassagem de algo *baixo* em direção ao que é socialmente idealizado. A sublimação chega quase a coincidir com o próprio trabalho de civilização ao ser definida como a substituição do objetivo sexual da pulsão, por definição *desmedido*, por uma meta não-sexual, eventualmente valorizada socialmente, grande, elevada. Por essa via, a sublimação designa uma característica fundamental da pulsão, a sua flexibilidade, o fato de ela ser votada a destinos múltiplos, a uma substituição e a um encadeamento de objetos, posto que seu primeiro objeto está irremediavelmente perdido, é inatingível. Ela ressalta, assim, a *deriva* própria ao funcionamento pulsional, deriva que Lacan chega a propor como termo capaz de traduzir o *Trieb* freudiano (cf. p. ex. Lacan 8, p. 102). A sublimação indica a extraordinária capacidade que possuem as pulsões sexuais, particularmente, de se distanciarem dos caminhos ligados à sua meta original (Freud 3, pp. 209-32). Ela seria, nessa perspectiva, o caminho que eventualmente transforma o sexual em belo, ou seja, que amortiza e civiliza a pulsão, à maneira do recalcamento, graças à plasticidade a ela inerente.

No entanto, a sublimação é tomada como um destino distinto e mais *saudável*, por assim dizer, que o recalcamento; ela guarda uma potência transgressora, uma possibilidade de ultrapassagem do recalcamento que também diz respeito, diga-se de passagem, à questão espinhosa de caracterizar o que realiza uma análise. Sabemos que, em alquimia, o termo sublimação indica a possibilidade de um salto na cadeia de transformações dos elementos, indo-se, por exemplo, diretamente do estado sólido ao gasoso, na busca incansável da pedra filosofal. A etimologia do termo não deixa de indicar, além da idéia de deslocamento para o alto, a conotação de transposição de um limiar *(limen* sendo "limite", em latim).

Não é à toa que Freud teria resolvido destruir, segundo seu editor inglês, o manuscrito dedicado a essa noção na leva de textos metapsicológicos dos anos dez (Strachey 14, p. 112). Em psicanálise, a sublimação é problemática: ela confirma a oposição entre o sexual e a cultura, a pulsão sexual e as pulsões de autoconservação, indicando uma via privilegiada de resolução do conflito inerente ao homem; ao mesmo tempo e estranhamente, ela reverte o caminho da civilização e *reencarna*, por assim dizer, o ideal. Apenas no limiar da década de 1920, com o surgimento da pulsão de morte, será possível retomar essa contradição para assumir a desmedida como inerente à estética, e ressaltar o conflito, a contradição sem resolução, como fundamental tanto à arte como à psicanálise, com a noção de Estranho *(Unheimliche).*

O Estranho

Ao mesmo tempo em que escreve o bombástico *Além do princípio do prazer*, Freud retira de sua gaveta e retrabalha o esboço realizado anos antes sobre o estranho. O psicanalista raramente seria levado a investigações estéticas, afirma ele na abertura desse escrito, pois

> opera em outras camadas da vida mental e pouco tem a ver com os impulsos inibidos em sua meta, amortecidos e dependentes de tantas constelações concomitantes que são habitualmente o material da estética (Freud 4, p. 229.)

Do belo e da harmonia o psicanalista não teria nada a dizer, ele que se ocupa do sexual e do conflito, da desmedida. Ele se contentaria em debruçar-se, então, sobre um domínio da estética pouco explorado, o do *Unheimliche.* Mais do que se ocupar de uma noção específica dentre outras, porém, Freud tratará aí de forjar uma nova categoria que, podemos dizer, vem tomar no pensamento psicanalítico o lugar reservado ao belo e ao sublime na estética.

O Estranho diz respeito a uma categoria do assustador, do angustiante, que Freud caracterizará como sendo por definição contraditória, por remeter ao que é conhecido, há muito familiar. "*Unheimliche* nomeia", segundo Shelling citado por Freud, "tudo aquilo que deveria ficar no secreto e no oculto, mas é posto em evidência" (Freud 4, p. 235). É de um certo agenciamento significante que se trata, mais fundamentalmente: o termo toma a conotação, segundo a longa pesquisa semântica realizada pelo psicanalista, tanto de "estranho" quanto de "familiar" *(heimlich),* apesar do prefixo *un-* vir negar o radical *heim.*

Não me cabe aqui destrinchar a profusão de reflexões estéticas em que o belo e o sublime tomam matizes complexos e variados. Pontualmente, gostaria apenas de lembrar algumas passagens de Hegel, nas suas lições berlinenses que constituem a *Introdução à estética,* onde ele trata do sublime como algo ligado a um primeiro momento da produção artística na história da humanidade, o momento correspondente à arte simbólica e à arte oriental. Aí a idéia se apresentaria sob uma forma que lhe é "alheia, inadequada, não é outra sendo a matéria natural, sensível em geral". Tentando adequar a si essa forma, a idéia, ainda "desmedida", tratará dela de "maneira negativa, tenta elevá-la a si e o faz de forma igualmente desmedida, triturando-a, violentando-a e nela se derramando. Nisso consiste o sublime (...)" (Hegel 5, p. 133). O sublime toma, aí, da violência e da desmedida, do conflito entre forma e idéia, sua própria força.

Na arte clássica, que se sucede como segundo momento da produção artística, o sensível deixa de ser para Hegel o natural, e a forma torna-se perfeitamente de acordo com seu conceito. Contudo, o terceiro tempo, o do Romantismo, virá representar a síntese da contradição entre esses dois momentos, pois o cristianismo traz uma ruptura entre realidade e idéia que leva a uma retomada do conflito que define o sublime, ao mesmo tempo em que toma o conteúdo de que se trata "espiritual" e não mais diretamente sensível.

> O novo conteúdo aí obtido já não está ligado à representação sensível, mas encontra-se liberado dessa correspondência direta que, reconhecida como de natureza negativa, é vencida, superada e transformada em uma correspondência, uma unidade desejada e consagrada pelo espírito. Neste sentido pode-se dizer que a arte romântica é um esforço da arte em superar a si mesma, sem por isso sair dos próprios limites da arte(Hegel 5, p. 141).

O Tratado do sublime ressoa, sem dúvida, nessas elaborações hegelianas, assim como influenciará Kant e dará um importante elã ao Romantismo a partir de sua tradução para o francês, feita por Boileau no século XVII. Essa obra encontra ecos ainda no famoso prefácio a *Cromwell*, publicado por Victor Hugo em 1827. Para o grande escritor francês, o belo, "esta beleza universal que a Antigüidade derramava solenemente sobre tudo, não deixava de ser monótona" (Hugo 7, p. 33); assim o sublime necessitará de contrastes, precisará do grotesco, do vil, precisará ser contraditório. Essa tensão é rapidamente resolvida, porém, em uma espécie de síntese, pois o grotesco, como um "termo de comparação", faz com que possamos elevar para o belo uma "percepção mais fresca e mais excitada" (*ibidem*). Teríamos, então, que "o contato do disforme deu ao sublime moderno alguma coisa de mais puro, de maior, de mais sublime enfim que o belo antigo" (Hugo 7, p. 34).

Ao contrário da síntese que acompanha em Hegel e em Hugo o sublime em sua maior realização, o *Unheimliche* caracteriza-se, estruturalmente, por manter intacta a tensão entre os dois termos opostos que o definem – o estranho e o familiar. Entre eles não há conciliação, nenhuma síntese permite ultrapassar tal contradição.

Entre o que fica oculto e o que aparece e é posto em evidência, para aludir à definição de Shelling, o Estranho inaugura uma visibilidade opaca, ou melhor, uma alternância constitutiva do olhar – e do sujeito. Ao longo estudo a respeito do termo *Unheimlich* segue-se como sabemos, no texto freudiano, uma leitura do famoso conto "O Homem da Areia", de E. T. A. Hoffmann. Freud vê nesse conto fantástico uma potência de inquietante estranheza oriunda da articulação, aí magistralmente realizada, entre olhar e castração. O motivo da perda da visão, dos olhos que seriam arrancados pela figura lendária do homem de areia, na ameaça feita às crianças que não quisessem ir dormir, refletiria a ameaça de castração proferida pelo pai. Não é à toa que a língua refere-se a algo extremamente importante como sendo *a menina dos olhos*, a pupila de alguém.

A imagem dá notícias da castração, convocando a se atualizar o momento de constituição de si que é imagético e concebido através do encontro do bebê com sua imagem no espelho, como avança Lacan em seu famoso "Estádio do espelho". Assim, um importante motivo de estranheza é, para Freud, o do duplo, tão explorado pela literatura. O próprio psicanalista reencontra seu duplo em uma viagem de trem, numa "aventura" por ele contada em uma nota a seu texto. A porta espelhada anexa a seu compartimento de viagem abrira-se com um solavanco e Freud vira então entrar um "senhor de idade, de roupão e boné de viagem" (Freud 4, p. 262). Apenas quando ia se levantar, para avisar a esse homem de aparência francamente desagradável que ele entrava no compartimento errado, Freud se dá conta de que está diante de sua própria imagem refletida no espelho. Freud se *estranha* no espelho, e tal estranhamento acompanha sempre, ainda que de maneira sutil, o reconhecimento no espelho que inaugura o eu. Quando este se constitui, ele ao mesmo tempo se estranha, dividindo-se na imagem, figurando nela a operação que o divide por sua entrada, na linguagem, no simbólico, denominada por Freud de castração, para marcar sempre sua incidência corporal. Assim o duplo é inicialmente, na pluma de Freud, uma garantia narcísica, mas torna-se posteriormente um inquietante "anunciador da morte" (Freud 4, p. 247). Ou melhor, a imagem convoca a imagem corporal, constitutiva do sujeito, que é ao mesmo tempo narcísica e mortífera, pois reinsere de maneira insidiosa a castração, remetendo ao que não é visível, pois é exatamente o que falta à imagem, ao mesmo tempo em que a sustenta.

A Coisa e sua in-dignidade

Com o Estranho, o campo da arte é irremediavelmente afastado das altas realizações nas quais a pulsão é amortecida e reformulada socialmente, para se localizar no terreno angustiante do olhar em suas relações com a castração (mesmo no domínio da literatura), através de um arranjo significante que refaz o conflito irresolúvel entre Eros e a pulsão de morte. A partir dessa configuração, o movimento pulsional não será mais ressaltado em sua possibilidade de elevar-se além do sexual, mas se tornará prioritariamente o da repetição do mesmo, ainda que minimamente transfigurado, em busca da retomada da própria origem e causa última do desejo, a Coisa (*das Ding*).

O objeto primordial é irremediavelmente perdido e, portanto, abre as portas para toda uma cadeia de substituições, inaugurando o desejo como *deriva*, como já dissemos. Esse objeto permanece, contudo, como "excluído no interior", nas palavras de Lacan em seu *Seminário VII* (Lacan 9, p. 122). Ele cava um vazio no seio do sujeito, à maneira do vaso que se constitui em torno do vazio. É em uma conversa cerrada com a conferência de Heidegger sobre a Coisa que Lacan, pinçando em poucas ocorrências na obra de Freud o termo *das Ding*, faz dela um irrepresentável que só aparece velado ou se faz presente por suas ruínas, os objetos que fugazmente parecem tomar seu lugar. Que é uma coisa? – já se perguntava Heidegger. O vaso, esse objeto capaz de indicar com certeza, em escavações arqueológicas, a presença do homem, permitirá que o filósofo prossiga em sua questão para definir a coisa como constituída por um vazio. "A coisidade do vaso", diz ele, "não reside, de modo nenhum, na matéria de que ele consiste, mas no vazio que contém" (Heidegger 6, p. 123). O vaso, como bem nota Lacan, cria o vazio e, ao mesmo tempo, introduz a perspectiva de vir a ser preenchido. Isso fará o psicanalista afirmar que "é a partir desse significante modelado que é o vaso que o vazio e o cheio entram como tais no mundo, nem mais nem menos, e com o mesmo sentido" (Lacan 9, p. 145). Se o vaso pode se encher é porque em sua essência ele é vazio. O vaso "encarna", é a figuração concreta disso que estranhamente introduz e mantém em tensão a oposição entre vazio e cheio. Ao mesmo tempo vazio e cheio, esse significante agencia uma contradição *unheimlich*, exatamente como o significante *Unheimliche*, alçado por Freud a uma posição central para a estética.

Desse modo, o vaso oferece a Lacan, através de Heidegger, um modelo da Coisa como pura perda, em última instância, mas que pode ser contornada por uma operação significante (uma operação de modelagem do Significante, como sugere o trecho acima, em que Lacan caracteriza o vaso como "significante modelado"). Tal operação de sublimação consistiria em "elevar o objeto (...) à dignidade da Coisa" (Lacan 9, p. 133), em que ressoa a fórmula de Lévi-Strauss, publicada alguns anos antes, segundo a qual a arte confere à obra "a dignidade de um objeto absoluto" (Lévi-Strauss 11, p. 45). Qualquer objeto poderia ser alçado a tal "dignidade" – uma roda de bicicleta, por exemplo, no primeiro *readymade* produzido por Marcel Duchamp em 1913. Basta uma mínima operação significante sobre o objeto, um giro em relação à sua posição habitual, para que o significante *Roda de bicicleta*, tornado título, se descole de seu significado habitual e re-apresente sua *coisidade*, ou seja, apresente-se como contorno do vazio, remetendo ao objeto perdido.

Ou ainda, em um exemplo mais escandaloso, basta realizar um quarto de giro em um urinol, desses de sanitários públicos, retirando-o de sua posição vertical, e intitulá-lo *Fonte* (1917), para fazer dele uma obra de arte. Essa obra nos interessa aqui particularmente, pois nela se apresenta, diferentemente da roda de bicicleta, o caráter *abjeto* do objeto *qualquer* que é resto da Coisa, o objeto *a* do léxico lacaniano, o objeto que se perde novamente, a partir da queda da Coisa, e que se concretiza nos produtos que saem do corpo, nos objetos-abjetos perdidos oferecidos ao Outro, que são o xixi, as fezes, os olhos no "O homem de areia" etc. A *Fonte* ressalta, ainda, em sua ausência mesma, o corpo de onde sai esse produto, a fonte da urina, a fonte que é a pulsão, em toda sua desmedida. Ao elevar esse objeto à dignidade de um objeto absoluto, sua abjeção não é aí deixada de lado em prol de uma elevação, mas, pelo contrário, é ressaltada, retomada, posta em relevo. A sublimação, aqui, eleva o objeto à *indignidade* da Coisa.

É muito amplo o campo da produção artística, principalmente contemporânea, que explora essa dimensão de indignidade, de abjeção, refazendo na sublimação o caminho inverso à dessexualização, para dar lugar ao abjeto e recolocar em movimento a pulsão em sua desmedida, convocando o gozo. In-dignidade e dignidade seriam, nessa perspectiva, mantidas em tensão na sublimação, como o *Unheimliche,* refazendo esse arranjo significante que é uma modelagem do significante. Tal modelagem comporta uma dimensão de criação, ao refazer o vazio em torno do qual se constitui o significante.

O sujeito e o ato criador

Tal criação, se diz respeito aos objetos e à Coisa, concerne também radicalmente ao sujeito. Para Heidegger, o vaso (*Gefass*) contém (*fasst*) o vazio. O oleiro que forma em seu torno "paredes e fundo", diz o filósofo,

> não fabrica propriamente o cântaro. Apenas conforma a argila. Não; conforma o vazio. Por ele, nele e a partir dele, o oleiro modela a argila numa forma. Em primeiro lugar e sempre, o oleiro "capta e concebe"

> (*fasst*) o incaptável e inconcebível (das *Unfasslich*) do vazio, e o produz, como continente, na forma do vaso. O vazio do vaso determina cada gesto do produzir (Heidegger 6, p. 123)

O próprio oleiro "contém" (*fasst*, apreende e concebe), como o vaso, o que não se pode conter (*das Unfasslich*: "o que não se pode conter", e também "o que não se pode conceber"), ao criar o vaso. Cada gesto criador é determinado pelo vazio, produz-se dele, é *ex-nihilo*. O ato criador é então esburacado, implica em um certo esvazianento do lugar do sujeito; há um certo exílio do autor na realização de sua obra. Duchamp ressalta também, com seus *readymades*, esse aspecto da criação. Ao tomar objetos industrializados como uma roda de bicicleta e um urinol, ele põe em questão a autoria da obra. Esta situa-se aí em apenas um gesto, e subtrai-se à possibilidade, tradicionalmente explorada por intérpretes e críticos, de se buscar na obra elementos da subjetividade do artista. O artista é levado, no ato criador, a renunciar ao seu lugar de sujeito em prol do vazio, e nesse mesmo gesto remodela-se como sujeito, sujeito um tanto oculto de si mesmo, um tanto estranho, reconstituindo-se pela divisão mesma que o constitui, segundo a psicanálise.

O artista, como nota Duchamp ao falar do ato criador em conferência de 1957, não é capaz de descrever objetivamente as decisões que toma durante o processo de criação de uma obra, e não detém "papel algum no julgamento do próprio trabalho" (Duchamp 1, p. 198). Há necessariamente uma "falha", uma "inabilidade" do artista, ainda segundo Duchamp, em "expressar integralmente sua intenção", e é nesse descompasso entre o que se intenciona fazer e o que realmente se produz que residiria o "'coeficiente artístico pessoal' contido na obra" (Duchamp 1, p. 189). Se tal coeficiente é "pessoal", ele *despersonaliza*, ele é uma medida da estranheza a que se vê submetido o criador ao realizar uma obra, justo o contrário de uma confirmação de sua identidade.

Também o que opera em um tratamento analítico, segundo Lacan, é um ato. O ato analítico, noção que o psicanalista propõe apenas alguns anos após a conferência de Duchamp, aponta para o fato de que, na fala do analista, talvez seja fundamentalmente operante a enunciação, mais do que o enunciado. Isto basta para que se perceba que a fala é ato, e para que se retire o acento da propalada interpretação analítica, que conteria uma significação, em prol da criação significante a que daria lugar a intervenção do analista. O analista, afirma Lacan, "é por não pensar que ele opera" (Lacan 10, p. 377). Fazendo-se e re-fazendo-se em torno do vazio, o que lhe seria possível graças a sua própria análise, o analista poderia dar lugar ao ato que convida o analisando, por sua vez, a alguma criação. (Penso em um analisando que me disse certa vez de sopetão: "você é um buraco".)

O exílio do artista como condição da obra parece abri-la à participação de outros criadores, *só depois*, no momento de sua recepção. Para Duchamp, o ato

> não é realizado pelo artista sozinho; o público estabelece o contato entre a obra de arte e o mundo exterior, decifrando e interpretando suas qualidades intrínsecas e, desta forma, acrescenta sua contribuição ao ato criador (Duchamp 1, p. 189)

Também a intervenção do analista só se realiza como obra na *transferência*, ou seja, desde que o analisando a retome em sua própria criação. A criação em ato, seja ela em análise ou em arte, conformando-se a partir do vazio e mantendo-o operante, mesmo ao preenchê-lo um tanto, convoca o outro a ocupar esta mesma posição, tornando-se um tanto vaso e sendo convidado também a retomar essa modelagem do significante que re-modela, no mesmo golpe, também o sujeito. Duchamp chega a dizer, mais radicalmente, referindo-se à pintura: "os olhadores fazem o quadro" (Duchamp 1, p. 247). O poder da obra de arte de enlaçar seu público – seu poder, digamos, de sedução – está intimamente ligado à questão do "reconhecimento social" que Freud várias vezes sublinha como essencial para o sucesso da sublimação. Há um laço social realizado pela obra, a partir do reestranhamento a que ela convida o sujeito. Ao apresentar-se no lugar de in-dignidade da Coisa, a obra faz uma promessa que ela não cumprirá totalmente ela nos convida a refazer o que ela não é, enganchando-nos à maneira do amor, que é, para Lacan, sempre dar o que não se tem.

Referências bibliográficas

1. DUCHAMP, Marcel. "Le processus créatif". In Duchamp du Signe. Paris: Flammarion, 1994.
2. FREUD, Sigmund. "Três ensaios sobre a teoria da sexualidade". In Edição Standard Brasileira das Obras Psicológicas Completas de S. Freud. Rio de Janeiro: Imago, vol. VII, 1996 (1905).
3. ———. "Triebe und Triebeschicksale". In Gesammelte Werke. Londres: Imago, tomo X, 1946a (1915).
4. ———. Das Unheimliche. In: Gesammelte Werke. Londres: Imago, tomo XII, 1946b (1915).
5. HEGEL, Georg. W. F. Introdução à Estética. Barcelona: Nexus, 1985.
6. HEIDEGGER, Martin. "A Coisa". In DE SOUZA, E. Mitologia. Lisboa: Guimarães Editores, 1984.
7. HUGO, Victor. Do grotesco e do sublime. São Paulo: Perspectiva, 2002.
8. LACAN, Jacques. Le Séminaire, Livre XX: Encore. Paris: Seuil, 1975.
9. LACAN, Jacques. Le Séminaire, Livre VII: *L'éthique de la psychanalyse*. Paris: Seuil, 1986.
10. LACAN, Jacques. "L'acte psychanalytique". In Autres écrits. Paris: Seuil, 2001.
11. LÉVI-STRAUSS, Claude. La pensée sauvage. Paris: Plon, 1962.
12. LONGIN, O. Traité du Sublime. [S.l.]: Le Livre de Poche/Bibliothèque Classique, 1995.
13. ROUDINESCO, Elizabeth. Jacques Lacan: esboço de uma vida, história de um sistema de pensamento. São Paulo, Companhia das Letras, 1994.
14. STRACHEY, James. "Introdução aos escritos sobre metapsicologia". In Edição Standard Brasileira das Obras Psicológicas Completas de S. Freud. Rio de Janeiro: Imago, vol. XIV, 1996 (1969).

Observações sobre o tema da atemporalidade em Freud, Kant e Bergson

Hélio Lopes

Professor da Universidade Federal de Ouro Preto (UFOP)

Observações sobre o tema da atemporalidade em Freud, Kant e Bergson

Este artigo mostra que a freudiana "atemporalidade" dos processos psíquicos não deve ser entendida como uma conseqüência trivial da distinção entre processos psíquicos conscientes e inconscientes. Ele mostra que Freud possui uma caracterização positiva e fenomenológica dessa atemporalidade, obtida e afirmada para além e contra aquela distinção, e que o desafio que Freud, com esta atemporalidade, lança a uma filosofia "kantiana" não é completamente desprovido de sentido, mas pode ser re-elaborado numa perspectiva de algum modo bergsoniana.

Palavras-chave: atemporalidade, Freud, Kant, Bergson

On timelessness according to Freud, Kant and Bergson

This paper shows that the Freudian "timelessness" of psychical process is not to be understood as a bare consequence of his distinction between conscious and unconscious psychical process. It shows that Freud have a positive and phenomenological characterization of that timelessness, obtained and affirmed beyond and against that distinction, and that the challenge that Freud, with this timelessness, throws to a "Kantian" philosophy is not completely senseless, but can be well worked-out in a somewhat Bergsonian lines.

Key words: timelessness, Freud, Kant, Bergson

Quando Kant, nas célebres páginas da "Estética transcendental" da *Crítica da razão pura*, diferenciava o tempo do espaço como formas dos sentidos interno e externo, respectivamente, dava ele expressão a uma concepção que, indiferente à argumentação transcendental propriamente dita, permanecia (e permanece) ao mesmo tempo como uma concepção fundamental e não-explicitada, tanto do entendimento comum como do entendimento filosoficamente instigado. Tal como quando Wittgenstein, nas *Investigações filosóficas*, se refere a Santo Agostinho para trazer à luz uma concepção que, não é, em todos os seus contornos e pormenores, nem explicitamente defendida por Santo Agostinho nem por nenhum outro filósofo, mas que, por outro lado, permanece surda e obscuramente como a base de *todas* as concepções anteriores sobre a linguagem, podemos aqui denominar como "kantiana" a esta concepção, e isto tão só por ter sido Kant quem, como o "Santo Agostinho" de Wittgenstein, mais chegou perto de se referir explicitamente a ela[1]. Tal concepção é facilmente apreensível mediante uma análise a respeito do uso de algumas expressões na linguagem comum: supondo como não problemática[2] uma distinção entre um

[1] Tal concepção, conforme afirmamos há pouco, é indiferente à argumentação kantiana propriamente dita, quer dizer, a consideração do tempo e do espaço como formas puras da intuição sensível, e o aporte oferecido por tais formas à questão sobre a possibilidade de juízos sintéticos *a priori*, em nada é afetada pela diferenciação e "distribuição" daquelas formas entre um sentido interno e um sentido externo.

[2] Nem seria preciso dizer o quanto esta distinção, presente espontaneamente no entendimento comum, já se tornou problemática para o entendimento filosófico. Por enquanto, porém, interessa-nos somente delinear os contornos daquela concepção, e, de um modo geral, mesmo que já não se trate de "dois mundos", trata-se de dois modos radicalmente distintos mediante os quais empregamos conceitos "mentalísticos" em contraposição ao emprego de conceitos "fisicalistas".

mundo mental, privado, e um mundo físico, público, entre um mundo povoado por representações, pensamentos etc, e outro mundo povoado por objetos e processos materiais, podemos constatar facilmente que, enquanto a "forma" ou a estrutura fundamental do primeiro mundo é suposta ser unicamente o tempo, a forma e a estrutura fundamental do segundo é suposta ser o espaço, ou o espaço e o tempo conjuntamente. Em relação a objetos e eventos físicos, faz sempre sentido perguntar, além do "Quando?", também o "Onde?", ao passo que, em relação às representações e pensamentos, ou em relação àquilo que pertence ao mundo "mental", só faz sentido perguntar pelo "Quando?", e não faz sentido perguntar pelo "Onde?". Unicamente a forma do tempo parece pertinente aos eventos do mundo mental. É claro que, às vezes, pretendemos estar falando de forma significativa ao dizer que, apesar de tudo, pensamentos e representações ocorrem "na cabeça" das pessoas, mas isto não corresponde a uma localização espacial efetiva, já que esse procedimento aparentemente localizacionista tem um limite, o que não é próprio das verdadeiras localizações: dizer, por exemplo, que um pensamento ocorre "na cabeça" de uma pessoa não nos obriga a atribuir sentido à questão sobre que distância há entre este pensamento e outros, ou sobre se o pensamento ocupa a cabeça toda ou só uma parte, ou ainda, estando essa pessoa (com sua cabeça) a três metros de outra, se o que pensa a primeira pessoa está ou não a três metros do que pensa a outra pessoa. É claro também que há, na linguagem comum, uma enorme quantidade de localizações e espacializações "metafóricas" de eventos mentais, como quando se diz, de um pensamento que ele é "profundo" ou "superficial", que ele, por um instante, "passou" por nossa cabeça, ou, de uma intenção, que nada mais "longe" ou mais "distante" de nós, etc. No entanto, justamente por serem metafóricas, e por serem reconhecidas imediatamente como tais, é que essas expressões indicam a diferença essencial no modo como empregamos os conceitos mentalísticos enquanto contrastados aos conceitos pertinentes ao mundo físico: uma metáfora não consiste apenas na ultrapassagem de um limite lógico-conceitual, mas também no reconhecimento do limite assim ultrapassado. Sem a ultrapassagem, não teremos uma metáfora, e sim uma expressão literal, mas sem o reconhecimento do limite ultrapassado tampouco teremos uma metáfora, mas um erro ou equívoco categorial, tal como o equívoco no qual estaria enredado o sujeito que, munido de uma fita métrica, tentasse avaliar a "profundidade" de um pensamento. Ora, se nós, diante de tais metáforas, imediatamente as reconhecemos como tais, reconhecemos também imediatamente, e por esse mesmo ato, o limite lógico-conceitual por elas propositalmente ultrapassado. Ou seja, reconhecemos que os eventos mentais não podem ser submetidos à forma do espaço. Em relação ao tempo, por outro lado, ocorre justamente o contrário: não só acontece de acharmos pertinente a indagação sobre, por exemplo, o momento do tempo em que nos ocorreu um pensamento, ou sobre se esse pensamento é uma divagação passageira ou uma preocupação constante, mas, mais ainda, pode-se suspeitar se o tempo não constitui o modo de existência mesmo dos eventos mentais. De qualquer modo, e sem querer aqui fazer referência a uma boa quantidade de autores para quem o tempo constitui uma categoria ontológica fundamental, na linguagem comum as expressões que afirmam uma "temporalização" de eventos mentais não são metafóricas nem constituem erros categoriais, mas parecem sim expressões literais, as únicas adequadas para a descrição do "mundo mental". E, como sempre é difícil falar daquilo que é "óbvio" a ponto de se tornar não explicitável, vejamos como Kant mesmo se refere, na "Estética transcendental", à concepção que procuramos invocar aqui:

> I-"O espaço não é senão a forma de todos os fenômenos dos sentidos externos..."(B-43), e "O tempo nada mais é senão a forma do sentido interno, isto é, do intuir a nós mesmos e nosso estado interno". (B-50)

> II- Mediante o sentido externo [...] representamo-nos objetos como fora de nós e todos juntos no espaço [...] *O sentido interno*, mediante o qual a mente intui a si mesma ou o seu próprio estado interno [...] consiste apenas numa forma determinada unicamente sob a qual é possível a intuição do seu estado interno, de modo a *tudo o que pertence às determinações internas ser representado em relações de tempo*. O tempo não pode ser intuído externamente, tampouco quanto o espaço como algo em nós. (B-38)
>
> III- *O tempo é a condição formal a priori de todos os fenômenos em geral* [...](pois) [...] todas as representações, tenham como objeto coisas externas ou não, em si mesmas, como determinações da mente, pertencem ao estado interno, ao passo que este estado interno subsume-se à condição formal de intuição interna e portanto ao tempo [...] (ou seja, o tempo é)[...] a condição imediata dos fenômenos internos (das nossas almas) e por isso também mediatamente a dos fenômenos externos(B-51)

Um dos aspectos mais estranhos e exóticos da teoria psicanalítica, tal como elaborada por Freud[3], é aquele em que se pretende justamente negar tal concepção, e isto, ainda, na forma pela qual ela foi, acima, esboçada por Kant; em *Além do princípio do prazer*, Freud diz:

> O teorema kantiano de que Tempo e Espaço são formas necessárias de nosso pensamento pode hoje, devido a certos conhecimentos psicanalíticos, ser colocado sob discussão. Nós aprendemos que os processos psíquicos inconscientes são em si *atemporais* (zeitlos). Isto quer dizer, em primeiro lugar, que eles não são temporalmente ordenados, que o tempo em nada os alteram, que não se pode lhes aplicar a idéia do tempo (Freud 1, p. 238; vol. XVIII, p. 28)

---

[3] Por teoria psicanalítica, aqui, deve-se entender apenas aquela constante dos textos de Freud. Não nos interessa discutir desenvolvimentos dessa teoria realizados por seus discípulos e seguidores.

Essa passagem de Freud é notável sob vários aspectos: em primeiro lugar, Freud, com ela, pretende "embarcar numa discussão filosófica", e essa atitude contraria a disposição mais comum e freqüente de Freud em relação à filosofia, onde, colocando-se normalmente na posição do cientista, cujo trabalho persistente e humilde acaba por demolir os majestosos "castelos de cartas" *a priori* dos filósofos, Freud, diante da objeção destes, no sentido de que todos os processos psíquicos são processos conscientes, não tinha outra atitude que não o "dar de ombros" do cientista natural às admoestações e "primeiros princípios" dos filósofos. Em segundo lugar, nela, Freud se dirige a uma filosofia específica, a filosofia kantiana, e dirige um *desafio* a ela: ele quer que os filósofos kantianos atentem para uma "descoberta" do cientista natural, descoberta esta que, em seu entender, abalaria ou contrariaria algumas das formulações *a priori* dessa filosofia. Esse desafio parece ter tido pouca repercussão junto aos filósofos, e a atitude mais comum destes pode ser exemplificada pelo tratamento, muito breve, que Assoun dá a respeito: segundo ele, tal desafio da atemporalidade tem origem num desvio schopenhaueriano da doutrina de Kant, numa equivocada psicologização ou antropomorfização da "Estética transcendental", que Freud teria assumido, tornando-se assim equívoca a referência, por parte de Freud, à questão da atemporalidade a Kant. Desse modo, segundo Assoun, a questão da atemporalidade deveria ser redirecionada: "não é por simples carência de informação filosófica, como poderíamos suspeitar, mas como antagonista de Schopenhauer que Freud se comporta aqui"(Assoun 2, p. 163). No entanto, a questão da atemporalidade não repercute, como pretende Assoun, de modo significativo na doutrina de Schopenhauer, ou, se repercute, o faz apenas onde, nessa doutrina, Schopenhauer se pretende absolutamente fiel a Kant. Ou melhor: mesmo tendo sido Schopenhauer quem, entre outros, procedeu àquela antropomorfização da doutrina transcendental de Kant, essa antropomorfização, por si mesma, ou o reconhecimento dessa antropomorfização como equívoca, por si mesma, não é suficiente para resolver ou dissolver o problema da atemporalidade. Essa atitude de Assoun serve-nos aqui como exemplo da posição mais comum assumida pelos filósofos kantianos frente àquele desafio lançado por Freud: segundo eles, Freud, desconhecendo o caráter propriamente transcendental da filosofia kantiana, teria erroneamente entendido a "Estética transcendental" como veiculando uma espécie de teoria empírica a respeito dos processos psicológicos envolvidos na percepção do tempo e do espaço, de modo que sua "descoberta", ela mesma empírica, a respeito de processos psíquicos atemporais deveria ser direcionada não a Kant, mas a alguma de tais teorias empíricas e psicológicas a respeito da percepção do tempo e do espaço. Em nosso entender, tal atitude não resolve o problema: vimos, acima, Kant se estender em considerações que, embora desvinculadas da argumentação transcendental propriamente dita, são, porém, considerações *suas*, de Kant. Filósofos como Assoun acabariam por concluir que não apenas Freud, mas Kant também estaria equivocado ao não separar claramente aquilo que era daquilo que não era pertinente a essa argumentação transcendental, e ao ter se estendido em considerações cuja única utilidade foi a de ter dado ocasião à equivocada antropologização de sua doutrina. Contudo, podemos deixar esses filósofos com o transcendentalismo kantiano inteiramente preservado e intacto, e nos referir a um "outro" Kant, o Kant visado por Freud, pois nosso interesse é avançar no problema. A questão sobre se, dada a tarefa transcendental mesma, Kant deveria ou não ter se estendido naquelas considerações, é uma questão que compete àqueles filósofos resolver, e não nos interessa aqui.

Aquele desafio que Freud dirige a Kant, no entanto, repercute num outro tipo de referência de Freud a Kant: com efeito, em algumas das inúmeras tentativas em que Freud procura contestar a equivalência que, segundo ele, os "filósofos" em geral admitem entre processos psíquicos e processos conscientes, ou em algumas das inúmeras tentativas que Freud faz no sentido de avançar a idéia de processos psíquicos inconscientes, ele invoca (legitimamente ou não – isto, conforme vimos acima, já não nos interessa decidir) a filosofia kantiana, tal como nesta passagem dos escritos *Metapsicológicos* de 1915:

> Assim como Kant nos advertiu para que não negligenciássemos o condicionamento subjetivo de nossas percepções, e para que não tomássemos nossas percepções por idênticas ao percepcionado incognoscível, assim adverte também a psicanálise para que não se coloque a percepção consciente em lugar dos processos psíquicos inconscientes que são seu objeto. (Freud 1, vol III, p.130 . Vol XIV, p. 171)

Ao procurar estabelecer, assim, uma equivalência entre o seu conceito de Inconsciente e a "coisa-em-si" kantiana, Freud, mais uma vez, poderia contar com o apoio de uma série de considerações do próprio Kant: com efeito, ainda na "Estética transcendental", Kant nega a realidade absoluta do tempo em relação ao objeto do sentido interno, o que redunda na reafirmação da idealidade do tempo em relação ao objeto do sentido interno (B-55 e ss), e, além disso, afirma que o sentido interno é realmente um "sentido", quer dizer, que através dele a mente ou a alma intui a si mesma, não como é em si mesma, mas apenas como aparece a si mesma, conseqüentemente apenas como fenômeno, e não como coisa-em-si-mesma (B-68-70). É claro que Freud nem sempre mantém esta equivalência de forma completa e, de um modo geral, ela é duvidosa à medida em que a afirmação, por parte de Freud, de tal equivalência fosse algo mais do que um artifício retórico. Porém, é curiosa a maneira como essa passagem, quando considerada conjuntamente com a passagem anterior, na qual Freud veicula o seu desafio da atemporalidade, causa perplexidade mesmo antes de serem conduzidas a Kant: basta colocarmos as duas passagens de Freud, acima citadas, em relação entre si, para apercebermo-nos de que uma anula a outra. O desafio, veiculado pela primeira passagem, se torna inócuo e incompreensível se admitirmos, tal como admite a segunda passagem, uma completa equivalência entre o Inconsciente freudiano e a coisa-em-si kantiana, por outro lado, essa equivalência precisaria ao menos ser atenuada, caso se queira preservar aquele desafio. Imagine-se, por exemplo, como reagiria um desafiado filósofo kantiano. Ele provavelmente diria a Freud:

> Pois bem, se o seu conceito de Inconsciente é equivalente à coisa-em-si, então, naturalmente, e por definição, ele é atemporal, do mesmo modo como a coisa-em-si é atemporal, e não vejo onde poderia estar o caráter polêmico dessa afirmação da atemporalidade com que você pretende me desafiar.

É claro então que, se os processos psíquicos que são, segundo Freud, atemporais são os processos psíquicos inconscientes, e se esses processos inconscientes são da mesma ordem da coisa-em-si kantiana, então tais processos seriam, por definição, atemporais, já que o conceito de coisa-em-si é obtido justamente mediante a abstração das formas puras da intuição sensível, e, dentre estas, do tempo. Porém, nesse caso, o caráter de desafio com que Freud reveste a afirmação de tal atemporalidade seria incompreensível, absolutamente deslocado e equivocado. Seria como se alguém, querendo contestar o que acabamos de dizer, dissesse a mesmíssima coisa que dissemos. Vemos, assim, que o caráter polêmico da afirmação da atemporalidade só poderia ser preservado se admitíssemos, como Freud admitirá na seqüência da última passagem, acima, que o Inconsciente e a coisa-em-si kantiana não coincidem perfeitamente, que não são, ambos, igualmente incognoscíveis, que o Inconsciente é "menos incognoscível" que a coisa-em-si.

Este, portanto, é o primeiro aspecto com que se apresenta o problema da atemporalidade em Freud: ou a afirmação dessa atemporalidade não passa de uma nova forma de estabelecer a equivalência entre Inconsciente e coisa-em-si, ou a afirmação da atemporalidade, mantendo o caráter de desafio com que Freud a reveste, constitui-se em fato polêmico frente a essa equivalência. A primeira alternativa, além do inconveniente de, conforme vimos, tornar o desafio inócuo e incompreensível, tem ainda o inconveniente de fazer a questão da atemporalidade depender da questão, de contornos menos precisos, a respeito do "psíquico não-consciente ou Inconsciente em geral". Se aquela afirmação da atemporalidade fosse um mero desdobramento da equivalência entre Inconsciente e coisa-em-si, então teríamos de nos entender, primeiro, a respeito dos "processos psíquicos inconscientes em geral", para só depois abordar os "processos psíquicos atemporais". Foi seguindo esta alternativa que, para muitos, o tema da atemporalidade tornou-se algo de incompreensível na teoria freudiana: juntamente com as outras "características especiais do sistema Ics", tais como mencionadas por Freud nos escritos *Metapsicológicos* de 1915 (Freud 1, vol III, p. 145-6; vol. XIV, p. 187), a atemporalidade, assim como a "ausência de negação", a "ausência de teste de realidade" etc., seria o resultado de uma inferência, seria uma espécie de "construto teórico" que, tal como a coisa-em-si kantiana, não é imediata e diretamente dado, mas algo que devemos apenas postular como subjacente aos fenômenos, de modo a tornar compreensível aquilo que é diretamente dado. Em suma, se, conforme admite a concepção que procuramos invocar no início desse, a consciência é, de ponta a ponta, temporalmente estruturada, então, pensa-se, o "outro" dessa consciência não comportará a estruturação que essencialmente caracteriza essa consciência, e, portanto, este Inconsciente será, naturalmente, atemporal, já que a temporalidade só vigoraria onde vigora uma consciência. Daí a afirmação da atemporalidade, segundo essa alternativa, seria trivial, e incompreensível seria apenas a atitude de Freud, que pretende revesti-la com um caráter "fenomenológico", que insinua ser ela algo diretamente dado à experiência. Ora, vê-se claramente que, seguindo essa alternativa, o tema da atemporalidade em Freud esvai-se completamente. É preciso, portanto, levar a sério a segunda alternativa; é preciso dar, ao menos provisoriamente, um crédito ao desafio com que Freud reveste a sua afirmação da atemporalidade. É preciso entender tal afirmação como sendo conquistada para além e contra uma suposta equivalência entre inconsciente e coisa-em-si admitir que Freud, ao revesti-la com um caráter fenomenológico, não estava enganando-se a si mesmo, nem estava procurando nos enganar. É isto o que, na seqüência, procuraremos demonstrar.

II

Freud esteve às voltas com o problema da atemporalidade em *toda* a sua obra[4]. Com efeito, já na *Comunicação preliminar* encontramos Freud (e Breuer) anunciando a descoberta de que o evocar de uma determinada lembrança coincidia com o desaparecimento de um determinado tipo de sintoma histérico, e isso é ocasião para que eles proponham uma extensão do conceito de histeria traumática (na medida em que se determina, assim, um trauma "psíquico" para um maior número de sintomas histéricos), e para que eles determinem a natureza da relação causal entre trauma e sintoma; trata-se daquilo que chamam de "causação direta ou contínua", oposta a uma causação indireta ou apenas desencadeadora. O trauma agora é suposto agir continuamente, através de sua lembrança, na produção do sintoma. Essa conclusão, dizem Freud e Breuer, é apoiada na primeira das duas características da lembrança patogênica que eles descobrem: "as lembranças que se tornaram os determinantes do fenômeno histérico persistem, por muito tempo, com um frescor impressionante e com toda sua coloração afetiva"(Freud 1, vol. II, p. 9) Essas lembranças

---

[4] Este texto desenvolve algumas das considerações já feitas em 1991, em minha dissertação de mestrado, apresentada ao Curso de Pós-Graduação em Lógica e Filosofia da Ciência da Universidade Estadual de Campinas (Unicamp). Lá procedi a uma detalhada análise do tema da atemporalidade ao longo de toda a obra freudiana.

> que datavam de quinze a vinte e cinco anos atrás, encontravam-se impressionantemente intactas, e possuidoras de notável força sensória, e, quando retornavam, elas agiam com toda a força afetiva de (própria às) novas experiências.(Freud 1, vol. II, pp. 9-10)

Graças a essa característica atemporal, essas lembranças prolongavam o efeito de um evento traumático que, há muito tempo, deixara de ocorrer, e constituíam evidência de que esse evento, contínua e diretamente, através de sua lembrança, mantivera o sintoma até então. O fato de a lembrança se conservar intacta por longos períodos de tempo é condição de um traumatismo contínuo, e a determinação do traumatismo psíquico como contínuo é, segundo Freud e Breuer, a principal contribuição que então se faz, nos *Estudos sobre a histeria*, para a teoria da histeria. Acomodar teoricamente esse processo causal, assim como a característica atemporal da lembrança, que o torna possível, é a principal tarefa a que se dedicam Breuer e Freud. Com esse fim, eles mobilizam considerações extraídas de uma segunda característica da lembrança patogênica. Estas "estão completamente ausentes da memória dos pacientes, quando eles estão num estado psíquico normal, ou estão presentes apenas numa forma extremamente sumária"(Freud 1, vol II, p. 9). Apenas sob hipnose elas aparecem. Essa ressalva já nos adverte de que tal característica não é tão decididamente afirmada quanto a primeira, pois tais "estados hipnóides" não podiam ser sempre distinguidos de maneira precisa dos estados de consciência normal, e, de fato, seus conteúdos formavam uma escala contínua entre idéias perfeitamente conscientes e idéias que nunca entrariam numa consciência não hipnotizada, entre uma rememoração completa e uma amnésia total (Freud 1, vol. II, p. 12 e 229). Ou seja, enquanto a primeira característica, a característica atemporal, é diretamente extraída da constatação de que o sintoma é uma forma de lembrar e que "histéricos sofrem principalmente de reminiscências", a segunda característica, a característica "inconsciente" da lembrança, parece corresponder a um nível de teorização mais elevado. Podemos notar, sobretudo, que um dos aspectos com que a atemporalidade de certos processos psíquicos costumeiramente se apresenta a Freud, a indestrutibilidade ou o "não passar com o tempo", já está aqui presente, e é afirmado como pertinente ao nível fenomenal, como sendo da ordem dos fatos ou dados diretos à observação[5]. Tal atemporalidade não é, já aqui, um mero desdobramento da hipótese a respeito do "psíquico inconsciente", hipótese cujo embrião, a segunda característica mencionada acima, não é nem tão decididamente afirmada nem pertence ao mesmo nível fenomenal.

Sabe-se que Freud, logo depois, viria a abandonar essa idéia de "estados hipnóides", assim como o uso da hipnose, e desenvolveria uma "teoria da sedução", que veiculava um mecanismo causal mais complexo: durante a infância, a criança teria sido vítima de um assalto sexual, experiência que, na ocasião, lhe foi indiferente, dado que a criança não estava sexualmente preparada; mas essa lembrança permaneceu na memória, tal como todas as outras lembranças, e, ao ser associativamente evocada por outra experiência, ocorrida após a puberdade, provocaria uma inusitada liberação de desprazer, já que, nesse meio-tempo, a puberdade trouxe consigo um aumento descomunal na quantidade de excitação. Essa produção de desprazer toma o Eu de surpresa, pois ele está acostumado a espreitar fontes de desprazer apenas nas percepções, não em lembranças, de modo que o Eu se vê forçado a proceder a uma defesa patológica, retirando o afeto da lembrança e alocando-o, seja em inervações somáticas, seja em outras idéias, ao mesmo tempo em que reprime e torna inconsciente a lembrança. Assim, o surgimento de lembranças atemporais,

---

[5] Para uma maior confirmação dessa afirmação, poderíamos nos referir ao impressionante relato que Breuer faz da alternância de estados pela qual passava sua paciente, Anna O., onde ela, num estado hipnóide, literalmente vivia numa época anterior à atual, chegando mesmo a desviar de móveis que já não se encontravam no mesmo lugar; que isso era efetivamente o que estava ocorrendo, diz Breuer, não é nenhuma suspeita, ou nenhuma inferência, mas é um fato "confirmado acima de qualquer dúvida". (Freud 1, vol. II, p. 33)

lembranças que não eram desgastadas pelo tempo, seria devido não ao fato de que foram produzidas num estado diferenciado, "hipnóide", de consciência, mas ao fato de terem recebido uma "quantidade de investimento ou afeto" que não receberam na origem. Todo esse complexo mecanismo, que viria a ser substituído em breve, dada a descoberta da "sexualidade infantil", é claramente mobilizado por Freud com vistas à acomodação teórica do fenômeno da atemporalidade. E, já nessa época, Freud exprime dúvidas a respeito da medida em que ele próprio teria conseguido tal acomodação. Numa conferência em que expõe sua teoria das neuroses da época, diz ele:

> por que pessoas saudáveis se comportam de modo diferente? Por que todas as suas excitações de muito tempo atrás não entram em operação mais uma vez, quando ocorre uma excitação nova, presente? Tem-se a impressão, de fato, de que, com pacientes histéricos, é como se todas suas experiências antigas [...] retiveram seu poder efetivo [...] Parece que a dificuldade de dispor de uma impressão presente, a impossibilidade de transformá-la numa lembrança impotente, é ligada precisamente ao caráter do inconsciente psíquico [...] o restante do problema situa-se, uma vez mais, no campo da psicologia – e, mais ainda, de uma psicologia de um tipo para a qual os *filósofos* têm feito pouco para preparar o caminho para nós(grifo nosso). (Freud 1, vol. III, p. 218-9)

Vemos, assim, que já nessa época Freud endereçava a afirmação da atemporalidade à filosofia, e queixava-se do fato de que esta ainda não havia sequer vislumbrado instrumentos conceituais mediante os quais tal fenômeno poderia ser acolhido. Quanto à outra afirmação, a afirmação do "psíquico inconsciente", não é inteiramente justificada a costumeira queixa freudiana no sentido de que a filosofia, em uníssono, não a admitiria: pois tal como Freud o cita, em *Chistes e sua relação com o inconsciente*, Lipps já havia antecipado aquilo que, depois, se tornaria a forma, digamos, padrão mediante a qual Freud introduziria seu conceito de Inconsciente: os dados da consciência apresentariam várias lacunas, e permaneceriam ininteligíveis enquanto não fossem interpolados, entre eles, processos psíquicos inconscientes, processos que, embora não encontrem representação alguma na consciência – sendo, portanto, apenas inferidos –, são, no entanto, imprescindíveis à intelegibilidade dos próprios processos conscientes etc etc (Freud 1, vol. IV, p. 139 n. 1; vol. VIII, p. 147 n.1). Além disso, e conforme vimos, Kant já havia admitido que, mediante o sentido interno, a mente ou a alma apreende a si mesma, não tal qual é em si mesma, mas apenas como aparece a si mesma. Ou seja, a afirmação do "psíquico inconsciente" não apresentava, relativamente à filosofia, um caráter tão polêmico quanto a afirmação da atemporalidade.

O capítulo VII da *Interpretação dos sonhos* procura, justamente, fornecer a psicologia mencionada por Freud, acima. Freud abre o capítulo com a apresentação de um sonho que, segundo ele, não apresenta problemas relacionados à sua interpretação, mas que, apresenta a característica *essencial* dos sonhos, a característica que os distinguem da vigília, e que não é outra que não o fato de que, nos sonhos, um pensamento, geralmente o pensamento de algo desejado, é objetivado, é representado como cena *presente* e *atual*, é experienciado(Freud 1, vol. V, p. 534). Freud considera essa característica sob dois aspectos: sob o primeiro, um pensamento é, no sonho, representado como uma situação presente, é transformado para o tempo presente, e, sob o segundo aspecto, o pensamento (abstrato-verbal) é transformado em imagens visuais e sensíveis. De um modo geral, o primeiro aspecto consiste no fato de que o pensamento, sob o trabalho do sonho, perde suas cláusulas condicionais e flexões temporais: um pensamento da forma "Ah, quem me dera ocorresse tal e tal..." é transformado num enunciado no tempo presente, que afirma que tal e tal ocorrem, agora, de fato.

Ao comparar brevemente esses dois aspectos, Freud diz que o primeiro aspecto, mas não o segundo, está presente em todos os sonhos, pois há sonhos em que o pensamento é transformado no tempo presente, mas não em imagens sensíveis; ou seja, o aspecto atemporal é, segundo ele, uma característica universal dos sonhos. Apesar disso, é em relação ao segundo aspecto que Freud dedica todo o esforço, é a tornar possível esse aspecto do sonho que visa a construção do aparelho psíquico veiculado pelo capítulo VII da *Interpretação dos sonhos*. Pois, segundo Freud, o primeiro aspecto tornar-se-ia facilmente inteligível quando fosse inteligível a tese do sonho como realização de desejos, pois apenas no tempo presente um desejo pode ser representado como realizado.

O modo como Freud argumenta em favor da tese do sonho como realização de desejo é bastante curioso: antes de mostrar que apenas desejos (e não outros atos mentais, tais como dúvidas, temores, expectativas etc.) podem figurar como produtores de sonhos, Freud argumenta que apenas desejos inconscientes (e não desejos conscientes) podem ser tais produtores e antes de estabelecer isso, ele argumenta que apenas desejos inconscientes e *infantis* (e não desejos que, originando-se no pré-consciente, foram, durante o dia, repudiados para o Inconsciente) podem ser os produtores de sonhos:

> Conforme indicações da psicanálise das neuroses, encaro esses desejos inconscientes como sempre ativos [...] Estes sempre ativos e, por assim dizer, imortais desejos de nosso inconsciente [...] são [...] de origem infantil [...] Eles compartilham esse caráter de indestrutibilidade com todos os outros atos psíquicos realmente inconscientes [...] É mesmo uma particularidade proeminente dos processos inconscientes que eles permaneçam indestrutíveis. No Inconsciente nada chega ao fim, nada é passado ou esquecido [...] Mesmo o que nós estamos inclinados a tomar por auto-evidente e a explicar por uma influência primária do tempo sobre os traços de memória, qual seja, o definhamento das lembranças e o enfraquecimento do afeto das impressões não mais recentes, são, em realidade, transformações secundárias. (Freud 1, vol II, p. 550; vol. V, p. 577-8)

Essa "imortalidade" ou "indestrutibilidade" dos desejos que produzem o sonho são ditas características de um "outro domínio", de um outro sistema que não o sistema Pcs-Cs. Ou seja, aqui a afirmação da atemporalidade perde o caráter de dado fenomenal, e já se encontra na dependência da afirmação a respeito do Inconsciente em geral; conforme veremos, é sob essa dependência que lhe advirá caracterizações eminentemente negativas. Antes, porém, observemos a maneira como a afirmação da atemporalidade, o primeiro e essencial aspecto dos sonhos mencionado acima, se acopla à tese do sonho como realização de desejo. Modelado sobre a "vivência de satisfação", o desejo será definido como um impulso que procura restabelecer uma situação anterior de satisfação, como um impulso que procura reinvestir a imagem mnêmica da percepção do objeto, cuja aparição anterior foi simultânea à eliminação da tensão produzida pela necessidade. E, por "realização de desejo", Freud entende o reaparecimento dessa percepção do objeto desejado. Freud supõe que as primeiras realizações de desejo foram alucinatórias, onde a tensão gerada pela necessidade era imediatamente transferida de modo integral para a imagem mnêmica do objeto, que antes fora concomitante ao desaparecimento da tensão. Numa segunda fase dessa vivência, a realização alucinatória de desejos cede lugar a modos mais eficientes de realizar desejos, aquela imagem mnêmica não é mais integralmente investida, e esses modos mais eficientes cobrem a totalidade dos atos mentais. Nesses modos mais eficientes, porém, o que se deseja é o mesmo, quer dizer, realizar desejos, e estes últimos modos representam apenas desvios ou adiamentos provisórios em relação ao que era visado na primeira fase. Poderíamos dizer que, segundo Freud, em *todos* os atos psíquicos vigora este mesmo e único esquema temporal: *trata-se de restabelecer, no futuro, um estado de coisas anterior e passado*. Presente não só nos sonhos (Freud 1,vol. II, p. 588; vol. V, p. 621) mas também nas ações-com-propósitos, esse mesmo esquema temporal é muito bem descrito por Freud, em *O Poeta e o fantasiar* (Freud 1, vol. X, p. 147-8), no que diz respeito aos devaneios, que constituem um meio-termo entre os sonhos e as ações-com-propósito. Porém, é fácil observar que esse esquema temporal nada mais é que a atemporalidade numa outra perspectiva: Freud fala do sujeito desejando restabelecer no *futuro* um estado de coisas *passado*; *nós* o descreveríamos assim, mas é de supor-se que, para o sujeito mesmo, esse passado não seja "passado", que ele recusa-se justamente a reconhecer tal estado de coisas como "passado", e que adere a um eterno presente. Em suma, não se trata apenas de dizer que o desejo é atemporal, mas sim, e também, que o que se deseja primordialmente é a própria atemporalidade.

Nos escritos *Metapsicológicos* de 1915, a atemporalidade, designada como uma das "características especiais do sistema Inconsciente", ganha uma caracterização eminentemente negativa:

> Os processos do sistema Incs são *atemporais*, isto é, eles não são temporalmente ordenados, não são alterados pela passagem do tempo, não têm, de modo algum, nenhuma relação com o tempo. A relação ao tempo prende-se, mais uma vez, ao trabalho do sistema Cs.(Freud 1, vol. III, p. 145-6; vol. XIV p. 187).

Tais características especiais, que, além da atemporalidade, contam com a "ausência de negação" e o "processo primário", são aquilo que, para além do atributo de ser ou não consciente, serviriam para caracterizar os processos psíquicos inconscientes, e constituiriam, no entender de Freud, uma forte razão para a divisão da mente em "sistemas", na medida em que se referem a leis diferenciadas de funcionamento dos processos psíquicos. Trata-se de uma caracterização eminentemente *negativa*: negar a atribuição de um predicado a um sujeito não é o mesmo que predicar esse sujeito com outro predicado, a não ser quando o número de predicados possíveis seja limitado, o que não parece ser o caso aqui. Dizer que os processos psíquicos em questão não são temporalmente ordenados não nos informa sobre como eles são ordenados (se é que são ordenados de algum modo); dizer que eles não são alterados pela passagem do tempo não nos informa sobre o que os pode alterar (se é que são alterados de algum modo); enfim, dizer que não mantêm relação alguma com o tempo não nos informa sobre seus outros tipos de relações, se é que as há. Além de negativa, porém, essa caracterização da atemporalidade comporta uma aparência *fenomenológica*; Freud parece pretender estar descrevendo um estado de coisas, não inferido ou hipoteticamente construído, mas diretamente dado. Há, portanto, uma certa tensão, nessa caracterização da atemporalidade, entre os seus aspectos negativo e fenomenológico, e, conforme afirmamos anteriormente, é essa tensão o que tem feito do tema da atemporalidade um tema ao mesmo tempo exótico e não elaborado da teoria freudiana.

Com o objetivo de resolver essa tensão, formou-se uma opinião que procura representar Freud como querendo dar-nos a impressão de ter descoberto um outro domínio da realidade, domínio este tão "outro" que, a princípio, não poderia ser descrito a não ser negativamente: Freud estaria se comportando aqui como o sujeito que, querendo se passar pelo "descobridor" de um novo continente, afirmasse que constatou lá não haver nem ar, nem água, nem terra. O modo como aquela afirmação da atemporalidade surge, continua tal opinião, nos faria suspeitar que, antes de entende-la, deveríamos nos entender primeiro a respeito da distinção entre processos psíquicos conscientes e inconscientes, já que a atemporalidade é dita ser um atributo, entre outros, destes últimos. Segundo essa opinião, bastaria considerar essa distinção, juntamente com a idéia da ordenação eminentemente (talvez, mesmo, exclusivamente) temporal da consciência, para que a atemporalidade fosse facilmente deduzida. Nesse caso, a atemporalidade não seria nada mais do que um caso particular e trivial da distinção entre consciente e inconsciente. Acrescente-se a isso as inúmeras passagens de Freud, em que ele afirma serem os processos psíquicos inconscientes apenas um construto teórico, uma "construção auxiliar", que não se refere, nem pretende se referir, a nada. Tais processos inconscientes seriam apenas inferidos a partir dos processos conscientes, e seriam entre estes interpolados apenas com o objetivo de preencher as lacunas destes últimos e torná-los inteligíveis. Quer dizer, o "descobridor", que mencionamos há pouco, reconheceria, agora mais sóbrio, que na realidade não viu um não-ar, nem uma não-água, nem uma não-terra. É sob essa perspectiva, finaliza esta opinião, que devemos considerar as analogias, retiradas da mitologia, da arqueologia e de outros domínios exóticos, às quais Freud recorre ao comunicar a "descoberta" da atemporalidade: com elas, Freud estaria tentando dar a ilusão de que se trata da descrição de um estado de coisas quando, na realidade, nada está sendo descrito. A caracterização negativa da atemporalidade seria um desdobramento trivial do alegado caráter incognoscível do Inconsciente, e o caráter fenomenológico com que Freud a cerca não deveria ser levado a sério.

Para mostrar o equívoco presente nessa opinião, basta-nos demonstrar que a afirmação freudiana da atemporalidade não é um mero desdobramento da distinção entre processos psíquicos conscientes e inconscientes; que ela, ao contrário, é obtida e mantida *contra* e para além dessa distinção. Deveremos, assim, encontrar Freud fornecendo uma caracterização *positiva* da atemporalidade, pois, conforme vimos, a monótona caracterização negativa desta, a simples "imutabilidade" ou "indestrutibilidade" de determinados processos psíquicos, era o resultado direto do fato de esta atemporalidade ser pensada como um mero desdobramento da distinção entre consciente e Inconsciente. E, uma vez de posse dessa caracterização positiva, estaremos dando conta do caráter fenomenológico com que Freud cerca sua afirmação da atemporalidade, e, assim, estaremos restituindo o caráter polêmico do desafio que, com ela, Freud endereça a "Kant".

III

A caracterização negativa da atemporalidade parecia estar estreitamente ligada àquilo que Freud pensava como ocorrendo na *histeria*; desde a *Comunicação preliminar*, como vimos, a *repressão*, na histeria, comportava dois aspectos principais: a idéia rejeitada era excluída da consciência e essa idéia permanecia inalterada no inconsciente. Tanto aquela exclusão como esta inalterabilidade eram pensadas de forma absoluta, e a caracterização da atemporalidade não podia ser mais que negativa: era preciso que a idéia existisse inalterada pelo tempo, pois os sintomas, que são formas pelas quais esta idéia era lembrada, ainda existiam igualmente inalterados pelo tempo, ao mesmo tempo em que as formas não patológicas de lembrar pareciam completamente excluídas. Quando se voltou para a *neurose obssessiva*, e com o conseqüente desenvolvimento da noção de *regressão*, Freud começou a vislumbrar a possibilidade de haver *modificações* no Inconsciente (Freud 1, vol. VII, p. 250; vol. XVIII, p. 199), pois a noção de regressão é construída sobre as de "mudança" e "desenvolvimento", e significa o regresso a fases anteriores de desenvolvimento, de modo que uma fase posterior, uma vez abandonada, pode não ser recuperada novamente (Freud 1, vol. XI, p. 45; vol. XIV, p. 286). De fato, na primeira vez em que usa o termo *Zeitlosigkeit*, Freud já afirma que tais processos psíquicos são preservados não apenas na forma em que foram primeiramente recebidos, mas também em todas as formas que eles adotaram em seus *posteriores desenvolvimentos* (Freud 1, vol. VI, p. 274-5) . Começamos a perceber, assim, que Freud, a respeito da atemporalidade, não se limita mais a afirmar apenas a "indestrutibilidade" ou "inalterabilidade pelo tempo" do recalcado; não se limita mais a excluir tais processos psíquicos do domínio daquilo que está sujeito ao tempo, mas em conexão com a regressão e a neurose obsessiva, aproxima-se de uma caracterização *positiva* da atemporalidade, como podemos ver nesta passagem de *O homem dos ratos*, onde, em meio às discussões sobre os aspectos que ele chama, significativamente, de "fenomenológicos" do pensamento obsessivo, afirma:

> Não procurarei empreender, desta vez, uma apreciação psicológica do pensamento obsessivo. Ela traria resultados extraordinariamente valiosos e faria mais, para a clarificação de nosso conhecimento da natureza do *consciente* e do inconsciente, do que o estudo da histeria ou dos fenômenos hipnóticos. Seria muito desejável que os filósofos e psicólogos, que desenvolvem suas perspicazes teorias sobre o inconsciente por "ouvir dizer" ou a partir de definições convencionais, fossem, antes, buscar a mais decisiva impressão no fenômeno do pensamento obsessivo... Mencionarei aqui, apenas, que na neurose obsessiva ocasionalmente *os processos psíquicos inconscientes irrompem na consciência de forma pura e não distorcida*, que tais irrupções podem efetuar-se nos mais variados *estágios* do processo de pensamento inconsciente, e que a idéia obsessiva, no momento da irrupção, deve ser reconhecida em sua maior parte como *formações há muito existentes*"(grifo nosso)(Freud 1, vol. VII, p. 88; vol.X, p. 228)

Essa passagem é muito importante: ao invocar os "filósofos", Freud deixa claro o âmbito propriamente filosófico das implicações daquilo que, a seguir, ele vai afirmar. A maior relevância do estudo da neurose obsessiva, enquanto contrastada a menor relevância do estudo da histeria, no que diz respeito ao conhecimento da natureza da *consciência*, torna-se mais compreensível quando notamos que, em outro lugar desse mesmo texto, Freud afirma que na repressão, realizada mediante regressão, própria às neuroses obsessivas não ocorre a amnésia característica da histeria, e a idéia traumática permanece consciente (Freud 1, vol. X, p. 195-6). Ou seja, parece que o estudo da histeria acabou sendo contaminado pelo ambiente, "espetacular e misterioso", dos experimentos hipnóticos, onde parecia haver uma clara e incisiva distinção entre o que era e o que não era consciente para o paciente. Tudo isto vem corroborar a principal e surpreendente afirmação de Freud: esses processos "inconscientes" irrompem na *consciência* de forma pura e não distorcida, e aí, na consciência, eles se mostram *atemporais*. Tais processos atemporais perdem, aqui, qualquer conotação de "processos inascessíveis à consciência" e de "processos apenas inferidos". Ao enfatizar que tais processos irrompem de forma "pura e não distorcida" na consciência, Freud está, talvez como em nenhum outro lugar de sua obra, pondo em questão aquela que, normalmente, é entendida como a proposição fundamental da psicanálise: a distinção, tanto descritiva como, principalmente, sistemática, que a censura opera entre o Consciente e o Inconsciente. E o que se lhe apresenta, assim, na consciência são processos psíquicos atemporais, processos que não apenas são surpreendentemente antigos, mas que também apresentam desenvolvimentos e estágios que permanecem conjuntamente com os estágios anteriores a partir dos quais se desenvolveram. Isto restitui todo o sentido, toda a importância, que o tema da atemporalidade tem para Freud, e torna compreensível a sua atitude, no sentido de que tal tema mereceria uma consideração filosófica. Não se trata, na afirmação da atemporalidade, de inferir processos que, por serem supostos inconscientes, e por supor-se que a consciência é, de ponta a ponta, temporalmente estruturada, conclui por caracterizar negativamente os processos em questão como "atemporais"; trata-se, sim, de apontar para o fenômeno no qual determinados processos *conscientes* apresentam, relativamente ao tempo, características especiais de desenvolvimento e mudança.

Com efeito, Freud, numa série de passagens, procura estabelecer as características daquilo que não poderíamos designar de outra maneira a não ser mediante a noção, difícil, de um "desenvolvimento atemporal":

> O desenvolvimento psíquico possui mesmo uma particularidade que não se encontra em mais nenhum outro processo de desenvolvimento. Quando uma aldeia vai crescendo e se transforma numa cidade, ou uma

> criança num homem, então aldeia e criança perecem e desaparecem na cidade e no homem [...] Acontece diferentemente no desenvolvimento psíquico. Aqui, não se pode descrever o estado de coisas, ao qual não há outro que se compare, a não ser através da afirmação de que *cada fase de desenvolvimento anterior mantém-se conservada ao lado da posterior que surgiu a partir da anterior.*(grifo nosso) (Freud 1, vol. IX, p. 45; vol. XIV, p. 286)

Essa caracterização *positiva* da atemporalidade recebe de Freud, em *O mal-estar na civilização*, uma longa exposição, que não podemos reproduzir aqui; nela, a sobrevivência e permanência do passado ao lado dos estágios que se desenvolveram a partir dele é pensada em analogia com o desenvolvimento histórico da cidade de Roma. Freud se esforça em imaginar, por exemplo, as formas anteriores de uma construção como coexistindo com as formas posteriores assumidas pela mesma construção. Veríamos, por exemplo, um mesmo prédio como velho e novo, e isto ao mesmo tempo. Ao final, Freud abandona toda a tentativa:

> Não há, evidentemente, nenhum sentido em imaginar o restante da fantasia, ela conduz ao inimaginável e, mesmo, ao absurdo [...] o mesmo espaço não comporta dois ocupantes diferentes. Nossa tentativa parece ser uma brincadeira ociosa; ela tem apenas uma justificação: ela nos mostra quão distanciados estamos de dominar as particularidades da vida psíquica através da representação intuitiva.(Freud 1, vol. IX, p. 200-3; vol. XXI, p. 66-71)

Inimaginável e absurda, essa concepção de um desenvolvimento atemporal parece a Freud, ao mesmo tempo, tanto difícil de ser desenvolvida como cheia de promessas em seus resultados; é assim que, por último, encontramos Freud, nas *Novas conferências introdutórias*, lamentando o estado em que teve de deixar o problema da atemporalidade. "No Isso", diz ele,

> percebe-se, com surpresa, a exceção ao teorema filosófico de que Espaço e Tempo são formas necessárias de nossos atos psíquicos. No Isso não se encontra o que corresponde à idéia do tempo, não há nenhum reconhecimento de um transcurso temporal e não há, o que é mais notável e que aguarda apreciação no pensamento filosófico, nenhuma alteração dos processos psíquicos pelo transcurso do tempo.
>
> Sempre tenho tido de novo a impressão de que nós temos feito muito pouco uso, para nossa teoria, desse fato indubitavelmente estabelecido da inalterabilidade do recalcado pelo tempo. Aí parece abrir-se um acesso aos mais profundos conhecimentos. Infelizmente, eu também não fiz progressos nisso. (Freud 1, vol. 1, p. 511; vol XXII, p. 74)

Notamos, assim, que por "atemporalidade" Freud não entende apenas a "inalterabilidade", "indestrutibilidade" etc. de determinados processos psíquicos, mas, mais que isso, uma espécie de desenvolvimento onde as fases ou estágios anteriores persistem ao lado ou conjuntamente com as fases ou estágios posteriores derivados dos primeiros. Também não se trata mais, e apenas, de negar a tais processos qualquer inserção temporal, mas de atribuir-lhes uma temporalidade especial, não encontrável em outros processos de desenvolvimento, onde o surgimento de um novo estágio anula completamente o estágio anterior. Já não se trata mais de comparar tal atemporalidade com aquilo que teria ocorrido com Pompéia (Freud 1, vol. X, p. 39-40 e vol. XI, p. 397-8; vol. IX, p. 34 e vol. XXIII p. 260), que permaneceu meramente inalterada sob e por causa do soterramento, mas de compará-la com uma cidade como Roma, que possui um longo passado histórico ainda de certa forma presente e vivo. Porém, teria Freud razão em afirmar que tal desenvolvimento "atemporal" não é passível de uma representação intuitiva? Por que a concepção de tal desenvolvimento permaneceu para Freud tão difícil?

Acreditamos ter mostrado que a afirmação freudiana da atemporalidade não é um mero desdobramento da distinção entre consciente e inconsciente, e ter mostrado também que Freud não se limita a caracterizar negativamente a atemporalidade, isto é, que Freud conquista, contra e para além daquela distinção, uma caracterização positiva desta. Dessa forma, mostramos que o desafio da atemporalidade, que Freud lança à filosofia em geral e à filosofia de "Kant" em particular, só tem sentido se essa atemporalidade for não uma inferência ou um construto teórico, mas algo pertinente ao nível fenomenal mesmo, isto é, se tal atemporalidade for dada à consciência mesma. O que está implicado nesta caracterização positiva da atemporalidade, portanto, não é a mera inalterabilidade ou indestrutibilidade pelo tempo de certos processos psíquicos, mas um "desenvolvimento atemporal", ou seja, um desenvolvimento onde os estágios anteriores persistem conjuntamente com os estágios posteriores que se desenvolveram a partir deles. Como, porém, emprestar sentido a essa nossa afirmação de que tal tipo de desenvolvimento pode ser encontrado na *consciência*?

IV

Cabe a Bergson (3) sem dúvida, o mérito de ter desenvolvido a concepção de uma duração ou *temporalidade pura*, dando conta assim da solidariedade estreita que há entre o Eu (ou a consciência) e o Tempo, ao mesmo tempo em que procura determinar as características próprias dessa temporalidade, isto é, procura depurá-la de tudo aquilo que na realidade não lhe é pertinente. No âmbito de uma crítica às concepções da psicologia associacionista, tais como as de "quantidade intensiva" e de "estados psicológicos", Bergson procura mostrar que a temporalidade homogênea, tal como implicada nessas concepções, na consiste realidade numa transposição ou tradução indevida do tempo em espaço. Ou seja, trata-se de mostrar que aquelas concepções são necessariamente construídas sobre a intuição, não do tempo mesmo, mas do espaço: em relação à "quantidade intensiva", por exemplo, Bergson mostra que a medida e o número supõem um meio homogêneo onde dois elementos qualitativamente iguais ainda possam ser apreendidos como não idênticos. Portanto, é a abstração ou o nivelamento do caráter qualitativo e o espaço o que torna possível o número e a medida. Mas não há relações espaciais entre sensações, e o caráter qualitativo é justamente o que, nesse caso, se pretenderia medir. Tarefa impossível, portanto. É essencial ao número e à medida que dois elementos sejam iguais em qualidade sem serem idênticos, sem se confundirem como um único e mesmo elemento. Abstraindo-se ou nivelando-se o aspecto qualitativo, apenas o espaço permanece como princípio de diferenciação. No caso dos fenômenos internos, porém, continua Bergson, não há relações espaciais, não há como diferenciar sensações qualitativamente iguais, e não se pode justapor e sobrepor sensações umas às outras quer dizer, a medida aí é impossível. O mesmo ocorre no que diz respeito à concepção de "estados psicológicos": seria, pergunta Bérgson, a multiplicidade de tais estados uma multiplicidade numérica? Para que sejam possíveis a adição e a contagem, é preciso que se retenham as imagens sucessivas dos elementos já contados ou já adcionados e se as justaponha a cada um dos novos elementos que se evoca. É necessário que cada um dos elementos persista enquanto se passa ao seguinte, é necessária a percepção simultânea de uma multiplicidade de partes. E o meio onde isto é possível, diz Bergson, é o espaço, pois um momento do tempo, por sua própria natureza, não pode manter-se de modo a se acrescentar a outros. Cada momento sucessivo da duração, diz Bergson, não só não permanece, como também não são distintos dessa maneira, mas penetram-se mutuamente, como as notas de uma melodia. Se a intuição do espaço é a intuição de um meio homogêneo, inversamente também todo meio homogêneo será espaço, e somente aí é possível a divisibilidade infinita e a exterioridade recíproca característica dos números, dos objetos e dos estados do mundo físico em geral. Por outro lado, contrapõe Bergson, os estados psíquicos não permanecem de modo a constituir uma soma, são indivisíveis enquanto atos mentais e penetram-se mutuamente; eles não resultam de uma soma de estados mais elementares, nem podem entrar como unidade na composição de outros estados. Em suma, Bergson procura mostrar que a intuição do Espaço é a intuição de um meio homogêneo, infinitamente divisível, onde duas partes podem ser ditas iguais sem, ao mesmo tempo, serem ditas idênticas, duas partes estas que podem coexistir exteriores uma à outra, que se justapõem sem se penetrarem, simultaneamente perceptíveis como distintas e sobreponíveis, como múltiplas e comparáveis. Há aí apenas simultaneidades, apenas o presente, e não há sucessão nem duração, pois estas só existiriam, diz Bergson, para uma *consciência na qual o passado coexiste com o presente*. Bergson parece admitir que haja mudança aí, mas mudança que não redunda em sucessão, já que do estado anterior nada fica. E é nesse sentido que Bergson designa os estados do mundo físico e exterior como *reciprocamente exteriores*: *quando um aparece, o anterior já não existe mais*. A intuição do Tempo, ou de nós mesmos, por outro lado, revelaria aquilo que Bergson chama de duração pura: um meio heterogêneo, uma sucessão de mudanças qualitativas que se penetram umas às outras, que não se exteriorizam umas às outras, que formam algo comparável a um organismo vivo ou, melhor, a uma melodia. Há aí sucessão sem distinção, uma penetração mútua de elementos, onde cada parte é representativa do todo e dele não se distingue. Como reino da pura sucessão, não há aí comparação possível entre dois momentos da duração, já que tanto eles são não distintos quanto não são sobreponíveis uns aos outros. Um novo momento da duração, finaliza Bergson, se integra dinamicamente aos momentos anteriores, sem constituir uma soma numérica; organiza-se com eles, de modo que o momento novo como que repercute nos momentos anteriores, reorganizando-os num conjunto absolutamente novo, ao mesmo tempo em que já era como que anunciado, pré-figurado, pelos momentos anteriores. Em suma, diz Bergson, no Eu há sucessão sem exterioridade recíproca, e no mundo exterior há exterioridade recíproca sem sucessão.

Ora, podemos notar, a partir dessa breve consideração da análise bergsoniana, que *aquilo que Bergson chama de "duração ou temporalidade pura" pode, paradoxalmente, ser aproximado daquilo que Freud chama de "atemporalidade"*, e que nós, acima, designamos como sendo uma caracterização positiva da atemporalidade. De modo a mostrar como tal aproximação é possível, gostaríamos de nos referir à interessantíssima análise que Freud realiza do *Moisés* de Michelangelo (1914): de modo a compreender certos detalhes dessa estátua (o modo como os dedos da mão estavam cravados na barba, a posição da tábua de pedra que continha os mandamentos etc.), Freud impõe-lhe movimento, e acaba reconhecendo, na posição atual, uma espécie de compromisso entre duas posições imediatamente anteriores, de modo que a posição atual como que guarda vestígios das posições anteriores, como que está sobrecarregada de vestígios do passado. A exposição freudiana da transição entre as três posições é muito mais contínua do que os desenhos que ele introduz, e nessa exposição as diferentes posições do Moisés interpenetram-se mutuamente, elas apresentam a mesma "interpenetração mútua" que era destaque na análise bergsoniana da duração pura. Aqui, é verdade, não dizemos, como Bergson, que uma posição "anuncia" ou "prefigura" a posição imediatamente futura, mas que ela "guarda vestígios" da posição imediatamente passada; no entanto, o processo é fundamentalmente o mesmo.

Ouro Preto, novembro de 2004.

Referências bibliográficas

1. FREUD, Sigmund. *Studienausgabe,* Fischer Taschenbuch Verlag, Frankfurt am Main. – *The Standard Edition of the Complete Psychological Works of Sigmund Freud.* The Horgart Press/ Institute of Psychoanalisys, Londres, 1953-74.
2. ASSOUN, Paul-Laurent. *Freud, a filosofia e os filósofos*, São Paulo: Liv. Francisco Alves, 1978.
3. BERGSON, Henri. *Ensaio sobre os dados imediatos da consciência.* Lisboa: Edições 70, 1988.

Instruções para os autores

1. Os trabalhos enviados para publicação devem ser inéditos, conter no máximo 40 laudas (30 linhas x 70 toques) e obedecer às normas técnicas da ABNT (NB 61 e NB 65).

2. Os artigos devem ser acompanhados de resumo de até 100 palavras, em português e em inglês (*abstract*), palavras-chave em português e em inglês, e referências bibliográficas em ordem alfabética, obedecendo as normas de referência bibliográfica da ABNT (NBR 6023).

3. A comissão executiva reserva-se o direito de aceitar, recusar ou reapresentar o original ao autor com sugestões de mudança. Os relatores de parecer permanecerão em sigilo.

Notes to Contributors

1. Articles are considered on the assumption that they have not been published wholly or in part. Contributions should not exceed forty double-space pages.

2. A summary abstract of up to 100 words (Portuguese and English) should be attached to the article, including key-words (Portuguese and English) and bibliography in alphabetical order.

3. All articles will be strictly refereed.

425

Edição	Joana Monteleone
Assistente editorial:	Clarissa Boraschi Maria
Assistente de produção	Guilherme Kroll Domingues
Imprensa	Rodrigo Borges Delfim
Administração	Aila Regina da Silva
Comercial	Ronaldo Capel
Estagiária	Marília Chaves
Capa:	Carmela Gross e Clarissa B. Maria
Projeto gráfico e diagramação	Clarissa Boraschi Maria
Revisão	José Muniz Jr.
Imagem da capa	Desenhos do jornal húngaro *Fidibusz*, que foram utilizados por Freud na quarta edição de *A interpretação dos sonhos*
Impressão	Gráfica Vida & Consciência